소녀는 순수하지 않다

D&C BOOKS ROMANCE NOVEL
소녀는 순수하지 않다
I
박슬기 장편소설
D&C BOOKS

Contents

A girl is not pure

prologue ······························9

1. 이웃집 전학생 ························ 27

2. 방과 후 특별 수업 ······················ 51

3. 누구도 침범할 수 없는 관계 ···············107

4. 녹턴과 너 ··························133

5. 특별하고 소중한 감정 ···················175

6. 너무 좋아서 슬퍼지는 순간이 올 만큼 ···215

7. 안녕, 나의 쇼팽 ······················261

8. 이웃집 건담 소녀 ····················· 287

9. 녹턴 2번 ··························317

10. 열여섯의 너에게 ······················351

View of Eunsu

prologue

prologue

유리잔에 채운 물을 따라 버리듯 마음을 비워 내던 때가 있었다. 가슴 한구석이 뻥 뚫린 채 지독히 외로웠던 날들.

그 공허한 가슴을 채워 준 소녀를 만난 건 햇살이 유난히도 뜨겁던 계절이었다. 굵은 장대비 속으로 쏟아졌던 그 시절의 여름은 지금도 기억의 편린 속에서 살아 숨 쉬며 찾아온다.

놀이터 벤치 위를 뒤덮은 담쟁이덩굴이 시원한 그늘을 드리우고, 낡은 그네 줄은 녹슨 쇳소리를 내며 끼익 흔들린다. 널빤지 시소는 가끔 혼자 기우뚱거리다가 모래밭에 묻힌 타이어 위로 뚝 떨어지고는 했는데, 소녀는 그걸 보고 바람이 잠시 쉬어 가는 거라고 했다.

탕, 투르르.

은색 스테인리스 미끄럼틀에 구슬을 던진 단발머리 소녀는 고집스러운 눈으로 그날의 운을 시험하고 있었다.

"은수 씨, 다 됐어."

곤히 감겨 있던 눈꺼풀이 스르르 열리자, 손전등이 터널 속을 비추듯 시야가 밝아졌다. 정면 거울의 모서리에 달린 메이크업 조명 위로 브러시를 잡은 손이 왔다 갔다 하는 게 보였다.

"많이 피곤했나 봐. 새벽까지 촬영이었지?"

"네."

목소리가 잠겨서 허스키하게 나왔다. 초점이 흐려진 눈동자로 앞을 응시했다. 이윽고 턱선의 셰이딩을 마친 진희가 웃으며 브러시를 내려놓았다. 고무줄로 질끈 묶은 그녀의 머리카락 끝부분은 연한 녹색으로 탈색되어 있었다.

"깨우지 말 걸 그랬나?"

"네."

딱 잘라 대답한 내 목소리에 진희는 '어련하실까?' 하는 표정으로 웃었다. 정말 짜증 나서 대꾸한 건데 이 여자는 계속 빙글거리며 웃는다. 그냥 다시 눈을 감았다. 오랜만에 기분 좋은 꿈을 꾸고 있었는데 아쉬웠다.

"사실 아까부터 아래층에서 친구분이 기다리고 있거든.

은수 씨 자고 있어서 들여보내기가 좀 그랬어."
"친구요?"
졸린 눈을 게슴츠레하게 뜨고 물었다.
"응, 여자분인데 이름이 뭐랬지? 겨울? 무슨 울인데……."
관심 없는 표정으로 듣던 나는 몸을 벌떡 일으켰다. 서랍 속의 브러시를 정리하던 진희가 놀란 눈으로 쳐다보는 게 보였다.
"여자랬죠? 아직 있어요?"
"글쎄……. 온 지 한참 된 거 같던데."
그녀의 말이 끝나기 무섭게 발걸음을 옮겼다. 급한 마음에 바지 주머니 속 휴대 전화부터 찾다가 움찔 멈췄다. 정면에 VIP실이라고 새겨진 유리문이 조심스럽게 열리고 있었다. 문틈 새로 단발머리의 조그마한 얼굴이 고개를 쏙 내미는 게 보였다. 눈을 동그랗게 뜨고 두리번거리던 여자가 이쪽을 보더니 배시시 웃었다.
"하은수!"
환희에 찬 뺨에 열기가 오르는 게 느껴졌다. 내 얼굴이 너무 대번에 환해지지는 않았을까? 그런 걱정도 들었지만 오랜만에 보는 그녀의 얼굴이 눈부셔서 그냥 인상을 쓰며 웃고 말았다.
"어서 와, 김여울."

각진 검은색 대리석 테이블 위에 하얀 쇼핑백이 하나 놓였다. 호기심 어린 눈으로 쳐다보는 내게 그녀는 선물 보따리처럼 연 쇼핑백 안에서 도시락 통을 하나둘씩 꺼내기 시작했다. 고개를 살짝 기울이며 여울이와 눈을 마주한 채 물었다.

"나 여기 있는 거 어떻게 알았어?"

"엊그제 재현 오빠한테 전화해서 스케줄 다 따 놨지."

"엊그제?"

입가에 살기 어린 미소가 맺혔다. 재현이 형에게서는 아무 말도 못 들었는데. 분명 여울이가 오는 걸 알면 내가 스케줄을 다 뺄까 봐 숨긴 게 분명하다.

"아까 잠깐 올라왔을 때 봤는데 너 자고 있더라. 어떻게 메이크업 받으면서 잘 수가 있지? 무슨 기분 좋은 꿈이라도 꿨어? 자면서 웃고 있던데."

"응."

웃음기 어린 목소리로 대답하는 나를 보며 여울이가 궁금하다는 표정을 지었다.

"무슨 꿈이었는데?"

"너랑 처음 우리 아지트 갔던 꿈."

눈꼬리가 처진 여울이의 눈망울이 휘둥그레 커졌다. 그녀는 방울토마토가 한가득 담긴 플라스틱 통을 내려놓으며 웃음을 터뜨렸다.

“내가 너한테 피아노 선생님 해 달라고 했던 거?”

“응.”

화장기 없는 얼굴이 소녀처럼 해맑게 웃었다.

“와, 진짜 옛날 꿈이네? 그때 하은수 진짜 재수 없었는데.”

“그랬나?”

그녀와 눈높이를 맞추기 위해 테이블 위에 턱을 괴었다. 여울이는 어깨를 으쓱거리며 반찬 뚜껑들을 다시 열었다. 내가 빤히 쳐다보는 게 느껴질 테지만 워낙 익숙해진 그녀는 아무렇지도 않은 기색이었다. 미간을 찡그렸다가 콧잔등을 찌푸렸다가 하는 모습을 관찰하는 것만으로도 입가가 풀어지려고 했다.

여행 다녀오더니 주근깨가 다시 올라왔구나. 예쁘다. 머리도 단발로 자르고……. 갈색으로 염색도 한 건가? 아, 머릿결이 상해서 매니큐어를 한 거구나.

단정한 단발에 눈썹 위로 닿는 앞머리.

꼭 십 년 전 여울이를 다시 보는 것 같아서 기분이 묘했다. 그리움과 아쉬움이 공존한 눈빛으로 그녀를 바라보던 나는 나도 모르게 잠긴 목소리를 내뱉었다.

“지금은 안 그래.”

여울이가 동그란 눈으로 이쪽을 바라보았다. 그녀는 어

처구니없다는 표정을 짓고 있었다.

"무슨 소리야, 너 지금도 성격 완전 재수 없어. 재현 오빠가 널 괜히 재수탱이 왕자라고 부르는 줄 알아? 하여간 대한민국 여자들이 다 속고 있는 거라니까. 남자 친구로 삼고 싶은 남자 1위? 나 참, 하은수 편식이 얼마나 심한지도 모르고."

"내 말은."

나는 일어나 맞은편에 앉아 있는 여울이의 옆에 앉았다. 빙긋 웃으며 다가오는 나를 여울이가 불안한 눈동자로 쳐다보았다. 뭔가 불길한 예감이 든다는 눈초리로 잔뜩 경계하듯 어깨를 움츠리며.

"너한테는 안 그런다고."

그녀의 어깨를 확 끌어당기며 허리를 숙이자, 여울이가 재빠르게 몸을 뒤로 젖혔다. 고개를 비스듬히 기울이며 입술을 가져간 순간, 그녀가 반찬 뚜껑 하나를 잽싸게 가져와 방패처럼 얼굴을 막았다.

"이건 또 무슨 키스 신 연습인가요, 하은수 씨?"

"안 설레?"

"내가 미쳤니? 너한테 설레게."

태연하게 말하는 여울이의 태도에 나는 장난인 듯 눈꼬리를 휘며 웃었다. 거의 반년 만이라 그런지 익숙했던 그녀의 거절이 새로운 외면으로 다가왔다. 귓가에서 윙윙거리는 소음이 주변을 차단했다. 종알종알 수다를 떠는 여울이의 목소리마저 먼 기차 기적 소리처럼 느껴질 만큼.

"……그래서 거기서 얼마나 고생을 했는지 몰라. 설마 내가 소매치기를 당할 거라고는 상상도 못 했다니까?"

시무룩하게 한숨을 쉬는 그녀의 모습에 멍하던 정신을 얼른 일깨웠다.

"나한테 연락하지."

"그러려고 했는데 재현 오빠가 너 무슨 전화도 안 터지는 지역에서 촬영 중이라고 며칠간 연락 안 될 거라 하더라고."

우물거리며 말하던 여울이는 브로콜리를 포크로 찍어서 내 앞에 내밀었다.

"먹어."

입을 벌리자 그녀가 입에 쏙 넣어 주며 웃었다.

"맛있어?"

"맛있어."

"이제 브로콜리도 잘 먹고 예뻐 죽겠어, 하은수."

"이젠 다 잘 먹어."

"그래야지. 내가 너 편식 고치려고 십 년 넘게 이 고생을 하고 있잖아. 휴, 이제 나는 내 일생의 업무를 다 마쳤어.

하은수 장가보내도 여한이 없다, 내가."

여울이의 말에 손끝이 떨렸다. 굳어 가는 입매를 다잡은 나는 젓가락을 놓고선 애써 웃으며 말했다.

"편식 고치면 장가가는 거야?"

"하긴, 연예인이니까 좀 늦게 가려나? 나는 사십 대에 열 몇 살 어린 애랑 결혼하고 그러는 거 별로더라. 넌 그러지 마. 그냥 좋은 때에 좋은 애 있으면 가."

여울이가 또 브로콜리를 집자, 나는 인상을 쓰며 입을 다물었다.

"왜?"

"안 먹어."

"왜 그래, 또? 이젠 다 잘 먹는다며."

"그냥 편식 안 고치고 장가도 안 가려고."

여울이가 매섭게 노려보며 욕설을 구시렁대는 게 보였다. 이런 대화가 익숙한 그녀는 포기도 빨랐다. "먹든지 말든지 마음대로 하세요, 하은수 씨."라며 쏘아붙인 여울이는 일어서서 뒷짐을 지더니 메이크업실 내부를 구경하기 시작했다.

매의 눈으로 여기저기 뜯어보며 화장품은 뭘 쓰는지까지 꼼꼼하게 확인하는 그녀의 모습에 난 웃고 말았다.

누가 보면 아들 신혼집이라도 둘러보는 시어머니인 줄

알겠다, 김여울.

나는 턱을 괸 채 아쉬운 눈으로 그녀의 뒷모습을 감상했다. 작은 어깨선에 닿는 머리칼이 움직일 때마다 잔물결처럼 부드럽게 넘실거렸다. 자몽 냄새가 나는 머릿결, 솜털마저 보드라운 목선, 동그란 어깨, 잘록하고 가녀린 허리선…….

만지고 싶다.

"은수야."

"응?"

얼른 표정 관리를 하며 그녀를 응시했다.

"나 다음 주에 소개팅한다?"

나는 굳은 채 그녀를 빤히 쳐다보았다. 지금 뭘 한다고?

"갑자기 소개팅은 왜?"

"그냥. 연애한 지 오래됐잖아."

가슴이 싸하게 젖었다. 충격받은 얼굴로 그녀를 보며 입술을 떼었다가 다시 다물었다. 뭐라고 말해야 할지 말문이 막혔다.

기대 반 설렘 반으로 웃는 여울이의 표정에 서운해졌다. 뭐가 그렇게 좋은지 배시시 웃기까지 한다. 그런 얼굴을 보는 내 기분을 알고 있기나 한 건지. 목울대까지 올라온 감정을 호흡으로 억누른 후 억지웃음을 지었다.

"너 소개팅 싫어했잖아."

"오 대리가 진짜 괜찮은 사람이래. 사진 한번 볼래? 이 사람인데."

여울이가 핸드폰을 눈앞에 들이밀기 전까지는 현실감이 없었다. 실체 없는 대상의 사진 속 얼굴을 직접 보기 전까지는.

"나이는 서른이고 외국계 기업 다닌대. 괜찮게 생겼지? 키는 178이고……."

"작네."

"뭐가 작아. 그 정도면 크지."

"나 정도는 되어야 큰 거야."

"너 정도면 외국에서도 엄청 큰 거거든?"

됐다고 사진을 냉큼 치운 여울이는 핸드폰 화면에서 시선을 뗄 줄 몰랐다. 내 얼굴을 저렇게 구멍 날 정도로 쳐다봐 준 적은 있었나 싶다. 눈초리가 서늘해지며 미간에 절로 힘이 들어갔다. 얼핏 본 사진 속 얼굴의 주인공은 최근 여울이 주변에서 걸리적거리던 새끼들 중에서 가장 준수한 편이었다. 여울이는 저렇게 서글서글한 인상을 좋아하는데……. 불안감이 솟구쳤다.

"김여울, 첫사랑은 이제 다 잊은 거야?"

휴대폰 화면에서 눈을 뗀 여울이가 이쪽을 바라보자 나는 입가에 어색한 미소를 그렸다. 내 얼굴을 물끄러미 바라보던 그녀의 눈매가 흔들렸다. 그러더니 핸드폰을 쥔 손을 허벅지 위로 올려놓으며 굳은 얼굴로 일어섰다.

입술을 꽉 깨물며 허공을 쳐다보는 여울이의 눈꺼풀이 파르르 깜빡이는 걸 보고서야 내가 뭔 짓을 했는지 깨달았다. 황급히 여울이의 손목을 덥석 붙잡았다.

“여울아, 미안…….”

“사과하지 마.”

돌아선 그녀의 눈동자가 어느새 덤덤해져 있었다.

“너 좋아했던 거 후회 안 해.”

여울이의 손목을 잡았던 내 손이 모래성을 쥐었던 것처럼 힘없이 풀렸다. 잠시 내 눈을 쳐다보던 그녀의 눈동자가 다 털어 버렸다는 듯 작게 웃었다.

“덕분에 최고의 베스트 프렌드를 얻었잖아.”

나는 천천히 고개를 끄덕였다. 부정할 수 없는 사실이었다. 하은수는 김여울의 둘도 없는 친구니까.

내 어깨밖에 안 오는 여울이가 뒤꿈치를 들더니 이쪽으로 팔을 뻗었다. 그녀는 내 머리를 부드럽게 쓰다듬었다.

“그런 표정 하지 마. 그때가 벌써 언제야? 십 년도 더 전이잖아. 그리고 너 이제 내 타입 아니거든요?”

배시시 웃는 그녀를 보며 나는 억지로 미소를 그렸다.

“김여울 타입은 뭔데?”

"글쎄? 아까 그 소개팅남도 나쁘진 않은데……. 어쨌든 하은수 너는 아니야."

먼저 간다고 말한 여울이가 가방을 들고 나서자 나는 텅 빈 눈으로 그녀의 사라진 뒷모습을 좇았다.

– 어쨌든 하은수 너는 아니야.

여울이의 목소리가 메아리치며 머릿속에서 거듭 재생되었다. 그 잔인한 음성은 수면 속에 잠겨 사라질 때까지 내 숨을 옥죄며 고통을 가했다.

휴대 전화를 메이크업 의자 위에 툭 던지며 소파에 털썩 앉았다. 미간을 주물러 봤지만 두통이 가시질 않았다. 머릿속에는 배시시 웃으며 소개팅남 사진을 덥석 내밀던 여울이의 얼굴만 구름처럼 떠다녔다.

차가운 테이블 위에 '쿵!' 하고 정수리를 찧은 채 멍한 눈으로 다리를 응시했다.

– 하은수, 좋아해! 나랑 사귈래?

긴장한 얼굴로 숨도 안 쉬고 소리치듯 고백하던 여울이의 모습이 수면 위로 솟구치듯 떠올랐다.

하늘을 올려다보면 스테인드글라스처럼 우거진 나뭇잎이 시야를 가득 채웠던 그 시절. 방과 후 교복을 입은 채, 붉은 담벼락 옆 낡은 분리수거함 위에서 다리를 흔들며 날 기다리던 너.

가끔 아지트에 도착하기 직전, 입구에 있는 커다란 은행나무 뒤에 숨어 먼저 온 여울이의 모습을 잠시 지켜보고는 했다.

음악 시간에 배운 노래를 흥얼거리며 기다리는 네 모습을 좀 더 눈에 담고 싶어서, 몇 분 간격으로 내가 언제 오나 고개를 들고 오솔길을 빤히 응시하는 검은 눈동자를 더 보고 싶어서, 그러고는 뭐가 그리 좋은지 혼자 배시시 웃는 얼굴이 이상하게도 가슴을 간질거리게 해서, 종종 약속 시간에 늦게 갔다.

그 자리에서 한결같이 나를 기다려 주는 여울이가 좋았다.

하지만 그때는 미처 알지 못했다.

그녀가 나를 영원히 기다려 주지만은 않는다는 사실을.

View of Yeoul

1. 이웃집 전학생

1. 이웃집 전학생

은수와 내가 처음 만난 건 열여섯의 봄이었다.

1990년대 경기도 광명은 신혼부부나 어린 자녀를 둔 젊은 부부들이 많이 살았던 곳이다. 영등포에서 중장비 타이어를 팔아서 생계를 유지하던 아버지와 어머니는 내가 일곱 살 때 신도시로 뜨던 광명시로 이사 왔다.

담뱃갑처럼 줄지어 세워진 건물들 속에서, 특출 나게 작지도 크지도 않은 24평짜리 아파트는 우리 가족에게 있어 새 출발의 상징이었다. 결혼 생활 8년 만에 내 집 마련에 성공한 두 분은 이사 오던 날, 나와 내 동생에게 자장면이 아닌 피자와 치킨을 사 주셨다.

하안동 주공아파트 803동.

25층짜리 아파트 바로 앞에는 하얀색 상가 건물이 있었고, 지하 1층은 늘 엄마가 장을 보러 가는 농심가 슈퍼, 지상 1층에는 내가 좋아했던 미미 인형 옷들을 잔뜩 파는 럭키 문방구와 고소한 냄새를 풍기는 하얀 쌀집이 있었다.

횡단보도 건너에 위치한 서라벌 미술 학원 건물의 서점은 주인아줌마의 성질이 고약해서 꼭 필요할 때 외에는 가지 않았다. 슬프게도 상가 건물에 위치한 대원 서점에는 오래된 문제집밖에 없어서 전과를 살 때는 꼭 미술 학원 건물 서점에 가야 했다.

2005년 5월.

3학년 1학기 중간고사가 끝난 지 얼마 되지 않던 시점이었다. 슈퍼에서 심부름을 하고 돌아오던 나는 아파트 앞에 세워진 이삿짐 트럭을 발견했다. 사다리차가 높게 뻗은 사다리로 이삿짐을 잔뜩 실어 올리고 있었다.

휘둥그레진 눈으로 사다리를 따라 위를 올려다보았다.

하나, 둘, 셋, 넷…… 열, 열하나, 열둘.

12층이다.

우리 집이랑 같은 층이네?

다시 이삿짐 트럭을 보던 나는 베이지색 천으로 된 커버가 씌워진 피아노 한 대를 발견했다. 그러고는 오른손에 들고 있던 심부름 비닐봉지가 떨어지는 것도 모른 채 흥분한 얼굴로 달려갔다.

우와! 피아노다.

피아노 학원에 널려 있는 그런 흔해 빠진 것들 말고, 뭔가 비싸 보이는 예술가의 것이었다. 살짝 올라간 베이지색 커버 사이로 보이는 피아노의 다리는 하얗고 우아한 곡선을 그리고 있었다.

“김여우우울!”

엄마의 목소리에 화들짝 놀라서 위를 쳐다봤다. 아파트 베란다 창문을 열고 소리치는 엄마의 모습이 보였다.

“안 오고 뭐 해!”

“지, 지금 가!”

바닥에 떨어진 비닐봉지를 주워 냉큼 아파트 입구 계단 위로 뛰어올랐다. 그 순간 커다란 대파 하나가 봉지 밖으로 삐죽거리다가 검은 아스팔트 위로 낙하했다.

“엄마, 봤어?”

“뭘?”

“우리 옆집! 새로 이사 왔잖아.”

“안 그래도 좀 전에 인사했어.”

“나 피아노 봤어. 엄청 큰 피아노.”

“그 집 엄마가 치는 거 같더라. 애가 하나 있는 것 같던데, 네 또래인가 봐.”

"몇 살인데?"

"그건 모르겠고, 남자아이래."

나는 입에 계란말이를 하나 넣고 우물거리며 아리송한 표정을 지었다. 저런 고급스러운 피아노는 묘하게 우리 아파트와 어울리지 않는다는 생각이 들었기 때문이다.

다음 날 아침, 교실은 소란스러웠다.

여느 때와 다름없이 떠들썩했지만 몇몇 애들이 교무실에서 뭔가를 봤다며 흥분한 얼굴로 여기저기 다니며 소곤거렸다.

"자, 다들 조용하고."

1교시 국사책을 꺼내던 나는 묵직한 목소리로 말하는 선생님을 보며 인상을 썼다. 숙제 아직 다 못 해서 빨리해야 되는데.

"오늘 우리 반에 새로운 친구가 전학 왔어요."

아이들이 기대에 찬 얼굴로 술렁이기 시작했다. 뒤를 홱 돌아보며 "진짜네?" 하고 엄지를 치켜세우는 녀석이 보였다. 그러자 자칭 정보통이라는 세희는 양 갈래로 땋은 머리를 뒤로 넘기며 '에헴' 하고 콧대를 세웠다.

"자, 들어올까?"

앞문이 드르륵 열리고 낯선 교복을 입은 남자아이가 꾸벅 인사하며 들어왔다. 하얀 셔츠에 금색 마크가 새겨진 베이지색 니트 조끼가 눈길을 사로잡았다. 똑 떨어지는 남색 교복 바지는 윤기가 좌르르 흘렀다.

'와, 무슨 엘리트 교복 모델 같지 않냐?'

누군가 수군거리며 속삭였다.

우유처럼 새하얀 피부를 가진 애였다. 여자애들은 벌써부터 쑥덕이고 있었다. 야살스러운 눈매에 색이 연한 눈동자.

"친구들한테 자기소개 좀 해 줄래?"

전학생은 잠시 머뭇거리더니 교탁 옆에 서서 입을 열었다.

"안녕."

차분한 목소리였다. 키는 크지 않지만 전체적으로 단정하고 왠지 모르게 우아한 분위기를 풍겼다.

"내 이름은……."

하은수.

그게 그 녀석 이름이었다.

그는 날 빤히 보더니 다가와서 내 책상 위에 뭔가를 떨어뜨렸다.

"이거, 어제 아파트 입구에 떨어뜨리고 갔더라."

나는 검은 봉지 안에 든 대파를 보며 멍한 눈을 깜빡였다. 다른 아이들의 시선이 느껴지자 냉큼 대파가 든 봉지를 책상 옆 고리에 걸었다. 그래도 커다란 파가 삐죽 튀어나오자 서랍 안에 억지로 구겨 넣었다.

짝꿍인 남자애가 안경 너머를 곁눈질로 흘끗거리는 게 보였다. 얼굴이 화끈거렸다. 나는 아예 벌떡 일어서서 복도로 나가 신발장 속에 대파를 던져 넣었다.

'뭐야, 재.'

뒷문으로 들어오자, 이미 아이들과 화기애애한 분위기 속에서 웃고 있는 녀석이 보였다. 친화력 한번 대단하네.

은수는 며칠 지나지 않아 전교생의 주목을 받았다.

녀석은 점심시간이 되면 밥을 5분 만에 뚝딱 해치우고는 우유팩을 입에 문 채 남자애들을 이끌고 운동장으로 뛰어나갔다. 하얗고 선이 예쁜 아이는 축구공을 찰 때만큼은 폭발적인 에너지를 발산했다.

여자아이들은 은수의 그런 모습에 열광했다.

하지만 나는 이상하게도 녀석이 마음에 들지 않았다. 그래서 항상 관심 없는 표정으로 창가에서 제일 먼 뒷문 앞 책상에 앉아 여자아이들과 수다를 떨었다. 점심시간 종 치기 1분 전, 뒷문으로 우르르 들어오는 남자아이들의 땀 냄새가 지독하긴 했지만.

제일 마지막으로 들어오는 은수는 종종 나와 눈이 마주치곤 했다. 야들야들한 눈매는 웃지 않으면 조금 차가워 보였다.

작년부터 시행된 급식은 복도의 엘리베이터를 통해 급식차가 각 교실로 오는 형식이었다. 그런데 어제 갑자기 엘리베이터가 고장 나면서 일시적으로 급식이 중단되는 사태가 발생했다.

3학년 모두 한동안 도시락을 싸 오게 되었다.

아이들은 엄마가 싸 준 밥이라는 것과, 오랜만인 도시락 생활에 흥분했지만 엄마들은 죽을 맛이라며 불만을 토로했다.

"김여울."

뒷문이 드르륵 열리며 은수가 내 이름을 불렀다. 쟤 좀 전에 애들하고 축구공 들고 나가지 않았었나? 녀석은 뭔가를 깜빡했다는 표정으로 날 쳐다보고 있었다.

"왜?"

나는 포크를 입에 물고 물었다. 은수는 책상 위의 내 도시락을 흘끗 보더니 자기 자리로 성큼성큼 가서 쇼핑백 하나를 내밀었다. 엉겁결에 까만 쇼핑백을 건네받은 나는 종이 가방 안을 들여다보았다.

"너 먹어."

그렇게 말한 그는 복도에서 "하은수! 빨리 와!"라는 친구들 목소리에 황급히 다시 나가다가 고개를 다시 빼꼼 내밀더니 나한테 교복 조끼를 휙 던지며 소리쳤다.

"다 먹어 주라! 부탁한다."

나는 은수가 던진 남색 니트 조끼를 머리에 뒤집어쓴 채 잠시 멍하니 앉아 있었다. 정신을 차린 뒤 조끼를 코밑으로 내리고선 뒷문 밖을 노려보았다. 교실에 있던 여자아이들의 시선이 온통 내게로 쏠렸다. 다들 휘둥그레진 눈으로 이쪽을 뚫어져라 응시하고 있었다.

"뭐야? 김여울 너 하은수랑 친해?"

"야, 친하긴 무슨!"

"그럼 이거 뭔데?"

평소 나와 말도 섞지 않던 애들이 우르르 달려와서 냉큼 쇼핑백을 뺏었다. 일명 일진이라고 하는 애들이었다. 박새미와 김민경. 노는 여자애들 중에서는 주먹과 미모로 각각 탑이라고 한다.

"도시락 반찬인데?"

"은수가 너한테 도시락 반찬을 왜 줘?"

"야, 왜 남에 걸 마음대로 열어 보고 그래!"

나는 소리를 빽 지르며 쇼핑백을 다시 뺏어 왔다. 내 목청에 놀란 김민경과 박새미는 흠칫 굳은 채 나를 쳐다보고 있었다. 이윽고 둘은 눈꼬리를 세모꼴로 세우며 뾰족한 말투로 쏘아붙였다.

"좀 볼 수도 있지. 너 은수랑 무슨 사이냐고."

“아무 사이도 아니라고! 밥 좀 먹자.”

아무 사이는 아니지만 이 반찬이 뭔지는 안다. 엄마가 옆집에서 줬다면서 식탁 위에 올려놓던 나물 반찬이다. 그 옆집이 하은수네 집이었어?

나는 팔짱을 낀 채 반찬 통을 빤히 노려보았다. 이제 알겠다, 하은수. 이게 잔머리를 썼다 이거지?

6교시를 마치고 종례마저 끝나자 나는 2분단 앞줄인 은수 자리를 향해 성큼성큼 걸었다. 녀석은 키가 작아서 꽤나 앞자리였다.

“야, 네 반찬 통.”

가방을 메고 일어서던 은수가 날 보더니 입꼬리를 살짝 올려 웃었다. ‘다 먹었어?’ 그런 눈빛이었다.

“너희 어머니께서 해 주신 나물이 얼마나 맛있는데, 그걸 나한테 넘기냐?”

“그러게. 울 엄마 말이 네가 좋아한다고 하더라고.”

“애같이 편식이나 하고.”

반찬 통을 돌려서 열어 본 은수는 환하게 웃었다. 가지런한 치아를 드러내고 웃는 은수의 미소에 나는 콧잔등을 찌푸렸다.

“고맙다, 김여울. 다음에도 부탁해.”

녀석이 귓가에 속삭이며 지나갔다. 나는 귀에 남은 묘한 숨결을 느끼며 황급히 손으로 귓불을 부여잡았다.

"다음엔 안 먹을 거야."

내 말에 은수는 흘끗 뒤를 돌아보더니 눈웃음치듯 웃었다. 평소 서늘해 보이는 얼굴이 저렇게 웃으면 여우처럼 예뻤다.

하지만 난 저 눈웃음에 속지 않는다.

내 자리로 성큼성큼 돌아온 나는 괜히 화풀이를 하듯 의자에 앉았다.

월요일 5교시는 음악 시간이었다.

교회 예배당처럼 가로로 길게 늘어진 의자에 앉아 얇은 음악책을 펼쳤다. 악보의 음표들이 오늘 점심때 먹은 콩나물 반찬으로 보였다. 졸린 눈을 힘겹게 뜨다가 음악책 위에 엎드려 하품을 했다.

왜 음악 시간은 매년 점심시간 직후인 5교시일까? 진도아리랑도, 베토벤도 달콤한 자장가로 변하는 최면의 시간이다.

오늘은 왜 자장가를 틀지 않나 싶어 이마를 들었더니, 반장인 곽다정이 리코더를 지휘봉 삼아 휘두르며 서 있었다. 칠판에는 투표라도 하는지 여러 곡 이름을 써 놓고 번호를 붙여 놓은 게 보였다.

"그럼 합창 대회 곡은 이걸로 정하고……."

정했다고? 난 투표한 기억도 없는데? 쟤는 우리 반이 무슨 그리스 공화정인 줄 아나? 지 패거리인 소수 원로원만 이끈 채 스몰 정치를 한다. 뒷줄은 참정권도 없다 이거냐?

"피아노 반주 맡을 사람?"

아무도 손을 들지 않았다. 나는 문득 은수를 쳐다봤다. 맨 앞자리에 앉은 은수는 관심 없다는 눈빛으로 턱을 괸 채 창밖을 응시하고 있었다. 은수네 집이 이사 오던 날 봤던 커다란 피아노가 떠올랐다.

'은수는 피아노를 안 치나?'

피부가 하얗고 눈동자 색이 연한 은수는 이상하게도 피아노랑 잘 어울렸다. 까만 건반 위를 오가는 녀석의 손가락을 상상해 봤다.

괜히 낯 뜨거워지는 걸 느낀 나는 잠수를 하듯 음악책 위에 턱을 괴고 등을 구부렸다. 흐릿해지는 시야로 누군가 "저요!" 하고 손을 드는 게 보였다.

부러움과 동경이 교차한 눈동자로 새로 뽑힌 반주자 여자애를 응시했다. 어차피 나와 상관없는 일이지, 뭐.

악보 위로 다시 코를 묻었다.

새로 생긴 피아노 학원은 집으로 오는 하굣길에 위치한 노란 학원 건물 3층에 있었다. 건물 앞에 가자마자 뚱땅거리는 피아노 소리가 들려왔다. 반사적으로 귀를 틀어막았다. 누가 피아노 건반에 대고 못질을 하나? 공사장이라고 해도 믿겠다.

투덜거리는 마음과 달리 발걸음이 자꾸만 멈칫거렸다. 나는 고개를 들어 굉음이 흘러나오는 건물 창문 쪽을 물끄러미 올려다보았다.

작은 쇠방울이 달린 유리문을 열자 소음은 한층 더 심각해졌다. 조심조심 신발을 벗고 슬리퍼로 갈아 신었다. 그러자 하얀색 카디건에 긴 치마를 입은 선생님 한 분이 환하게 웃으며 마중을 나왔다.

"어머, 어서 와요."

"아, 안녕하세요."

"우리 학원생은 아닌 것 같은데……. 처음 왔어요?"

"네? 아, 네, 그, 그냥 구경만 좀 하려고……."

생긋 웃는 선생님의 얼굴이 정말 고왔다. 피아노를 치는 사람들은 다 이렇게 상냥하고 예쁜가?

상담을 해 준다며 안내받은 곳은 사방이 오픈된 응접실로, 줄지어 있는 연습실들을 한눈에 볼 수 있는 구조였다. 피아노가 한 대씩 배치되어 있는 작은 연습실들 안에는 초등학생들이 바이엘을 펴 놓고 뚱땅거리며 소음을 만들어 내고 있었다.

선생님이 종이컵에 따라 준 코코아를 마시던 나는 두리번거리던 끝에 꽃무늬 커튼이 걸려 있는 작은 통로를 발견했다.

"저기는 성인반이에요."

"아."

나는 별다른 관심을 두지 않은 채 다시 코코아를 홀짝 마셨다. 어른들도 다니는구나. 어딜 봐도 중고등학생은 보이지 않았다. 갑자기 꽃방석 의자가 불편하게 느껴졌다.

"김여울?"

돌아보니 커튼 뒤에서 나온 은수가 얼어붙은 표정으로 나를 바라보고 있었다. 나는 은수가 나온 꽃무늬 커튼 안쪽을 흘끗 쳐다보았다. 얼핏 긴 머리칼이 보였다. 상아색 니트를 입은 동그스름한 어깨도, 립글로스를 바른 도톰한 입술도.

내 시선을 눈치챈 은수가 커튼 줄을 홱 잡아당겼다. 좌르르 내려온 커튼 자락이 시야를 가리자 나는 은수를 쳐다보았다. 은수는 나를 빤히 응시하다가 출입구 쪽으로 향했다. 어깨를 스치며 지나간 녀석은 인사 한마디도 하지 않았다.

어리둥절한 얼굴로 서 있던 나는 몇 분 뒤 신발장 앞에 섰다. 실내용 슬리퍼를 벗다가 신발장 맨 아래가 눈에 들어왔다. 거기에는 아이들 운동화도 아닌 선생님들의 뾰족 하이힐도 아닌, 단정한 여고생 구두 한 켤레가 놓여 있었다.

왜 그 신발에 눈길이 갔는지는 모르겠지만 이상하게도 커튼 뒤에 서 있던 긴 머리 언니가 생각났다. 도톰한 입술을 꽉 깨물며 서 있던 그녀가.

"하은수."

생각에 잠긴 듯 천천히 걸어가던 은수는 금세 내 걸음 속도에 따라잡혔다. 날 쳐다보는 은수의 눈빛이 평소와 달리 죽은 물고기 눈동자처럼 생기가 없다.

이런 건 그냥 못 본 척 지나가는 게 최고다.

별말 없이 인상을 쓴 채 걸어가던 나는 한 걸음, 두 걸음 스쳐 지나가다가 우뚝 멈췄다. 홱 돌아선 내 눈에 게슴츠레 허공을 응시하는 은수의 모습이 들어왔다.

"따라와."

녀석의 손목을 잡은 나는 성큼성큼 아파트 옆에 난 조그마한 오솔길로 향했다.

"뭐야, 어디 가는데?"

주공아파트 8단지와 13단지는 2차선 도로를 사이에 두고 마주하고 있다. 그런 거 있지 않나? 단지별 부심. 길 건너 13단지는 장애인 가족이 많이 산다고 소문난 단지였다. 내 착각이었는지도 모르겠지만 13단지에 사는 아이들은 하굣길에 늘 고개를 푹 숙이고 걸어 다녔다. 안양천 공원과 제일 가까운 12단지는 나름 잘사는 애들이 산다고 의기양양하던 곳. 어느 아파트 단지에 사느냐는 어른들의 계급만 결정하는 게 아니었다.

우리 집이 있던 8단지는 어떠했냐고? 그냥 딱 평균이었다. 애들한테 말해도 부끄럽지 않고 자랑할 것도 없는 평범한 보통의 아파트.

하지만 이웃집 은수는 평범한 보통의 남자애가 아니었다. 은수에게는 설명하기 힘든 영향력이 있었다. 존재 자체로 사람들을 매료시키고 공통분모가 있다는 것만으로도 위안과 행복을 주는 아이. 만약 은수가 13단지에 살았더라면 다른 13단지 애들도 조금은 더 당당하게 등하교를 했을까?

일렬로 세워진 고층 아파트 옆에는 은행나무들로 우거진 오솔길이 있었다. 13단지가 있는 쪽으로 2차선 도로가 깔리는 바람에 세워진 붉은 돌담이 산책로를 좁혀 버렸지만, 나는 이 작은 오솔길이 좋았다. 주민들 대부분은 주차장 너머에 위치한 큰 인도로 다니지 굳이 이 오솔길로 다니지는 않았기 때문이다.

감나무의 잎사귀들이 만들어 낸 그림자 무늬의 사이사이를 골라 밟았다. 뒤따라오는 은수의 머리칼에서 달콤한 향기가 났다. 피아노 학원에서 맡았던 냄새랑 비슷하다. 남자애가 왜 저런 꽃향기를 풍기는 거지? 괜히 설레게.

낡은 문고리는 덜렁거리며 흔들려서 제 역할을 하지 못했다. 내가 손쉽게 철문을 열자 은수는 놀란 듯 문밖에서 날 바라보았다.

"뭐 해? 안 따라오고."

"지하 감옥 같은 데에 나 가두려는 거 아니지?"

"이상한 소리 말고 따라오기나 하시지? 특별히 너에게만 공개하는 거거든?"

은수는 의심스러운 눈초리로 날 잠시 쳐다보더니 옆에 삐져나온 나뭇가지를 하나 뚝 꺾었다. 녀석은 이파리 끝으로 벽을 괜히 툭툭 쓸며 안으로 진입했다. 누가 보면 함정이라도 파 놓은 줄 알겠다, 하은수.

"여기 쓰레기장 아니야?"

"옛날에는 그랬을지도."

내 말에 은수는 황당하다는 표정을 지었다. 그는 어두컴컴한 지하실을 빙그르르 둘러보더니 천장에 달린 전구를 향해 손을 뻗었다. 낡은 전구에 불이 들어오자 은수의 표정도 환해졌다.

"오, 이거 크러시기어잖아. 건담도 있네?"

나는 행여나 내가 모아 놓은 보물들을 녀석이 가져갈까 봐 눈을 불안하게 깜빡였다. 내 시선을 눈치챈 은수가 내가 제일 아끼는 건담 파랑이를 손에 쥐고선 내 얼굴을 쳐다보았다.

“나 주라.”

“안 돼, 내가 그걸 어떻게 따 모은 건데.”

말이 채 끝나기도 전에 딱 잘라 거절하는 나를 보며 은수는 일단 입을 다물었다. 하지만 이 녀석도 집요한 구석이 있었다. 다시 슬그머니 말을 꺼낸다.

“제발.”

“안 된다고.”

“너 건담 좋아하지도 않잖아.”

“좋아하거든?”

“야, 무슨 여자애가…….”

“여자애는 로봇 가지고 놀면 안 되냐? 난 세일러문도 좋아하고 건담도 좋아해. 그러니까 그거 얌전히 내려놓을래?”

녀석은 웃음을 꾹 참는 듯한 표정이었다. 으름장을 놓는 나를 곁눈질하면서 몰래 피식하고 웃는 기분이었다.

“야, 여기 축구공 있다. 이거 너 가져. 너 축구라면 환장하잖아.”

내가 낡은 분리수거함 옆에 굴러다니는 축구공을 발로 툭 차며 말하자 은수는 코웃음을 치며 사절했다.

“터진 축구공이잖아. 난 이거 갖고 싶어. 축구보다 건담에 더 환장해.”

"갖고 싶으면 너희 엄마한테 가서 사 달라고 해."

그렇게 해서 될 거면 너한테 사정하지도 않았겠지. 은수는 그런 눈빛으로 날 쳐다보더니 아쉬운 눈길로 손에 쥔 건담을 내려다보았다.

그 모습에 나는 작은 이마를 잔뜩 찌푸렸다. 왜 저런 표정을 짓는 거야? 괜히 양심에 찔리게.

다른 아이들처럼 사실 나도 은수한테는 약하다.

작은 악마처럼 사람을 살살 녹이며 가지고 노는 녀석인데, 저 여우같은 눈웃음 너머에 가끔 보듬어 주고 싶은 눈빛이 존재했다. 반찬 통을 던지고 가는 은수에게 진심으로 싫다며 소리 지르지 않았던 진짜 이유다.

나는 망설이다가 입을 열었다.

"소원 하나 들어주면."

전구 불빛에 비친 은수의 얼굴이 물끄러미 나를 응시했다.

"그럼 그거 줄게."

"무슨 소원?"

"너 피아노 칠 줄 알지?"

무덤덤하니 태연하던 은수의 표정이 굳은 게 느껴졌다. 역시 내 예상이 맞았다. 입가에 작은 미소가 번졌다.

나는 은수를 끌고 분리수거함 뒤로 돌아갔다. 학교 체육관처럼 천장과 가까운 벽에 난 작은 창문에는 길쭉한 창살이 부실하게 박혀 있었다.

창살 사이로 주홍빛 노을이 커튼처럼 내려앉고 있었다. 햇살에 비친 먼지들이 반짝이는 입자처럼 공기 중에 떠다니는 게 보였다. 그곳을 바라보는 은수의 시선이 느껴졌다. 소년의 눈동자 속에 사선으로 뻗은 햇살이 유성처럼 비친다.

그 앞에 검은 피아노 한 대가 모래처럼 쌓인 하얀 먼지를 입은 채 버려져 있었다. 해진 피아노 의자는 뜯어져서 솜이 불거져 나온 채였지만, 나는 아랑곳하지 않고 그 위에 앉았다.

피아노 뚜껑을 열고 하얀 건반 하나를 검지로 꾹 눌렀다. '도' 하고 청명한 소리가 났다. 작은 창고 안에 울려 퍼지는 소리에 나는 작은 음률처럼 웃었다. 은수가 눈을 가늘게 뜨고 쳐다보는 게 어깨 너머로 느껴졌다.

레.

미.

파.

"솔."

입 모양을 모아 대신 소리 낸 나는 은수를 바라보며 멋쩍은 듯 웃었다.

"소리가 안 나. 고장 났나 봐."

나는 소리 나지 않는 건반을 꾹꾹 누르며 자그마한 목소리로 말했다.

"피아노 쳐 줘."

"뭐?"

"방과 후 여기서 매일."

은수는 할 말을 잃은 듯 나를 멍하니 바라보고 있었다. 녀석은 낡은 피아노 위에서 꼼지락대는 내 손가락과 어설프게 엉덩이를 걸치고 앉아 있는 내 자세를 번갈아 쳐다보더니 인상을 찌푸렸다.

"김여울, 너 나 여기 왜 데려온 거냐?"

"위로해 주려고."

"무슨 위로?"

은수의 말에 나는 침묵했다. 피아노 학원의 그 언니는 이제 집에 갔을까? 그늘져 있던 네 표정이 그 언니 때문인 게 아니냐는 질문은 하지 않았다. 이마를 구기며 묻던 은수도 더 이상 아무런 말을 하지 않았다.

"매일은 좀 그렇고, 일주일에 한 번."

진짜? 나는 눈을 반짝이며 은수를 올려다보았다. 단칼에 싫다고 거절할 줄 알았는데, 완전 의외였다. 웃음이 터져 나올 것 같았지만 애써 표정을 다잡으며 아무렇지 않은 척 투덜거렸다.

"그게 뭐야, 특별 활동도 일주일에 두 번은 하거든?"

"이게 특별 활동이냐?"

소리를 버럭 지른 은수는 인상을 쓰더니 손에 쥔 건담을 바라보며 말을 덧붙였다.

"덤으로 내 도시락 반찬 먹어 주는 조건으로."

"웃기고 있네. 그럼 내가 네 소원을 들어주는 거잖아."

"나 피아노 안 쳐."

은수의 말에 나는 짜증 섞인 눈초리로 뭔 소리냐는 표정을 지었다. 이제 와서 시치미 떼 봤자 소용없거든? 너 피아노 칠 줄 아는 거 다 알거든? 너네 집 하얀 피아노 내가 봤거든? 그리고 피아노 학원은 폼으로 다니냐?

목구멍까지 차오른 말을 쏘아붙이려던 순간이었다.

"다른 사람 앞에서는 절대 안 쳐."

은수는 잔뜩 힘이 들어간 미간으로 곳곳이 움푹 들어간 피아노 건반을 응시했다. 보지 않으려 했던 풍경을 기어코 보게 된 것처럼 녀석의 시선이 조금 공허하고 괴로워 보였다.

"일주일에 한 번, 그 이상은 안 돼."

목구멍이 뜨거운 숨으로 턱 막혔다. 거절할 줄 알았는데 의외였다. 단지 그 때문에 심장이 이렇게 파닥거리며 뛰는 건 아니었지만.

"이거 너랑 나랑만 아는 비밀이다, 김여울."

홱 나가 버린 은수의 그림자가 남긴 여운 속에서 나는 한동안 꼼짝도 할 수 없었다.

매주 수요일.

은수와 나의 피아노 시간이 시작되었다.

2. 방과 후 특별 수업

2. 방과 후 특별 수업

점심시간 종료를 알리는 예비종이 울려 퍼졌다. 뒷문이 드르륵 열리고 남자아이들이 땀에 젖은 채 돌아왔다. 맨 마지막에 손가락으로 축구공을 굴리며 들어온 건 은수였다. 4반 하고 시합했다더니 이겼는지 기분 좋은 표정으로 온 은수의 시선이 자동적으로 내게 향했다.

"김여울, 밥 다 먹었어?"

"내가 무슨 너희 집 개도 아니고 밥그릇 확인부터 하냐?"

빈 반찬 통을 휙 던져 주는 내게 은수가 이를 드러내며 짓궂게 웃었다. 몇몇 여학생들이 단발머리를 귀 뒤로 넘기며 이쪽을 곁눈질한다. 살굿빛 뺨들이 쑥덕거리며 나를 노려보는 게 느껴졌다.

"와, 다 먹었네? 진짜 잘 먹는다."

"그릇 받았으면 안 가고 뭐 해?"

내가 심드렁한 표정으로 묻자 은수는 생긋 웃더니 평소처럼 손을 내밀었다.

"내 조끼는?"

"아, 그거."

나도 평소처럼 웃으며 손가락으로 어딘가를 가리켰다.

은수의 조끼를 블라우스 위에 입고 교탁 옆에서 애들한테 자랑하고 있는 애는 김민경이었다. 우리 반 얼짱이자 학년 얼짱이라고 불리는 여자애.

교실 뒷문에 위치한 거울 앞에는 김민경의 전용 미용실인가 싶을 정도로 고데기랑 틴트가 항상 준비되어 있었다.

김민경은 전체적으로 색소가 옅은 아이였는데 그래서인지 순정 만화에 등장하는 연약한 미소녀 같았다. 햇빛을 조금만 받으면 어질어질하면서 픽 쓰러지는 그런 부류 말이다.

김민경이 아침에 교실에 오자마자 제일 먼저 하는 건 틴트로 입술을 벌겋게 물들이는 일이었다. 그런 다음 책상에 고개를 처박고 잔다. 보통 두께가 좀 있고 크기가 작은 수학책을 베개로 삼아 잠을 취하는데, 점심시간까지 결코 일어나는 법이 없다. 미녀는 잠꾸러기라는 진리를 몸소 실천하려는 건지, 체육 시간에도 햇빛 알레르기라는 핑계를 대며 양호실에 가서 자고 오는 그녀의 의지는 놀라울 정도다.

이제 포기한 듯 선생들도 김민경의 거짓말을 뻔히 알면서도 넘어가 주는 편이었다. 재네 부모님마저 재를 포기한 건 아닐까 하는 오지랖 넓은 걱정이 들기도 했다.

점심시간에 부스스한 얼굴로 일어난 김민경은 늘 밥 대신 빵이나 과자를 먹으며 '오늘은 누구를 찍을까?' 하는 눈빛으로 주변을 스캔한다. 물론 김민경이 이런 본색을 드러내는 건 남자아이들이 축구를 하러 나간 후의 일이었다. 남자애들이 교실에 있을 때는 어찌나 사랑스러운 얼굴로 귀여운 척 아양을 떠는지, 같이 붙어 다니는 박새미마저 '저년은 요물'이라며 종종 비아냥거렸다.

물색이 끝나면 김민경은 얌전한 애들 중 하나를 골라서 고데기로 자기 머리를 펴라고 시켰다. 일진 놀이를 하는 건 좋은데, 고데기를 쓸 줄도 모르는 애들한테 매번 제 머리를 맡기는 그녀의 배짱도 대단하다. 점심시간마다 고데기에서 피어오르는 제 머리 타는 냄새를 정말 못 느끼는 걸까?

김민경을 본 은수는 미간을 찌푸리더니 내 쪽을 다시 돌아봤다. 재가 내 교복을 왜 가지고 있냐는 눈빛이었다. 나는 설명하기 귀찮은 표정으로 턱을 괸 채 고개를 홱 돌리며 외면했다.

은수는 우리 학교 여자애들 모두의 아이돌이다. 팬클럽에 회장까지 떡하니 존재하는 마당에 은수랑 너무 친하게 굴면 마녀로 몰려서 화형당하기 십상이었다. 은수를 향해 그런 복잡한 심정이 담긴 눈초리를 보였지만 얘가 여자애들 속사정까지 이해할 수 있다면, 그건 열여섯이 아닌 스물여섯의 남자였겠지.

나는 하품을 하며 초록색 칠판 위의 시계를 응시했다.

오후 한 시.

오늘은 수요일이다.

김민경한테서 조끼를 받은 뒤 짜증 난 얼굴로 자리에 앉는 은수를 보며 나는 아무도 모르게 작은 미소를 지었다.

손에 쥔 긴 삼각 통 모양의 MP3 플레이어를 빙글빙글 돌렸다. 귀에 꽂은 이어폰에서는 플라이 투 더 스카이의 감미로운 목소리가 흘러나오고 있었지만, 내 표정은 세상을 다 파괴할 법한 락 음악이라도 듣고 있는 분위기였다.

'하은수, 이 자식.'

주번도 아니고, 청소 당번도 아닌 주제에 30분째 모습을 나타내지 않고 있다. 나는 바닥에 신발주머니와 가방을 내려놓은 뒤 신경질적으로 팔짱을 낀 채 은행나무 옆을 맴돌며 조용히 분을 삭였다.

"안녕, 김여울. 언제 왔어?"

차박차박 흙 밟는 소리가 들려오기 무섭게 귀에서 이어폰을 빼며 뒤로 돌았다. 은수가 얼굴과 셔츠에 흙이 묻은 채 서 있었다. 녀석을 보자마자 나는 눈초리를 뾰족하게 세우고 소리를 질렀다.

"야! 지금 몇 시야?"

"미안, 오늘 3반하고 축구 시합이 있던 걸 깜빡했어."

태연하게 말한 은수가 가느다란 눈매를 휘며 웃었다. 입꼬리 옆으로 살짝 들어간 보조개가 장난스러운 미소를 연출했다. 나는 바닥에 내려놓은 신발주머니를 들어서 돌팔매질하듯 허공에 휙휙 돌리며 녀석의 복부에 그대로 강타했다. 은수가 '윽!' 하고 신음을 뱉으며 배를 움켜쥐었다.

"그런 변명을 할 거면 아이스크림이라도 하나 사 오든가."

"야, 김여울! 넌 무슨 신발주머니에 돌을 넣고 다니냐?"

"그래, 호신용으로 넣고 다닌다. 아주 유용하네."

바닥에 쓰러져서 명치를 붙잡고 연기하던 은수는 내가 돌아서자 슬그머니 고개를 들었다. 흘끗 돌아본 내 눈초리가 서늘하게 내려앉았다. 나와 눈이 마주친 은수는 흠칫 놀라며 눈치를 살폈다.

"늦었으니까 두 시간."

은수가 창백해진 얼굴로 불만스러운 표정을 지었다. 하

지만 딱히 토는 달지 못한 채 얼굴을 쓸어내리더니 몸을 일으켰다. 뿔난 표정으로 서 있던 내 입가에 그제야 웃음이 어렸다. 그래도 미안하긴 한가 보지?

이후 한 시간은 지옥 같은 시간이었다.

"아니, 양손을 같이 치라고!"

"하고 있다고!"

"오른손 칠 때 왼손도 같이 치라니까?"

"그렇게 하고 있잖아!"

"손으로 걸음마 떼냐? 왜 자꾸 왼손, 오른손 하는 건데?"

하굣길 노란 건물 2층에 위치한 서라벌 피아노 학원. 알고 보니 거기는 은수네 어머니께서 하시는 곳이었다. 피아노 학원 창문 밖으로 흘러나오던 뚱땅 소리를 그렇게 비웃었건만, 내가 치는 피아노 소리는 그 뚱땅만도 못했다.

"야! 너 악보 볼 줄 모르지?"

"안다."

"근데 왜 못 치냐고!"

"넌 알파벳 떼었다고 회화도 가능하냐?"

낡은 피아노 앞에서 옥신각신하며 서로를 노려보던 우리는 잠시 휴식 시간을 갖기로 했다.

은수가 슈퍼에 가서 이온 음료 두 개를 사 왔다. 물론 돈은 내 지갑에서 나갔다. 교습비도 안 받는데 이 정도는 당연한 거 아니냐는 은수의 말에 마지못한 눈초리로 천 원짜리를 덥석 쥐여 줬다. 저거 엄마한테 받은 미술 준비물비에서 삥땅 친 건데.

"내가 피아노 쳐 달랬지, 언제 나 구박하랬어?"

"피아노 배우고 싶다며."

피아노 연주를 왜 듣고 싶냐는 은수의 말에 나도 모르게 진심을 내뱉고 말았다. 사실 피아노 치는 법을 배우고 싶은 거라고. 그 말에 한쪽 눈썹을 치켜세운 은수는 '흐음' 하고 피아노 의자에서 내려왔다.

– 그럼 연주 대신 피아노를 가르쳐 줄게.

친절한 미소로 그렇게 말해 놓고선 10분 뒤에 녀석은 교복 입은 악마로 변모했다.

은수는 음료수를 벌컥벌컥 마시며 곁눈질로 날 내려다보았다. 차가운 시선이었다. 저 녀석, 이상하게 피아노에 관해서는 엄격한 분위기를 낸다.

"넌 피아노에 재능이 없는 거 같아, 그냥 포기해."

아지트 입구 턱에 앉아 있던 나는 뿌루퉁한 얼굴로 입을 열었다.

"너 내 짝꿍 알지? 박승환, 우리 반 축구 골키퍼. 그 키

작고 뚱뚱한 애."

은수는 무표정한 얼굴로 "박승환은 왜?" 하고 되물었다. 나는 물기가 어린 차가운 캔 음료를 만지작거리며 은수를 빤히 올려다보았다.

"걔는 축구에 재능이 한 개도 없는 것 같던데 왜 골키퍼를 맡았어? 아니, 애초에 그 녀석을 왜 팀에 껴 줬어?"

"그거야 축구는 다 같이 하는 놀이니까 그렇지."

"나도 그래. 피아노는 놀이야. 내가 언제 피아니스트라도 되고 싶대? 처음 치는데 좀 못 칠 수도 있는 거지, 한 시간 가르쳐 놓고 무슨 재능을 운운하고 사람을 그렇게 무시하는 건데?"

서러움에 눈시울이 빨개졌다. 그렁그렁 차오르는 눈물을 꾹 참던 나는 손등으로 눈가를 거세게 문질렀다. 창피했다. 왜 갑자기 울음이 터지는 건지. 은수는 잠자코 있었다.

다 마신 음료수 캔이 '콰직' 하고 구겨지는 소리가 났다. 주먹을 쥔 채 음료수 캔을 구긴 은수의 시선이 내 웅크린 어깨로 향했다. 옆으로 한 걸음 다가온 은수가 운동화를 신은 발로 자그마한 내 발등을 살그머니 툭 건드렸다.

"다 울었냐?"

고개를 들자, 생각에 잠긴 은수가 내 발등을 물끄러미 응시하고 있는 게 보였다. 내 얼굴을 흘끗 쳐다본 녀석이 허리를 숙여 나와 시선을 마주했다. 그러고는 내 이마를 향해 손가락을 통 튕겼다.

"왜 때려?"

아프지는 않았지만 괜한 엄살을 부렸다. 은수의 눈동자가 나를 작은 동물 보듯 내려다보면서 입술을 열었다.

"너 젓가락 행진곡 알아?"

"젓가락 행진곡 모르는 사람도 있어?"

"사실 젓가락 행진곡은 행진곡이 아니라 왈츠야."

"그건 몰랐다."

은수는 은행나무들 사이로 불어오는 바람을 따라 아지트 안으로 향했다. 나는 갸우뚱한 얼굴로 엉덩이를 털며 그의 뒤를 쫓았다.

피아노 의자에 앉은 은수는 손목을 꺾으며 악보도 없는 보면대를 응시하고 있었다. 그 모습을 쳐다보니 묘한 기분이 들었다.

은수가 앉았을 뿐인데 낡은 피아노가 갑자기 아주 우아하고 고급스러운 연주용 피아노로 보였다. 내가 앉았을 때는 먼지만 뿜어내던 피아노 의자가 은수에게 깔려 있을 때는 부끄러워하듯 얌전하기 짝이 없다. 저 의자도 사실은 여자인 거 아니야? 은수만 보면 몸을 배배 꼬는 우리 반 여자애들이 딱 생각나는데.

"뭐 해?"

은수가 옆자리를 손바닥으로 툭툭 치며 이쪽으로 앉으란 듯 눈짓을 보냈다. 단추를 푼 그의 교복 셔츠 사이로 목선과 쇄골이 보였다. 나는 멍하니 벌어진 입술을 얼른 꼭 다물었다. 귀가 뜨거웠다. 두근거리는 목부터 뺨까지 불덩이처럼 화르르 타오른다.

큼큼 헛기침을 하며 은수의 오른쪽 옆자리에 엉덩이를 들이밀고 앉았다.

"옆으로 좀 가 봐."

"못 가, 여기는 의자가 다 터졌어."

왼쪽 어깨에 은수의 오른쪽 어깨가 닿았다. 몰래 던진 곁눈질에 은수의 콧날과 입술 선이 보인다. 피아노 건반을 내려다보는 긴 속눈썹도 보였다. 물끄러미 건반을 내려다보는 은수의 시선에 숨결이 빨려 들어가는 것만 같았다.

미처 몰랐는데 은수의 손가락은 꽤 길다. 마디뼈는 살짝 튀어나왔는데 손가락이 하얗고 길어서 오히려 남자애답고 예뻤다. 누레진 건반 위에 올라온 그의 손등이 우아하게 건반 위를 움직였다. 엄지와 새끼손가락을 쭉 벌린 손바닥이 부드럽게 건반을 오가며 마법처럼 음률을 자아냈다.

심장이 점점 빠르게 뛰었다.

"양손 검지만 사용해서 멜로디를 치면 돼. 내가 반주를 먼저 시작하다가 치라고 말해 줄 테니까 그때부터 딴딴딴, 이 속도로 쳐."

"어느 건반부터 쳐? 여기서부터 시작해?"

"아니, 여기."

은수의 손이 내 손을 덥석 잡아서 하얀 건반 위로 옮겼다. 깜짝 놀란 내가 손을 뿌리치자, 녀석이 인상을 쓰며 날 쳐다보았다.

"너, 설마……."

"서, 설마, 뭐? 왜?"

왼손으로 교복 블라우스 가슴께를 움켜쥐었다. 눈치챈 건가? 하긴 이 정도로 심장이 쿵쿵거리며 뛰는데 하은수 귀에 들리지 않는 게 이상하다. 왜 이렇게 가슴이 뛰는 거지? 양 볼은 이제 폭발하지 않을까 우려될 정도로 뜨거웠다. 평소 심한 몸살에도 열이 나지 않던 체질인데, 나 무슨 병 걸렸나 봐.

내 얼굴을 묘한 시선으로 내려다보던 은수의 입가가 실룩거리며 곡선을 그렸다.

"겨우 두 손가락만 쓰는 데도 왼손 오른손이 따로 놀진 않겠지? 걸을 때 왼발 오른발이 같이 나가는 바보가 아닌 이상. 그렇지?"

놀리듯 묻는 은수를 보며 나는 눈을 흘겼다. 진짜 틀리기라도 했다간 얼마나 사람을 바보 취급할지, 은수의 밉살스러운 눈초리가 피식거리며 예고하고 있었다.

하지만 채 1분도 지나지 않아 내 오른손과 왼손은 장렬히 나를 배신했다.

"아, 미안."

내 오른손에는 오른쪽이가 살고 있는 게 분명하다. 그렇지 않고서야 사사건건 주인인 나를 이렇게 바보로 만들 리가 없다.

민망해진 내가 손을 멈추자 왼쪽에서 반주를 하던 은수가 내 손을 잡고 다시 건반 위에 올려놨다.

"놀이잖아. 틀려도 돼."

이쪽을 보며 보일 듯 말 듯한 미소를 지은 그는 다시 반주를 시작했다. 나는 호흡을 멈추고 은수를 멍하니 쳐다보았다. 사람 놀리며 히죽거릴 때는 언제고, 저런 미소는 반칙이다. 저런 어른스럽고 묘한 미소는……. 정말 반칙이다.

"하은수."

"왜?"

"너 사실 피아노 못 치지? 박자가 하나도 안 맞잖아."

은수가 기가 막힌다는 표정으로 날 응시했다. 대체 나를 뭘로 알고? 그런 오만함이 느껴지는 눈빛이었다. 그는 피아노 의자에서 내려와 가방을 어깨에 걸치며 코웃음 섞인 목소리로 말했다.

"나니까 그나마 연주가 된 거야. 다른 녀석이었으면 바로 포기했을걸? 너야말로 그 희한한 박자 감각은 타고난 거냐? 너랑 박자 맞추려면 십 년은 걸리겠다."

솔.

소리 나지 않는 고장 난 건반을 꾹 눌렀다. 입을 삐죽이던 나는 솔, 솔, 솔, 화풀이하듯 둔탁한 나무 소리만 내는 건반을 누르다가 "먼저 간다."라며 나가는 은수의 목소리에 뒤따라 일어섰다.

"야, 같이 가!"

빠른 걸음으로 쫓아가자 은수가 의아한 표정으로 돌아보았다. 조금 헝클어진 그의 머리칼에 석양빛이 스며들었다.

"너랑 나 옆집이잖아."

졸린 듯 감기던 은수의 눈동자가 움찔했다. 새삼스레 깨달았냐? 하긴, 옆집 살아도 서로 마주친 적이 없으니 그럴 만도 하지. 도시락 반찬 통을 던지고 갈 때나 내가 제 옆집인 걸 상기시켰을 테니.

"근데 너 학교 갈 때 몇 시에 가?"

"8시."

은수가 불안한 눈초리로 날 흘끗거렸다. 그건 왜 묻냐는 눈치였다.

"그냥, 같이 가자고."

"나 아침에 자전거 타고 가."

"태워 주라."

"미쳤냐?"

버럭 소리친 은수는 귀찮다는 듯 홱 나가 버렸다. 두 시간 동안 내 피아노 교습하며 스트레스가 쌓인 모양이었다. 사나워진 고양이처럼 성질내고 가는 그의 뒷모습을 보며 나는 음흉하게 입꼬리를 말아 올렸다.

다음 날 아침, 아파트 1층에 내려온 은수는 경악한 표정으로 서서 자전거 핸들을 꽉 붙잡았다.

"김여울 너……."

나는 순진무구한 표정으로 배시시 웃었다. 예쁘장한 녀석의 얼굴이 팍삭 일그러지는 게 재밌었다. 그동안 하은수에게 당한 걸 어제 오늘, 아주 통쾌하게 갚아 주는 기분이랄까?

우리 아파트에서 학교까지 가는 길은 아주 쉽다. 8단지 상가에서 학교가 있는 사거리까지 쭉 뻗은 인도는 가로수 나무로 우거진 터널 같이 생겼는데, 이 직선 코스만 똑바로 따라가면 차도 건너에 학교가 나온다.

"아, 무거워."

불만스러운 목소리로 중얼거리는 은수의 목소리에 나는 웃음을 터뜨렸다. 교복을 입은 아이들 몇몇이 은수를 알아보고선 눈이 동그랗게 커졌다. 그럴 때마다 은수는 고개를 푹 숙였다가 들면서 민망한 표정을 지었다.

창피한가 보네.

뺨에 달라붙는 머리칼을 은수의 등에 얼굴을 문질러서 떼어 냈다. '뭐 하는 거냐, 김여울.' 하고 구시렁대는 목소리가 들려오자 나는 대답 대신 키득키득 웃었다.

아마 죽어도 뒤에 태우고 싶지 않았겠지. 쓰레기 버리러 나온 우리 엄마만 아니었다면.

– 어머, 은수랑 같이 등교하는 거야?

– 응. 은수가 나 태워 준대.

나는 한 손으로 은수의 허리춤을 잡은 채 입을 막고 웃었다. 낯빛이 사색이 되어서 엄마를 향해 "네." 하고 억지로 웃어 보이던 은수의 표정은 아마 평생 못 잊을 것이다.

"여기서 내려."

"왜?"

"애들이 보잖아."

"보면 어때서?"

나를 쳐다보던 은수의 눈동자가 점점 참을 수 없다는 듯 이글거렸다. 그러다가 무슨 생각인지 갑자기 차분해진 눈동자로 호흡을 가라앉혔다.

"그래?"

그의 입가가 비뚜름하게 구겨지는 걸 본 나는 뒷골이 섬뜩해져서 냉큼 오른쪽 다리를 왼쪽으로 보내며 엉덩이를 들었다. 그리고 뒷좌석에서 뛰어내리려고 몸을 숙인 순간,

"내리지 마."

은수가 다시 페달을 밟았다. 깜짝 놀란 나는 뒷좌석에 털썩 앉은 채 은수의 허리를 황급히 안았다.

은수의 자전거는 언덕진 교문 안쪽을 향해 빠르게 달렸다. 일명 독사라 불리는 학주가 우리를 빤히 쳐다보며 안경을 치키고 있었다. 학주도 '재네가 왜 같이 오지?'라는 표정인데, 다른 애들 표정은 어땠을까? 막상 교문 안에 들어오니 쥐구멍에 숨고 싶은 심정이었다. 나는 은수의 등에 얼굴을 푹 처박은 채 붉어진 뺨을 숨겼다.

학교 건물 뒤편에 위치한 보관소에 이르자 자전거가 멈췄다. 은수는 자전거에서 내린 뒤 나를 향해 돌아보며 생긋 웃었다.

"이제 매일 같이 등교하자, 김여울. 내가 매일 아침 자전거 태워 줄게. 매. 일. 아. 침. 알았지?"

그렇게 '매일 아침'을 잇새로 씹어 삼키듯 강조한 은수는 살벌한 눈웃음을 남긴 채 건물 현관으로 홱 들어가 버렸다.

나는 떨떠름한 얼굴로 고개를 들었다. 복도 창문에 모인 시선들이 고개를 빼꼼 내민 채 우리를 구경하고 있었다.

입술 사이로 '끙' 하고 신음이 흘러나왔다.

창문에 모인 애들은 전부 3학년 여학생들이었다. 그리고 죄다 날 죽일 듯이 노려보고 있었다. 그 무시무시한 얼굴들 사이로 누군가를 발견한 나는 마른침을 꿀꺽 삼켰다.

3층 복도 창문 너머로 김민경이 오만상을 찌푸린 채 나를 쳐다보고 있었다.

전교생의 시선을 한 몸에 받으며 뻣뻣한 걸음걸이로 교실에 도착했다.

"김여울!"

3분단 두 번째 줄에 위치한 내 책상에 앉는데 코뿔소처럼 달려온 윤아가 책상을 손바닥으로 쾅 내리쳤다. 나는 잔뜩 흥분한 윤아를 쳐다보며 "왜?" 하고 불편한 시선을 던졌다.

"너 하은수랑 같이 학교 왔다며? 걔랑 사귀어?"

"아니."

"하은수가 너 직접 자전거로 태우고 왔다던데?"

교실 내 삼삼오오 모여서 수다를 떨던 여자애들이 귀를 쫑긋 세우는 게 보였다. 모르는 척하며 곁눈질로 이쪽을 흘끔흘끔 엿듣는 중이었다.

목구멍이 매캐했다.

윤아의 질문을 무시한 채 복도로 나갔다. 이 모든 사태의 원흉인 하은수는 어디 갔는지 그림자조차 보이지 않았다. 또 옆 반에 판치기 하러 갔나?

"안 사귀는데 왜 같이 등교한 거야?"

복도까지 쫄랑쫄랑 쫓아온 윤아가 기자처럼 취재를 하며 달라붙었다. 화장실로 향하는 내 발걸음이 빨라졌다. 시큰둥한 목소리로 뿌리치듯 말했다.

"옆집 살잖아."

"옆집 살면 다 태워 줘? 와, 옆집 특권 좋네."

화장실 문 앞에서 비아냥거린 주인공은 박새미였다. 옆에서 대걸레를 빨던 아이들은 박새미를 발견하자마자 식겁하며 얼른 자리를 피했다. 매니큐어를 바른 손톱을 정돈 중인 그녀는 도저히 같은 또래로 보이지 않았다. 고등학생 언니들보다도 큰 키에 골격도 큰 그녀는 노는 애들 중에서는 여자 원톱이라고 한다. 한마디로 우리 학교 여자 짱이다.

가짜 민증 없이도 술이니 담배니 다 뚫을 수 있다고 자랑하며 떠들던 박새미의 목소리가 생각났다. 열여섯이 아니라 스물여섯이라 해도 믿을 법한 얼굴이긴 했다. 개인적으로 노안이 자랑거리는 아닌 듯했지만 재가 드러내고 싶은 건 술과 담배를 살 수 있다는 우월감일 테니까.

그 옆에는 박새미보다 키가 한 뼘은 작은 김민경이 팔짱을 낀 채 서 있었다. 비아냥거리며 쏘아붙인 수준의 박새미와 달리 김민경의 눈초리에는 살기가 가득했다.

몸에 딱 맞게 줄인 김민경의 교복 블라우스가 터질 듯 씨근덕거렸다. 붉은 입술을 질끈 깨문 김민경은 나를 똑바로 쳐다보며 걸어오더니, 내 오른쪽 어깨에 일부러 몸을 부딪치며 속삭였다.

"그만 깝쳐라, 김여울."

옆에 서 있던 윤아가 오히려 더 놀랐는지 몸을 움츠리며 내 뒤로 숨었다. 무표정하게 서 있던 나는 교실로 가는 두 사람의 등을 쳐다보며 황당한 표정을 지었다.

학급 내에서 나는 꽤 조용한 축에 속하는 편이었다. 같이 도시락을 먹는 윤아나 소영이 빼고는 딱히 어울리는 무리도 없었고, 성적도 반에서 5등과 10등 사이를 왔다 갔다 하는 정도의 상위권인 데다가 딱히 말썽을 피우는 성격도 아니었다.

우리 반 분위기를 주도하는 인물은 반장인 곽다정이었는데, 은수의 팬클럽을 만든 것도 바로 곽다정과 그녀의 패거리다.

키가 크고 늘씬한 곽다정은 선생님들께는 예의 바르고, 남자애들에게는 털털하게 대했으며, 일진 아이들과는 허물없이 지냈다. 사교적인 아이였다. 조금 더 직설적으로 말하면 어린 나이에 정치를 아는 듯한 느낌이랄까?

반장 선거가 끝나고 다른 반 반장들은 애들에게 피자나 햄버거를 돌렸지만, 곽다정은 추가로 교무실에 봉투를 돌렸다. 물론 걔네 어머니 머릿속에서 나온 생각이었겠지만 곽다정도 자기가 무슨 짓을 하고 있는지 알았다.

들리는 소문으로는 특목고 진학 추천을 노리고 있다고 한다. 곽다정네 어머니는 과거 녹색 어머니회 회장까지 지냈던 인물이었다.

3교시가 끝난 다음 쉬는 시간은 아이들이 가장 활발해지는 때였다. 4교시가 끝나면 점심시간이고, 점심시간이 지나면 한두 시간 후에 종례를 하고 집에 가기 때문이다. 따라서 3교시 후 쉬는 시간은 오늘 하루 시간표의 절반이 지나갔구나, 하는 시점이었다.

"여울아."

수학 숙제를 하고 있던 나는 고개를 들다가 입매를 굳혔다. 곽다정이 서 있었다. 입가에는 거북하리만치 환한 미소를 건 채였다. 가지런한 치아가 꼭 청소년 공익 광고 모델 같았다.

"무슨 할 얘기라도 있어?"

"아니, 그냥. 수학 숙제 아직 못했어?"

앞자리 의자를 돌려 앉은 그녀는 턱을 괴고 빙그레 웃었다. 참고로 얘는 공부도 잘한다. 저번 중간고사 성적도 우리 반 1등이었다.

"괜찮아, 거의 다 해 가."

나는 다시 고개를 숙이고 문제를 풀었다. 정수리에 구멍이 날 것 같았다. 내 머리통을 빤히 쳐다보는 곽다정의 시선이 송곳처럼 날카로웠다. 할 말 있으면 그냥 하지? 빙글빙글 웃으며 속내 감추지 말고.

"은수랑 친한 거 같더라?"

성을 떼고 '은수'라고 친밀하게 부르는 그녀의 말투에선 어색함이라고는 찾아볼 수가 없었다. 평소에도 하은수를 "은수야."라고 부르며 웃던 곽다정의 모습이 떠올랐다. 은수뿐만 아니라 다른 남자애들 모두 성을 빼고 부른다. 진짜 대단한 애다.

"별로 안 친해."

"에이, 옆집 산다면서? 아줌마들끼리 친하시지? 너희 어머니께서 은수네 집에 반찬도 가져다주시고 그런다고 하던데? 그래서 네가 은수 도시락 반찬도 같이 먹고 그런 거 아니야?"

아니, 그건 그냥 하은수가 편식쟁이라 그런 건데. 그 자식이 풀떼기라고는 입에도 안 대는 어린애 같은 입맛이라서 내가 고생하는 거야.

목구멍까지 차오른 말을 집어삼켰다. 왠지 속사정을 말해 주기 싫었다. 얘한테는 뭐 하나 꼬투리라도 잡히면 곤란할 것 같은 느낌이었다.

"오늘 은수랑 같이 학교 온 거 보고 깜짝 놀랐어. 자전거는 왜 태워 준 거야? 지각할 시간은 아니던데."

"그냥 우연히 아파트 1층에서 마주쳤어. 그래서 같이 온 거야."

"아……."

무덤덤하게 대답하는 나를 보며 곽다정은 모호한 표정을 지었다. 뭔가 더 캐낼 게 없나 하는 눈초리로 날 관찰하던 그녀는 고개를 끄덕이더니 안타까운 표정을 지었다.

"은수 진짜 착하다. 뒤에 태우고 오기 무거웠을 텐데."

뭐지, 저 묘하게 기분 나쁜 말은? 은수가 무겁다며 놀리고 투덜대기는 했지만 솔직히 난 작고 마른 편이라 몸무게가 크게 나가는 편은 아니다. 설령 정말 무거웠다고 해도 은수가 그런 걸 생색내며 말하고 다닐 성격은 절대 아니었다.

저 계집애가 지금 나보고 '뻔뻔하게 눈치도 없이 은수 뒤에 짐짝처럼 타고 왔다'며 돌려 까는 중인가?

"그렇지, 뭐."

나는 한숨을 내쉬며 다시 문제에 집중했다. 재랑 말싸움 해 봤자 득이 될 건 하나도 없었다. 하복 블라우스를 입은 곽다정은 쭉 뻗은 팔로 책상을 밀면서 일어섰다. 살짝 눈을 치켜서 본 그녀의 얼굴에는 의미심장한 미소가 떠올라 있었다.

"그러니까 오늘만 우연히 같이 타고 온 거구나? 오늘만."

무서운 계집애.

손가락 사이로 빙글빙글 돌아가던 샤프가 책상 위로 도르르 떨어졌다. 칠판을 지우던 곽다정이 어깨 너머를 돌아보며 나를 향해 빙긋 웃었다.

생각보다 여파가 대단하다. 하은수 인기가 이 정도였다니. 그 녀석 자전거 뒷좌석에 두 번 타고 왔다가는 그날로 내 화형식이 치러질 게 뻔했다.

주의해야겠어.

나는 몸을 오스스 떨며 교과서를 덮었다.

우리 학교 등교 시간은 8시 30분이다.

나는 보통 아침 8시 10분쯤 집을 나선다. 기상 시간은 대충 7시 45분 정도. 열 번에 한 번 정도는 늦잠을 자는데,

이런 날은 100m 기록을 잴 때보다 사력을 다해서 달린다.

이런 잠꾸러기인 내가 오늘 아침은 창밖의 까치 소리를 들으며 일어났다.

여유롭게 앉아서 아침밥을 먹고, 현관에서 거울을 보며 빗질까지 했다. 엘리베이터에 탈 때도 따발총 쏘듯 닫힘 버튼을 누르지 않고 조용히 문이 닫히기를 기다렸다.

아파트 1층에 도착하자마자 경비실 문 앞에 걸린 벽시계를 확인했다.

7시 40분.

좋았어, 다짐 어린 눈빛으로 고개를 끄덕인 뒤 어깨에 멘 책가방 끈을 손으로 쥐며 폴짝 뛰었다. 교실에 1등으로 도착할 듯하군. 역사적인 날이다.

"안녕, 김여울."

사르르 녹는 눈웃음의 주인공을 본 순간 나는 소리 없는 비명을 내질렀다. 아파트 입구 계단 아래 은수가 자전거를 대기시킨 채 서 있었다.

"하은수? 네가 왜……."

기시감이 스쳤다. 순진무구한 미소로 방긋거리는 은수의 얼굴은 어제의 내 모습과 아주 비슷했다.

"잊었어? 매일 아침 같이 등교하기로 했잖아."

"내가 이 시간에 나오는 건 어떻게 알았어?"

"어젯밤에 너희 어머니께서 주신 그릇 갖다 드리러 갔었거든. 너 되게 일찍 자더라? 아줌마 말씀이 네가 오늘 주번이라 일찍 가야 한다고 했다던데……. 이상하지 않아? 오늘은 금요일이고, 주번은 월요일부터 시작이잖아."

아, 엄마, 대체 왜…….

우리 엄마는 은수를 너무 좋아한다. 은수만 보면 예뻐 죽겠다고, 저런 아들 하나만 있으면 소원이 없겠다는 말을 하루에도 몇 번이나 할 만큼. 맛있는 반찬을 하면 은수도 갖다 주라고 허구한 날 내 등을 현관 밖으로 떠민다. 누가 보면 우리 집에 아들이 없는 줄 알겠네요, 엄마. 불쌍한 내 동생.

"설마 나 피해서 일찍 가는 건 아니지, 김여울?"

"어?"

나는 계단을 내려와서 슬그머니 은수의 자전거를 지나쳤다. 은수의 게슴츠레한 시선이 뒤통수에 딱 붙어서 쫓아왔다.

"아, 아니 내가 미술 숙제를 다 못해 가지고……. 교실에서 보자. 나 먼저 갈게."

도둑처럼 살금살금 뒷걸음질하던 나는 냉큼 줄행랑을 치기 시작했다. 고개를 돌리기 직전 곁눈으로 은수의 입꼬리가 올라가는 게 보였다. 등골이 오싹하기 무섭게 녀석의 손이 내 어깨를 덥석 잡았다.

"그렇구나. 그럼 더더욱 같이 가야겠는데?"

은수가 팔을 잡아당기자 뒤로 기우뚱 넘어간 내 등이 녀석의 어깨에 맞닿았다. 고개를 살짝 숙인 은수의 입술이 내 이마 위 머리카락을 스쳤다. 충격받은 얼굴로 허공을 응시하던 나는 그대로 멍하니 자전거 앞까지 질질 끌려갔다.

"내가 태워 주는 게 훨씬 빠르잖아. 안 그래?"

아무 소리도 못한 채 연행되는 죄인처럼 자전거 뒷좌석에 앉혀졌다. 어제와 달리 페달을 밟는 은수의 얼굴이 아주 기분 좋아 보였다. 어제와 정반대가 된 상황에 굉장히 만족해하는 게 분명했다.

자포자기 심정이 된 나는 지나가는 풍경에 시선을 던졌다. 이른 시간이라 그런지 등교하는 아이들의 모습 대신 상쾌한 아침 공기가 뺨을 적셨다.

뛰어내릴까?

텔레비전에서 가끔 보면 납치당하는 주인공이 차 문을 열고 뛰어내리던데, 나도 한번 해 봐? 슬쩍 발밑을 쳐다보았다. 얇은 자전거 바퀴가 밟고 가는 인도가 빠른 속도로 눈앞을 지나갔다. 어질어질한 느낌에 고개를 든 내 얼굴이 핼쑥해졌다. 하은수, 나 안 무겁냐? 왜 이렇게 빨리 달리는 건데?

자전거 손잡이를 잡은 은수의 팔이 하얗고 길었다. 하복을 입었구나. 얘는 그냥 몸 전체가 하얗고 깨끗한 것 같다.

내 얼굴은 햇빛만 보면 주근깨가 올라오고 몸에도 막 반점 같은 게 생기는데.

"나 오늘은 교문 건너편에 내려 줘."

"싫은데."

"너 심술부리는 거지?"

"아니."

"애들이 너랑 사귀는 줄 안단 말이야!"

등을 구부린 은수가 흘끗 어깨 너머로 나를 쳐다보았다.

"진짜?"

"나 지금 우리 학년 여자애들한테 완전 찍혔어."

"왜?"

"왜긴 왜야? 너 좋아하는 애들이 열 받아서 벼르는 거지."

"누가 날 좋아하는데?"

"누구기는 김……."

반사적으로 이름을 내뱉던 나는 인상을 쓰며 입을 다물었다. 아무리 그래도 그거까지 말하는 건 좀 아닌 듯싶었다.

"하여간 몇 명 있어. 내가 도시락 먹을 때마다 너 조끼 보관해 줄 때도 얼마나 눈총받는 줄 알아?"

"그래? 왜 말 안 했어?"

"눈빛으로 말했다."

내 말에 잠시 조용하던 은수의 등이 웃음을 터뜨렸다.

"아, 그 눈빛이 그 의미였어?"

"그럼 무슨 뜻인 줄 알았는데?"

은수의 다리가 속도를 늦췄다. 페달 밟는 소리가 살짝 느려졌다. 달리는 자전거에 입 맞춰 오는 바람이 눈썹을 스쳤다. 은수는 잠자코 말이 없었다.

"그럼 교문 맞은편에 내려 줄게."

"진짜?"

반색을 하다가 민망해져서 얼른 미소를 지웠다. 이게 고마워할 일도 아닌데 되게 고맙게 느껴졌다. 한결 마음이 편했다. 기분이 좋아진 나는 은수의 허리를 양팔로 안으며 소리쳤다.

"달려라, 하은수! 왜 이렇게 느려 터졌어?"

"야, 다리 흔들지 마!"

"응?"

얼굴에 닿는 바람이 기분 좋아서 은수의 등에 기댔던 몸을 뒤로 젖혔다. 바퀴 위에 올렸던 양다리도 붕 띄우듯 들어 올렸다.

'어어, 어라?'

좌우로 휘청거리던 자전거가 중심을 잃은 채 오른쪽으로 기울고 있었다. 은수가 당황한 얼굴로 날 향해 돌아보더니,

"꽉 잡아."

손잡이의 브레이크를 '끼이익' 잡아당겼다. 급정거와 동시에 내 이마가 은수의 등을 콕 찍었다. 뒷좌석에서 엉덩이가 점프하듯 붕 뜨자 나는 은수의 허리를 얼른 붙잡았다. 자전거는 이미 바퀴가 누운 채 바닥을 향해 미끄러지듯 쓰러지고 있었다.

은수의 손이 내 허리를 지탱하듯 덥석 받쳤다. 대신 중심을 잃은 은수의 몸이 안장과 함께 바닥으로 굴렀다.

챙그르르.

자전거 뒷바퀴가 페달과 함께 제자리에서 빠르게 회전했다. 쇳소리를 내며 함께 돌아가던 체인이 멈출 무렵, 바닥에 엉덩방아를 찧고 앉아 있던 나는 엉거주춤한 자세로 일어났다. 다행히도 엉덩이로 넘어져서 약간 멍든 느낌 빼고는 아픈 곳이 없었다. 살짝 까진 손바닥을 털며 주위를 둘러보았다.

'은수는?'

하얀 아스팔트 인도 위에서 요란한 체인 소리를 내고 있는 회색 자전거 옆에 은수가 팔꿈치를 털며 몸을 일으키고 있었다.

내 눈이 경악으로 커졌다. 은수의 오른팔이 아스팔트 바닥에 세 갈래로 쫙 긁혀 있었다.

"하은수! 괜찮아?"

살갗이 하얗게 벗겨진 팔은 전혀 괜찮아 보이지 않았다. 게다가 팔꿈치 쪽은 아예 피가 철철 나는 중이었다.

"많이 아파? 미안, 나 때문에……."

"됐어."

교복 바지를 털며 일어선 은수는 넘어진 자전거를 일으켜 세웠다.

"너 때문에 넘어진 거 아니야."

나 때문에 넘어진 건 아닐지 몰라도, 은수 덕분에 내가 다치지 않은 건 사실이었다. 생색낼 법도 한데, 그냥 툭 털고 일어서서 자전거를 끌고 가는 은수의 모습에 가슴 한쪽이 불편했다. 어디 아픈 것도 아닌데 바늘 하나가 갈비뼈 근처를 콕 찌르는 듯 따끔따끔했다.

"아."

은수가 인상을 쓰며 걸음을 멈추자 나는 화들짝 놀라서 달려와 은수의 팔을 잡았다.

"왜? 다리 다쳤어? 못 걷겠어?"

"걸을 수 있긴 한데, 좀 아프네."

은수는 절뚝거리며 내 손에 자전거 손잡이를 덥석 넘겼다. 얼떨결에 손잡이를 쥔 나는 자전거 뒷좌석에 기대선 은수를 불길한 눈초리로 바라보았다. 어느새 내 양쪽 어깨에는 지게꾼처럼 은수의 책가방과 내 책가방이 나란히 메여 있었다.

"태워 주라, 김여울."

은수가 방긋 웃으며 뒷좌석을 툭툭 짚었다. 무슨 말인지 이해를 못한 채 서 있던 내 눈동자가 서서히 휘둥그레 커졌다.

잠시 후 나는 안장에 앉아 죽을힘을 다해 페달을 밟고 있었다.

"이렇게 가다간 지각하겠다, 김여울."

"하은수, 너 몇 키로야? 슈퍼마리오만 한 게 왜 이렇게 무거워?"

"너보다는 클걸?"

"아씨, 야 이거 기어 몇이야? 페달이 안 밟히잖아."

"무슨 기어?"

"자전거 빨리 갈 수 있게 체인 바꾸는 그런 거 있잖아."

내가 아는 척 쏘아붙이자 등 뒤에서 은수가 큭큭거리다가 웃음을 터뜨렸다. 사람 민망하게 정작 대꾸는 안 해 주고 계속 킬킬 웃는다. 진짜 힘들어 죽겠는데.

"그냥 밟아, 김여울. 그래도 난 얌전히 타고 가잖아, 누구처럼 자꾸 달라붙었다가 만졌다가 그러진 않으니까."

"내가 언제 만지고 달라붙었다고……."

"여기를 이렇게 꽉 안던데."

은수의 팔이 느닷없이 내 허리를 감더니 숨 막히게 끌어안았다. 깜짝 놀란 나는 급브레이크를 당기며 자전거를 '끼이익' 세웠다.

"하은수!"

"이거 봐. 운전자를 놀래키면 안 된다니까……."

낮게 중얼거린 은수는 팔을 풀더니 빨리 출발하라며 뒷바퀴를 툭 걷어찼다. 나는 빨개진 얼굴로 씨근덕대며 다시 페달을 밟았다.

평소 눈감고 걸어도 15분 안에 도착하는 등굣길이 20분이나 걸렸다. 기진맥진한 얼굴로 페달을 밟으며 교문을 통과하는 내게 학주는 어리둥절한 눈빛을 보냈다. 그러더니 교통경찰처럼 회초리로 도로 정리를 하며 지나가라는 듯 길을 터 줬다.

교문 언덕을 오르며 곁눈질을 하던 나는 학주의 푸근한 미소를 보고선 떨떠름한 표정을 지었다. 설마 하는 생각에 뒷좌석을 흘낏 돌아보았다. 이 자식, 설마 태연하게 인사드리고 있나? 난 기절하기 일보 직전인데.

학교 선생님들마저 남녀노소 할 것 없이 은수를 예뻐했다. 같은 또래인 우리들 눈에만 은수가 빛나 보이는 건 아닌 모양이었다.

자전거에서 내린 은수는 1층 양호실에 들렀다 간다며 신발주머니만 들고 홱 가 버렸다. 덕분에 나는 양쪽 어깨에 은수와 내 책가방을, 양손에는 두 명분의 도시락 가방까지 든 채 낑낑대며 5층까지 올라와야 했다. 와 나, 전교생 중 3학년이 제일 연로한데 왜 제일 꼭대기 층이냐고. 새파란 1학년이 1층인 게 말이 되냐? 불만을 쏟아 내며 교실에 도착했을 땐 거의 탈진 상태였다.

신발장에 신발주머니를 놓는 것도 잊은 채 그냥 책상 앞에 털썩 엎어졌다.

“여울아, 괜찮아?”

“죽을 것 같다.”

“하은수랑 또 같이 왔어?”

대답할 기력도 없어서 그냥 책상에 고개를 박은 채 고개를 끄덕였다. 사실 교문에 다다랐을 때, 은수는 아까 한 약속 때문인지 내려서 걸어가겠다고 했다. 하지만 기어코 본관 뒤 자전거 보관소까지 은수를 태우고 온 건 나였다.

뒷목이 땀으로 눅눅했다.

“화장실 좀 갔다 올게.”

막대 사탕을 입에 문 윤아가 어리둥절한 얼굴로 쳐다보았다. 계집애가 오늘은 웬일인지 특종을 잡은 기자처럼 옆구리에 붙어서 쫓아오지 않았다.

블라우스 소매를 팔꿈치까지 걷어 올리고 세면대 수도꼭지를 틀었다. 눈을 질끈 감고 끈적거리는 얼굴과 목에 찬물을 뿌렸더니 한결 기분이 상쾌했다. 귀밑 옆머리까지 물에 젖었지만 1교시 시작 전까지는 마를 테니까.

등 뒤에서 여자애들이 까르르 웃는 소리가 들려왔다. 쑥덕거리는 말소리와 키득거리며 장난치는 목소리는 여타 아침의 여자 화장실 풍경과 다를 바 없었다.

세수를 마치고 손등으로 이마를 훔치며 고개를 들었다. 물기 사이로 뿌연 거울에 비친 그림자가 등 뒤로 살금살금 다가오고 있었다.

'뭐지?'

여자애들 두 명이 빨간 고무 통을 공중에 높이 들어 올리고 있었다. 킥킥대는 입꼬리가 피에로처럼 쭉 찢어지는 게 보였다. 미간을 좁히던 나는 눈을 휘둥그레 떴다. 세면대를 짚고 홱 뒤를 돌기 무섭게 기울어진 고무 통에서 '촤악!' 물소리가 울려 퍼졌다.

"뭐야!"

소리치며 얼굴로 튀는 물방울을 팔로 막아 봤지만 소용없었다. 교복 블라우스로 쏟아진 물벼락은 안에 입은 스포츠브라까지 흠뻑 적셨다. 멍하니 바닥을 보던 나는 퍼뜩 고개를 든 채 화장실 밖으로 뛰쳐나갔다.

후다닥 움직이는 발소리들이 코너를 돌아 중앙 계단 쪽으로 사라졌다. 복도에서 깔깔대며 울려 퍼진 웃음소리가 악몽처럼 메아리치고 있었다. 발 빠르게 쫓았지만 못된 장난질의 주인공들은 이미 사라진 뒤였다.

중앙 계단 은색 손잡이를 쥔 손등이 파랗게 떨렸다. 고개를 홱 돌리자 다른 반 애들이 기웃거리며 동그란 눈으로 구경하는 게 보였다. 팔짱을 낀 채 속닥거리는 눈초리가 성가신 일에는 끼고 싶지 않다는 눈치였다.

나와 눈이 마주친 애들은 행여나 불똥이 튈까 봐 후다닥 제 교실로 피했다. 바닥을 내려다본 내 눈동자에 젖은 양말이 비쳤다. 흰색 양말이 구정물에 젖은 채 잿빛이 되어 있었다.

하.

웃음이 나왔다.

교실로 돌아온 뒤 거친 손길로 사물함 자물쇠를 따고 열었다. 미술책과 음악책 외에 텅 빈 사물함 내부를 보고 나서야 뒤늦게 깨달았다.

맞다, 체육복은 어제 집에 가져갔지.

머리를 움켜잡으며 바닥에 쪼그려 앉았다. 귀 뒤로 넘긴 머리칼에서 물기가 뚝뚝 떨어졌다.

어떡하지? 옆 반 애들한테 빌릴까? 체육복을 빌려 달라고 할 만큼 친한 애들은 없는데.

"여울아, 왜 그래? 왜 이렇게 홀딱 젖었어?"

뒷문으로 들어오던 윤아가 호들갑을 떨며 달려왔다. 비가 오냐며 창밖을 쳐다보던 윤아는 내 심상치 않은 표정을 보고선 사태를 파악한 듯 낯빛이 창백하게 변했다.

"여울아……. 괜찮아?"

사물함 문을 닫고 일어섰다. 괜찮다고 웃으며 말하려 하는데 입가에 경련이 일었다. 괜찮지 않았다. 파도에 저항하는 조개처럼 꾹 다문 내 입술이 그렇게 말하고 있었다.

윤아는 빈손으로 돌아서는 날 보며 미안한 얼굴로 중얼거렸다.

"나도 어제 체육복 집에 가져갔는데……."

"괜찮아, 곧 마르겠지 뭐."

사실은 걸레 냄새 나서 죽을 것 같았다. 진짜 별짓을 다 당해 보는구나, 김여울.

"다른 반 애들한테 체육복 빌려 줄 수 있냐고 물어보고 올게!"

젖은 어깨를 다독인 뒤 뛰어가는 윤아를 보면서 차오르는 눈물을 참았다. 눈치를 살피며 다가오지 않던 여자애들 모습이 떠올랐다. 윤아의 손이 닿았던 어깨가 따뜻했다. 명치에서 들썩거리던 마음이 조금씩 가라앉는다.

허리를 곧추세우고 태연한 얼굴로 책상 앞에 앉았다. 손에 쥔 샤프를 바닥에 꾹 내리꽂았다. 뚝 부러진 샤프심이 바닥에 튀자 내 시선도 날카롭게 책상 아래로 향했다.

'누구 짓일까?'

화장실 근처에서 힐끔거리던 여자애들 눈에는 두려움이 어려 있었다. 거북이처럼 등을 구부린 채 슬그머니 교실로 향하던 아이들의 모습을 떠올린 순간, 내 머릿속에는 누군가의 얼굴이 번개처럼 스쳤다.

김민경.

그러고 보니 쉬는 시간마다 박새미와 화장실 앞에서 죽치듯 서 있던 그녀의 모습이 보이지 않았다.

"김여울."

석상처럼 앉아 생각에 잠겨 있던 내 앞으로 은수가 눈꼬리를 휘며 다가와 쪼그리고 앉았다. 책상에 턱을 괴고 눈높이를 맞춘 은수의 손안에서 오백 원짜리 동전들이 짤랑짤랑 부딪치며 쇳소리를 냈다.

"매점 갈 건데 너도 뭐 사다 줄까?"

양호실 갔다 온다던 녀석이 감감무소식이기에 어딜 갔나 했더니 옆 반에서 판치기를 하고 왔나 보다. 입가에 옅은 보조개를 그리며 웃는 은수의 오른뺨에 긁힌 상처가 보였다. 저기도 다쳤었구나.

'역시 자전거에 타는 게 아니었어.'

코앞에 다가온 은수의 시선을 모르는 척 외면했다. 녀석은 갸웃거리며 나를 빤히 쳐다보고 있었다. 말없이 서랍에서 사회책을 꺼내 펼치자 은수가 인상을 쓰며 더 바짝 얼굴을 들이댔다.

"왜 그래?"

은수에게 괜한 심술을 부리고 있다는 건 알고 있었다. 은수도 나도 아무런 잘못을 한 게 없다. 하지만 지금 이 순간만큼은 이 녀석과 아무런 말도 하고 싶지 않았다. 그저 눈앞의 은수가 원망스러웠다.

"이게 무슨 냄새……."

코를 킁킁거리던 은수가 눈살을 찌푸리며 몸을 들었다. 냄새를 쫓던 그는 나를 물끄러미 쳐다보았다. 은수의 눈동자가 커질수록 내 몸은 작아지는 기분이었다. 이상한 나라의 앨리스처럼 점점 작아지다가 실내화 사이로 보이는 마루 틈 사이로 사라져 버리고 싶었다. 말없이 입술을 질끈 깨문 내 모습에 뭔가를 눈치챈 듯 은수의 표정이 굳었다.

나는 책상 위에 엎드리고는 눈을 질끈 감았다. 팔 사이로 얼굴을 묻은 채 쏘아붙이듯 말했다.

"그냥 가, 하은수."

북받친 감정을 쏟아 낼 대상이 필요했다. 하지만 그게 저 녀석이 되는 건 싫었다. 그렇게 화풀이를 하는 건 너무 치졸해 보이잖아. 그냥 조퇴하고 집에 갈까? 아프다고 하고 양호실에서 잠이나 자고 있을까?

엎드린 귀에 돌아서는 은수의 발소리가 들려왔다. 끼익거리는 교실 바닥을 밟고 멀어지는 발소리에 꾹 감았던 눈꺼풀이 서운한 듯 열렸다.

갔나 보다.

고개를 들자마자 머리 위로 날아온 체육복이 안면을 강타했다. 보자기처럼 얼굴을 덮은 체육복은 내 코끝에 옷걸이처럼 걸린 채 목을 감았다. 손으로 체육복을 끌어내리며 체육복이 날아온 쪽을 돌아보았다.

사물함 앞에 서 있는 은수와 내 눈동자가 허공에서 교차했다.

"그거 입어."

말없이 앉아 있는 내게 은수는 더 이상 아무 말도 하지 않은 채 뒷문을 드르륵 열었다. 팔로 쭉 밀어젖힌 문이 '쾅' 하고 닫혔다. 거울 앞에 모여 있던 여자애들이 깜짝 놀라 문 쪽을 쳐다보았다.

은수가 던지고 간 파란 체육복 상의에는 이름 석 자가 하얗게 새겨져 있었다.

하은수.

평소 은수에게서 풍기던 좋은 향기와 땀 냄새가 섞인 게 느껴졌다. 오른쪽 뒤통수에서 이를 갈며 노려보는 시선들이 느껴졌지만 나는 붉어진 눈으로 웃었다.

바보, 잘해 주지 말란 말이야. 정말 특별한 줄 착각하게 되잖아.

다행히 반 아이들은 무슨 일이 있었는지 모르는 눈치였다. 우려한 것과 달리 소문은 나지 않은 모양이다. 혹은 화장실 앞에서 상황을 목격했던 애들이 내가 누군지 잘 모르는 듯했다.

점심시간이 되자 남자아이들은 어김없이 운동장으로 뛰어나갔다.

변함없는 풍경, 평소와 다를 바 없는 소음이 공기를 채웠지만, 교실 내 분위기는 확연히 달랐다.

은수가 교실 안에 남아 있었다. 그 사실 하나로 묘한 긴장감이 흘렀다. 수다를 떠는 여자애들의 이목이 흘끔흘끔 이곳에 몰렸다. 비가 오나 눈이 오나 군인 정신 못지않은 정신력을 발휘하며 운동장으로 튀어 나가던 녀석이었는데, 아까 그게 꾀병은 아니었나 보다.

윤아와 소영이는 넋을 놓은 채 맞은편에 앉아 젓가락을 들고 있는 은수를 쳐다보았다. 어쩔 줄 몰라 하며 눈치를 살피던 윤아가 소영이의 등짝을 치며 도시락 가방을 들었다.

"여울아, 우리는 3반 가서 먹을게."

"뭐? 왜?"

내 질문이 튀어나오기도 전에 윤아는 이미 소영이를 데리고 뒷문을 빠져나가고 있었다. 멍하니 쳐다보는 내게 윤아는 뒷문을 닫으며 찡긋 비밀스러운 윙크를 날렸다. 뭔가 단단히 오해하고 있는 게 분명했다.

"왜 저래?"

은수가 양 볼에 밥을 한가득 넣고 우물거리며 물었다.

'너 때문이잖아, 이 자식아.'

뻔뻔스러운 얼굴로 내 반찬까지 집어먹고 있는 은수를 향해 그런 눈초리를 보냈다. 4분단 맨 뒷자리에는 곽다정과 아이들이 퇴로를 차단하듯 포진 중이었다. 교탁 위에는 김민경과 박새미가 걸터앉아 벌집피자를 까먹으면서 이쪽을 향해 살기 어린 눈빛을 보냈다.

알게 모르게 다들 은수와 나를 주시하고 있는 것이다.

그런데 어쩌자고 하은수 너는 여기 앉아서 밥을 먹는 것이냐? 스위스처럼 평화 중립을 외치고 있는 내게 있어 너란 녀석은 십자군보다 무서운 존재인데.

나는 한숨을 내쉬며 은수를 쳐다보았다. 반창고와 빨간약을 바른 은수의 오른팔이 눈에 들어왔다. 뭐라고 하려다가도 저게 눈에 들어오니 독한 말을 내뱉을 수가 없었다.

"하은수."

젓가락을 든 채 창밖을 내다보던 은수가 날 보며 눈썹을 치켜세웠다.

"아직도 아파?"

나는 은수의 오른쪽 다리를 흘끗거리며 물었다.

"괜찮은데 양호 선생님이 뛰지 말래. 그럼 진짜 다음 주 내내 축구 못 한다고."

"축구가 그렇게 좋아?"

은수는 의미심장하게 웃을 뿐 아무런 말도 하지 않았다. 좋다는 거야, 싫다는 거야? 사실 대답을 듣지 않아도 이미 알고 있었다. 계속 창밖을 쳐다보는 은수의 시선 끝에는 운동장에서 공을 차는 아이들의 모습이 담겨 있었으니까.

"너 없어서 우리 반 맨날 지겠다."

"……."

"네가 우리 반 에이스 공격수라며? 뭐라더라……. 스트라이커?"

뭔지도 모르지만 대충 아는 척 웅얼거렸다. 차마 고개를 들지 못한 채 어색한 분위기 속에서 말을 잇던 내 표정도 점점 뚱하게 변해 갔다. 주름을 세운 미간이 마지막 질문을 던졌다.

"나 오늘 네 체육복 입고 집에 가도 돼?"

"그래."

이번에는 대답이 돌아왔다. 조심스럽게 고개를 들었다. 은수가 부서지는 햇살에 묘한 미소를 걸고 있었다. 녀석의 깨끗한 눈동자와 눈이 마주치자 나도 모르게 숨을 크게 들이마셨다.

계속…… 쳐다보고 있었나?

빨려 들어갈 것만 같았다. 은수의 눈에 비친 내 모습이 비현실적으로 느껴져서, 시간이 멈춰 버린 듯한 이공간 속으로 잠시 몸이 부유하듯 붕 떠오른다.

"그거 누가 그랬어?"

은수가 젓가락을 내려놓고 턱을 괸 채 물었다.

"뭐가?"

"네 교복에 그런 거."

"나도 몰라."

"너 왕따 당해?"

천진난만한 얼굴이 가느다랗게 웃으며 물었다. 하지만 눈초리는 묘하게 서늘했다.

"무슨 소리야, 아니거든?"

"왕따 같은데?"

"왕따면 너도 나랑 말을 안 섞었겠지, 멍청아."

내 말에 은수의 눈이 살짝 커지더니 크게 웃음을 터뜨렸다.

"그러네."

말없이 짜증 난 얼굴로 다시 밥을 먹었다. 내 얼굴에 뭐가 묻은 것도 아닌데 쟤는 왜 저렇게 빤히 쳐다보고 있는지, 신경 쓰여서 먹다 체할 것 같다.

"와, 김여울. 밥 진짜 잘 먹는다. 쪼끄만 몸에 그게 다 들어가?"

"네가 할 소리는 아니거든?"

은수의 눈꼬리가 평소처럼 다시 살랑살랑 휘며 풀어져 있었다. 좀 전에 느낀 서늘함은 역시 착각이었나? 종잡을 수 없는 녀석.

"그럼 은따야?"

"진짜 죽을래, 너?"

버럭 화를 내던 나는 신경질적으로 젓가락을 든 채 계란말이를 푹푹 찔렀다.

은수가 전학 오기 전까지 나는 평범하고 조용한 아이였다. 교실 한구석에 책상 하나를 차지하는 보통의 아이들 중 하나에 불과했다. 여름 방학부터 연합고사 준비를 하면서 내 중학교 시절의 마지막을 잘 매듭짓고 유종의 미를 거둘 생각이었는데……. 따돌림을 당하냐고? 은따냐고?

아무렇지 않은 척하고 있지만 오늘 하루 종일 쉬는 시간마다 엎드려서 잠을 청했다. 누구와도 눈을 마주치고 싶지 않았다. 교실 내 존재하지 않는 아이처럼 아이들 시야에서 홀연히 사라지고 싶었다.

움츠린 채 고개 숙인 뺨에 시선이 따끔했다. 나뭇잎 사이로 비치는 햇살처럼 굳이 쳐다보지 않아도 알 수 있는 무형의 색채가 느껴졌다. 은수의 눈동자였다. 녀석이 표정을 알 수 없는 눈으로 날 뚫어져라 바라보고 있었다.

"방과 후 특별 수업."

던진 곁눈질에 책상을 짚은 은수의 손등이 보였다. 피아노와 잘 어울리는 하얀 손가락이 책상 위를 톡톡 두들기며 손톱으로 느린 음색을 만들었다.

"오늘 할래?"

"오늘? 오늘은 수요일 아닌데?"

"어차피 축구도 못하고……."

심장에서 작은 판막이 고동치는 소리가 들리기 시작했다. 또 이런다. 팔딱거리며 가슴을 조였다가 푸는 이 느낌.

"이따가 자전거 앞에서 봐."

이해가 되지 않아서 난해한 얼굴로 물었다. 설마…….

"같이 가게?"

"싫어?"

"아니, 그게 아니고……."

은수의 눈초리가 다시금 가늘어졌다. 턱을 괸 채 곁눈질로 교실을 훑는 시선이 다소 서늘했다. 역시 아까 잘못 본 게 아니다.

"나랑 다니면 곤란해, 김여울?"

또 급소를 훅 치고 들어온다. 뭐라고 대답해야 할지 몰라 머릿속이 멍해지는 질문. 은수와의 대화는 늘 가슴을 덜컹거리게 한다.

"거기! 누가 교탁 위에 올라가 있으래!"

복도를 지나가다 들른 담임이 손바닥으로 뒷문을 후려치며 소리를 질렀다. 김민경이 엉덩이로 교탁 위를 비비며 내려오기 시작했다. 엉기적거리는 그녀가 입술 사이로 구시렁거리는 말소리가 들렸다.

노처녀 히스테리.

비웃듯 조소를 걸며 뱉은 단어였다. 옆에서 박새미가 킥킥거렸다. 둘에게 못마땅한 시선을 던지던 담임의 관심이 이번에는 1분단 뒤쪽에 앉은 내게로 향했다.

"김여울!"

"네?"

"하나로 통일해라. 교복을 입든가, 체육복을 입든가."

나는 은수를 물끄러미 바라보았다. '어떡하지?' 그렇게 묻는 내 시선에 은수의 눈이 커졌다. 그는 알겠다는 듯 소년의 얼굴로 느른하게 웃었다.

"뭐, 뭐 하는 거야?"

"하나로 통일하라잖아."

교복 셔츠 단추를 툭툭 푸는 은수의 손이 어느새 세 번째 단추를 열었다. 나는 벌떡 일어나서 은수의 손을 덥석 잡아 멈췄다.

"체육복 바지를 주면 되잖아."

"축구할 때 입어서 더러워졌어."

"괜찮으니까 그냥 줘."

"싫어."

"내가 남자애 교복을 어떻게 입어!"

"체육복은 되고?"

말문이 다시 막혔다. 나는 인상을 쓰며 은수의 손을 놓았다. 은수는 세 번째 단추를 톡 풀며 입술을 열었다.

"교복이든 체육복이든 내 옷인 건 똑같잖아."

처음 전학 온 날부터 본능적으로 느꼈다. 섬세한 이목구비로 눈웃음을 치는 소년의 겉가죽 속에 다른 진짜 모습이 숨어 있다는 것을.

지금 나를 똑바로 주시하며 묻는 은수의 또렷한 눈동자가 바로 그 실체다. 평소 해사하게 웃으며 축구공을 들고 장난치는 은수가 아닌, 먼지가 쏟아지던 아지트에서 피아노를 가르치며 성질을 내던 은수.

"대답해 봐, 김여울. 나랑 다니면 곤란해?"

피아노 앞에서 필요 이상으로 열을 올리며 진지하게 임하던 그날처럼 은수는 지금 화를 내고 있었다. 힘들다고 건반 위에서 손을 내리지 말라는 소리로 들렸다. 은수가 내게 체육복을 준 건 그런 의미였다. 건담을 가져가며 매주 수요일 피아노 시간을 약속했듯이.

"누, 누가…… 곤란하대?"

비딱한 자세로 앉아 있던 은수의 날 선 눈빛이 살아났다. 이유는 모르겠지만 웃음기 어린 눈매가 기분이 좋아 보였다. 하여간 무슨 생각인지 모르겠다.

나는 곁눈질로 주위를 훑다가 목소리를 낮추며 쏘아붙였다.

"그래도 그건 안 입어. 체육복 바지 내놔."

"찝찝해도 모른다."

사물함으로 간 은수가 체육복 바지를 꺼내 던졌다. 그걸 받아서 일어서던 내 눈동자가 이쪽을 쏘아보는 교실 내 시선들과 마주쳤다.

교실 내에는 여자들끼리만 감지할 수 있는 주파수가 있다. 남자애들이 보기엔 아무렇지 않은 풍경이지만, 그 속에서 치열하게 부닥치는 잡음들은 매 분 매 초 긴장과 갈등을 자아낸다.

온몸에 화살처럼 꽂히는 시선들을 모른 척하며 화장실로 향했다. 등 뒤에서 내 뒷모습을 지켜보는 은수의 시선이 느껴졌다. 걸상 등받이에 걸터앉은 은수는 내 옆모습이 교실 앞문을 지나 사라질 때까지 눈을 떼지 않았다.

화장실에 가는 날 대놓고 쳐다보는 은수의 시선에 내 뒤를 쫓아오려던 여자애들이 엉덩이를 들썩이다가 자리에 다시 앉았다. 눈치를 살피던 그녀들은 여전히 내가 돌아올 방향을 기다리듯 바라보는 은수의 눈동자에 당황한 듯 쑥덕거렸다.

곁눈질로 그 광경을 훔쳐보던 나는 모퉁이를 돌아서자마자 벽에 기댄 채 허공을 응시했다. 기분이 멍했다. 뜨거워진 목구멍을 타고 올라온 숨소리가 창문 너머 불어온 바람결에 코스모스처럼 흔들린다.

화장실 칸막이 안으로 들어오자마자 얼른 문고리를 걸어 잠갔다. 내 등을 죽일 듯 노려보다가 은수와 눈이 마주치자 과자 봉지를 잡아 뜯을 듯 움켜쥐던 김민경의 모습이 떠올랐다. 입을 틀어막은 손가락 새로 '풉' 하고 웃음이 새어 나왔다.

치마를 벗고 체육복 바지를 갈아입은 뒤 엉덩이에 묻은 흙을 대충 털어 냈다.

상 · 하의, 하은수로 통일 완료.

화장실 거울에 비친 내 모습을 보며 씩 웃었다. 녀석의 이름이 새겨진 왼 가슴이 아주 든든했다. 세상에서 가장 강력한 갑옷을 착용한 용사처럼 갑자기 용기가 샘솟는 기분이었다.

종례를 마치고, 어느 때보다 일찍 교실 문을 나섰다.

김민경은 두발 복장 때문에 학주한테 불려 갔고, 곽다정은 프린트물을 거둬서 교무실로 간 상태였다. 계속 취재할 타이밍만 노리던 윤아는 때마침 배에서 신호가 왔는지 화장실로 질주했다. 수월하게 교실을 빠져나온 나는 본관 뒤에 위치한 자전거 보관소 앞을 서성이며 콧노래를 불렀다.

하지만 약 15분 후, 내 표정은 급격히 어두워지기 시작했다.

은수가 나오는 게 너무 늦었다. 그냥 교실에서 같이 나올 걸 그랬나? 사귀는 것도 아닌데 낯간지러워서 따로 나온 게 실책이었다.

두리번거리며 1층으로 다시 들어왔던 나는 혹시 운동장

에서 애들과 인사를 나누나 싶어서 운동장 스탠드로 나갔다. 여기저기 널브러진 신발주머니 사이에서 축구화로 갈아 신는 남자애들의 얼굴을 유심히 살폈다. 그러나 은수의 모습은 찾아볼 수가 없었다. 고개를 갸웃거리며 반대편 스탠드로 향하던 내 시선이 뭔가를 발견하고선 교문을 향해 몸을 돌렸다.

은수다.

쟤가 저기서 뭐 하는 거지? 스탠드를 폴짝폴짝 점프해 내려간 나는 손을 흔들며 뛰어가다가 걸음을 멈췄다. 개나리 담에 기대 선 은수는 혼자가 아니었다.

흰색 블라우스에 감색 스커트를 입은 그녀는 긴 생머리가 가슴까지 닿았다. 하얗고 갸름한 얼굴에 그린 듯 예쁜 눈썹이 인상적이었다. 고개를 살짝 숙이며 손등으로 얼굴을 훔치는 모양새가 꼭 울고 있는 것 같았다.

말없이 서 있던 은수가 주머니에 찌르고 있던 손을 꺼내 그녀의 뺨을 닦아 주었다. 와, 하은수 저렇게 자상한 녀석이었어?

눈을 동그랗게 뜨고 보다가 괜히 언짢아지는 기분에 콧잔등을 찌푸렸다.

홱 돌아서던 내 눈동자가 멈칫 굳었다. 다시 두 사람 쪽을 쳐다본 나는 낯선 교복의 그녀가 신고 있는 구두를 가만히 바라보았다. 가늘게 모이던 눈초리가 금세 떠오른 기억에 일렁였다. 그날, 은수네 피아노 학원 신발장에서 보았던 어느 여고생의 구두였다.

가슴이 멀미하듯 울렁거렸다.

모른 척 지나갈까? 자전거 앞에 가서 그냥 다시 기다려? 운동장 위에서 머뭇거리며 빙글빙글 돌던 발이 나침반의 자침처럼 제자리에 멈췄다.

입술을 깨물며 정문을 향해 걸었다. 대화를 나누는 두 사람의 목소리도 점차 가까이 들려왔다. 가녀린 목소리가 은수의 이름을 부르며 흐느끼자, 은수는 얕게 한숨을 쉬며 다시 그녀의 뺨을 부드럽게 어루만졌다. 와, 왜 이렇게 화가 나지? 빨라지던 발걸음이 더욱 조급하게 움직였다.

성큼성큼 걸어간 나는 그녀에게 이끌려 교문을 나서던 은수의 팔을 덥석 잡았다.

"하은수."

은수의 눈이 내 쪽을 향했다. 놀란 듯 커진 은수의 눈동자는 그동안 내가 봐 왔던 녀석의 동공 중 제일 휘둥그레 커져 있었다. 은수의 팔을 당겨서 내 쪽으로 휙 돌려세웠다. 그리고는 또박또박한 음성으로 말했다.

"오늘 방과 후 특별 수업이잖아. 잊었어?"

은수의 손목을 스르르 놓은 그녀의 시선이 내 얼굴로 향하는 게 느껴졌다. 이유 없이 화가 난 나도 눈썹에 힘을 준 채 그녀를 쳐다보았다.

커다랗고 선해 보이는 눈매였다. 도자기처럼 새하얀 뺨과 옅은 분홍빛 입술도 정말 예쁘다. 김민경도, 곽다정도 이 언니 앞에서는 닥치고 묵념이다. 긴장해서 뻣뻣해진 목이 아니었다면 나 역시 주눅 든 채 고개를 숙였을지도 몰랐다.

말없이 나를 쳐다보는 그녀의 눈동자가 미세하게 흔들렸다. 동요로 얼룩진 시선이 굳은 채 내 가슴팍을 응시했다. 이내 질끈 깨문 입술이 바르르 떠는 게 보였다.

하은수.

그녀가 발견한 건 내 체육복 가슴 위에 새겨진 이름이었다. 그녀의 꽉 다물렸던 입술이 참았던 호흡을 삼키며 열렸다.

"이만 갈게."

목멘 음성이 싸늘하게 말하며 돌아섰다. 은수는 아무 말도 하지 않았다. 그저 내게 한쪽 팔을 붙잡힌 자세 그대로 체념한 듯 서 있을 뿐이었다.

나는 은수의 팔을 꽉 잡은 채 끝까지 놓지 않았다.

3. 누구도 침범할 수 없는 관계

3. 누구도 침범할 수 없는 관계

찌르르르.

매미 우는 소리가 들려오기 시작할 무렵, 나는 은수와 더불어 교내의 유명 인사로 등극했다. 아침마다 함께 자전거를 타고 오는 우리 두 사람의 존재는 1, 2학년들에게까지 소문이 널리 퍼져 있었다.

수요일마다 하는 은수와 나의 특별 활동은 여전히 아무도 모르는 우리 둘만의 비밀이었고, 은수도 나와의 피아노 시간은 누구에게도 발설하지 않았다. 심지어 은수네 아줌마도 모르시는 눈치였다.

걸레 물 사건 이후, 나는 우리 반 여자애들과 완전히 멀어졌다. 딱히 그 사건 때문에 멀어진 게 아니라 그로 인해 은수의 체육복을 입게 된 일이 계기였다.

예상은 하고 있었다. 전에는 눈 마주치면 웃고 인사해 주던 친구들도 지금은 시선을 회피하거나 내 존재 자체를 무색무취의 공기처럼 취급했다. 그전에도 딱히 생산적인 대화를 나눴던 사이는 아니었다. 어차피 우리는 서로 교실 내 산소와 칠판만 공유하는 동급생일 뿐이었으니까.

윤아나 소영이는 변함없이 나와 밥을 먹었다. 고맙고 미안했지만 말은 하지 못했다. 그런 내 마음을 다 알고 있다는 듯 두 사람은 응원한다는 눈빛을 보냈다. 눈물이 날 것 같았다. 백 명 친구 다 필요 없었다. 이 두 사람만으로도 내 일상은 충분히 따뜻했다.

방과 후 특별 활동 피아노 교재가 바이엘 상권에서 하권으로 넘어갈 무렵이었다. 눅눅한 냄새는 기말고사가 코앞에 닥쳤다는 신호를 알려 왔다.

하품이 나오는 수학 시간.

녹색 칠판에는 U자 모양의 이차 함수 그래프가 그려져 있었다. 나는 교과서 여백에 의미 없는 도형을 낙서하며 샤프심으로 색칠했다. 왼쪽 곁눈질이 닿는 책상 모서리에 종이비행기 하나가 날아와 콕 박혔다. 줄무늬 연습장을 부욱 찢어서 보낸 쪽지였다.

[오늘 축구 시합. 1시간 늦게?]

대충 휘갈긴 날카로운 필체. 2분단 두 번째 줄에 앉아 있는 은수의 등을 쳐다보며 턱을 괴었다. 음, 다음 주가 기말고사인데…….

[오늘은 패스?]

종이비행기 날개를 이단으로 한 번 더 접어서 되돌려 보냈다. 은수의 목을 콕 찍고 떨어진 종이비행기가 등받이와 그의 어깨 사이로 고꾸라졌다. 내 쪽지를 확인한 은수가 어깨 너머로 쳐다보며 눈을 흘겼다. 가늘어진 그의 눈초리에 의심이 가득했다.

'너, 연습 안 했지?'

은수의 입술 모양을 읽은 나는 무슨 소리냐며 눈을 부릅뜨고 항의했다. 은수는 어깨를 으쓱하더니 다시 칠판을 응시했다. 의외로 수업 시간엔 성실한 녀석이었다.

최근 며칠 시험공부를 핑계로 아지트에 가는 걸 피했다. 하지만 진짜 이유는 시험공부 따위가 아니었다.

"그냥 무작정 세게 치지 말라니까?"

"세게 친 거 아니거든?"

"건반이 내려앉은 거 같은데."

"진짜? 어디?"

인상을 쓰며 흰 건반을 조심스럽게 눌러 보는 내 뒤통수에 대고 은수가 쿡쿡 웃었다.

‘아 저게…….’

은수 말대로 나는 손이 굼떴다. 가끔 은수가 보여 주는 것처럼 손가락이 날렵하게 움직여지지 않았다. 무엇보다도 손이 작았다. 피아노를 치는 데 있어 긴 손가락과 유연성은 필수인데 유연성은커녕 손가락이 너무 짧아서 ‘도’에서 ‘도’까지 닿질 않았다. 한 옥타브를 한 번에 치는 건 내게 있어 무리가 아니라 불가능이다.

하품이 길게 나왔다. 주변에 둥둥 떠다니며 부유하던 먼지들이 눈앞으로 모여들자 얼른 눈을 깜빡였다. 그래도 졸리다. 손가락에서 자꾸 힘이 빠지니 건반을 누르다가도 미끄러진다. 낡은 피아노도 덩달아 이 빠진 소리를 냈다.

“너 어제 또 밤새 만화책 봤지?”

멍하던 눈초리를 퍼뜩 돌리자, 은수가 게슴츠레한 눈으로 쳐다보고 있었다.

“아닌데? 독서실 갔는데?”

“그럼 독서실에서 오는 길에 만화책 빌려 왔겠네?”

“아닌데?”

“…….”

“어제는 반납만 했는데?”

어이없다는 표정을 짓던 은수가 분리수거함 위에 던져 놓은 내 가방에 손을 댔다. 뭐 하는 거야, 왜 남의 물건에 손을 대? 그것도 여자 가방에? 그 안에 뭐가 있을 줄 알고?

"원피스, 궁, 악마로소이다, 데스노트, 바사라, 내 남자 친구 이야기……. 너 이 많은 걸 하루에 다 보냐?"

"야!"

은수는 가방 안을 탈탈 털더니 그중에서 한 권을 뽑아 들었다. 내 남자 친구 이야기 1권이다. 왜 하필 그걸 꺼내는 건데? 신나는 해적선 모험과 천재들의 두뇌 싸움 이야기도 있는데 왜 하필 그걸 꺼내 드냐고! 얼굴이 화끈거려서 귓구멍으로 열기가 뿜어져 나왔다.

"보지 마! 보지 말라니까!"

내 손을 피해 허공으로 만화책을 올린 은수의 눈동자가 흑백 페이지에 잠시 머물렀다. 호기심 가득한 눈빛이 흥미롭게 빛났다. 밉살스러운 입꼬리가 히죽 올라가기 시작했다. 녀석은 책을 덮더니 뒷면 소개 글을 낭랑하게 읽었다.

"이웃집 친구와 알콩달콩 사랑 만들기?"

"하은수, 내놔!"

은수의 시선이 내 얼굴로 향했다. 온몸이 증발해서 사라질 것만 같았다.

"이웃집 친구가 남자 친구 되는 이야기네."

"그거 여자애들 사이에서 인기 많아."

"그래? 재밌어?"

"남자 주인공이랑 여자 주인공이 소꿉친구인데 남주가 완전 잘생기고 교내 인기남이야. 여자애와 남자애는 우정 이상의 특별한 감정을 지니고 있고."

"우정 이상의 특별한 감정?"

"그게……. 연인 사이는 아닌데 그 이상의 유대감으로 묶인, 누구도 침범할 수 없는 그런 관계랄까."

은수는 만화책 첫 장부터 페이지를 하나씩 넘기며 내 이야기를 듣고 있었다. 난 또 뭘 주절주절 설명하고 있는 거지? 쟤는 또 왜 저걸 진지하게 읽는 거고?

"아무튼 소영이가 재미있다고 강추하길래 한번 빌려 본 거야. 별로 내 취향은 아니었어."

피아노 옆에 기대 서 있는 은수에게로 다가가 보고 있던 책을 확 낚아챘다. 행여나 또 제멋대로 펼쳐 볼까 봐 얼른 가방 안에 쑤셔 넣는 것도 잊지 않았다.

"김여울 취향은 뭔데?"

턱을 괴고 묻는 은수에게 나는 대답 대신 인상을 썼다.

뭐래, 또.

피아노 뚜껑을 덮고 가방을 들었다. 집에나 가야겠다. 요즘엔 은수랑 있으면 피아노 연습하는 시간보다 티격태격하는 시간이 더 길었다. 시험 기간인데 시간 낭비, 체력 낭비다. 올해는 반에서 5등 안에 들어야 북고 갈 수 있는데.

"어차피 시험공부 안 하고 만화책 볼 거잖아. 뭘 그렇게 서둘러?"

"만화책은 집에 가서 볼 거야. 독서실 갈 거니까 비켜."

가방을 들고 일어서는데 귓가에 닿는 숨결에 구부정한 자세 그대로 얼어붙었다.

"같이 갈까?"

속삭이는 듯한 목소리가 반고리관을 타고 흘러들었다.

"야!"

나는 뒤늦게 양 귀를 확 틀어막으며 고래고래 소리를 질렀다. 살굿빛 뺨이 리트머스지처럼 붉게 젖었다.

열 걸음 이상 도주한 은수는 이미 한쪽 어깨에 가방을 멘 채 철문을 끼익 열고 있었다. 돌아서서 천진난만하게 웃는 은수를 보며 나는 죽일 듯한 눈초리로 걸어 나왔다.

"한 번만 더 귀에 대고 바람 넣으면……."

"그런 얼굴이 취향이야."

바람에 춤추는 나뭇잎들이 담벼락에 그림자 물결을 이뤘다. 은수가 천연덕스러운 얼굴로 서 있었다. 담백한 눈웃음을 머금은 채, 소년처럼 웃었다.

"남자애들은 그런 얼굴이 취향이라고."

난 빨개진 볼 위로 눈에 힘을 준 채 말뚝처럼 제자리에 발을 붙였다. 잔뜩 삐친 얼굴로 움직이지 않는 내게 은수는 자전거를 끌고 오더니 눈치를 살폈다.

"화났어?"

"말 걸지 마."

"김여울."

은수가 내 이름을 불렀다. 말투가 예쁜 저 녀석의 필살기다. 삐쳐서 고개를 돌린 내게 은수가 시선을 살짝 기울이며 물었다.

"넌 이웃집 친구랑 뭐 하고 싶은 거 없어?"

"없네요."

곁눈질로 속을 훔쳐보는 듯한 눈빛. 장난기가 밴 눈동자에 흐르는 호기심이 살갗을 뜨겁게 데웠다.

"이상한 착각하지 마. 인기 많아서 빌려 본 거라니까?"

"누가 뭐래?"

쪽팔려, 쪽팔려서 죽을 것 같다. 누가 봐도 재 생각하면서 빌려 읽은 거 같잖아.

"연인 사이는 아니지만 그 이상의 유대감으로 묶인, 누구도 침범할 수 없는 관계."

"하은수, 미리 말해 두는데 난 그런 거 필요 없다."

"알겠는데……. 그런 관계가 뭔데?"

뭐긴 뭐야, 환상종과 같은 관계지. 존재할 수도 없고 존재해서도 안 되는 금단의 관계. 남자애들은 절대 이해할 수도, 실행할 수도 없는 여자애들의 원더랜드 같은 거다.

갸웃거리는 은수를 보며 설명하는 걸 포기했다. 대신 맞받아치듯 질문을 던졌다.

"하은수 취향은 뭔데?"

관심 없는 척 물었지만 느닷없는 질문은 아니었다. 며칠간 마음 한구석에서 줄곧 신경 쓰던 존재에 관한 것이었으니까.

은수는 그날 이후 아무렇지 않게 행동하고 있었다. 아무 일도 없었던 것처럼 태연하게. 그래서 이렇게 더 장난치고 짓궂게 구는 걸까? 민망하니까? 내가 묻지 않아서?

"그날 교문 앞에서 봤던 언니."

여유롭던 은수의 눈동자가 잘게 흔들리며 멈췄다.

"누구야?

예상하지 못했다는 듯 커진 눈이 날 바라보았다. 서로의 코끝이 닿을 정도로 가까이 있던 우리 둘의 시선이 맞물린 채 서로를 뚫어져라 응시했다.

은수와 나의 앞머리가 바람결에 버드나무 가지처럼 살랑이며 움직였다. 이마를 스치는 서로의 머리카락이 간질거리며 시야를 어지럽혔다.

혹시…….

"여자 친구?"

내 시선을 피하듯 발밑을 내려다본 그의 속눈썹이 점점 아래로 향했다. 무겁게 가라앉는 시선이 어둡게 그늘져 가고 있었다.

"응."

심장이 덜컹.

낡은 문고리처럼 떨어졌다.

"전 여자 친구."

낮게 가라앉은 음성은 낯설고 이질적이었다. 주위에서 들려오던 매미 울음소리가 잠결에 들리던 알람처럼 멀게 느껴질 만큼.

'괜히 물어봤어.'

묻어 놨던 씨앗이 기어코 싹을 틔우는 걸 본 기분이 이런 것이다. 눈시울이 이상하게 따끔하다고 느낀 순간, 나는 잽싸게 뒤돌아 걷기 시작했다.

무더위 속에 환희가 찾아왔다.

기말고사가 끝난 뒤 방학을 목전에 둔 우리는 모두 신이 난 채 학교에 오는 것마저 행복에 겨워했다. 원래 놀이 기구도 타기 직전이 제일 신나는 법이다. 막상 방학하면 할 일도 없고 지루할뿐더러, 목구멍의 가시처럼 걸리는 방학 숙제라는 존재 때문에 마냥 기쁘진 않으니까.

그놈의 일기.

나는 중학교에 오면 더 이상 일기 따위는 쓰지 않을 줄 알았다. 초등학교 때는 환경 일기장이 나를 미치게 만들더니, 중학교에 오자 갱지 공책은 안 주는데 한글이 아닌 알파벳으로 쓰란다. 왜 학교는 학생들에게 숙제를 줘야 한다는 이상한 강박 관념에 사로잡혀 있는 것일까?

어차피 아무도 매일 쓰지 않는다. 방학하기 일주일 전에 다 같이 소설가에 빙의해서 40일 치의 구운몽을 펼칠 뿐이지. 아마 대한민국 청소년은 이때부터 취업용 자소설을 쓰는 솜씨를 키워 냈던 게 틀림없다.

"다음 3조. 김민경, 김여울, 박정원, 이동근, 이윤아, 하은수."

음악 선생님 호명에 김민경이 뒷줄에서 환호성을 지르며 기뻐했다. 나는 따분한 얼굴로 프린트를 내려다보았다. 매년 하는 단골 숙제 중 하나였다. 음악회 다녀와서 감상문 쓰기.

우린 리틀 수험생인데, 연합고사가 코앞인데, 이런 것들까지 해야 해? 역시 수행 평가가 제일 싫다.

더워서 그런가?

내 신경은 그 어느 때보다 날카롭게 곤두서 있었다.

고교 연합고사를 앞둔 중학교 3학년의 방학은 그렇게 즐겁지만은 않았다. 주중에는 지하철을 타고 노량진으로 가서 수학 단과 수업을 들었고, 주말에는 도서관이나 독서실로 향했다.

그러던 중 윤아로부터 문자가 왔다. 방학 숙제인 음악회에 가자는 연락이었다. 윤아네 어머니께서 지인을 통해 청소년 음악회 표를 열 장이나 받으셨단다. 덕분에 우리 조 모두 공짜로 보게 됐다며, 이유 불문하고 전원 참석하라는 조장으로서의 지시였다.

토요일 저녁 여섯 시 반까지 예술의 전당 앞으로 모이기로 했다. 그날 볼링 모임이 있다는 엄마는 내가 태워 달라는 말을 꺼내기도 전에 알아서 지하철 타고 가라며 선수를 쳤다. 나는 구시렁거리며 컴퓨터를 켜고 '예술의 전당 가는 길'을 검색했다.

길게 눌린 초인종 소리가 울려 퍼졌다.

수박바를 입에 문 채 잠옷이 된 체육복 바지를 엉기적엉기적 추어올렸다. 엄마가 마음을 바꿔서 태워다 주려고 돌아왔나? 아, 세탁소 아줌마 온댔지. 철컥, 문고리를 돌리자 문틈으로 빛이 스며들었다. 발등을 비춘 햇살을 바라보다가 고개를 들었다. 일순 내 눈동자는 경악하며 얼어붙었다.

"넌 누군지 확인도 안 하고 여냐?"

흰색 반팔 티를 입은 은수가 햇살을 등진 채 서 있었다. 흘끗 나를 쳐다본 은수의 동공도 휘둥그레 커졌다.

"김여울, 너 옷……."

입에 대롱대롱 물고 있던 아이스크림이 반으로 뚝 갈리며 떨어졌다. 동시에 늘어진 민소매 끈 하나가 어깨 아래로 주르륵 흘러내렸다. 내가 제일 좋아하는 수박바의 초록색 끝부분이 바닥에 떨어져 각설탕처럼 부서졌지만 알아차리지 못했다. 충격에 얼어붙은 나는 그대로 현관문을 쾅 닫았다.

다시 문을 열고 나온 건 이십 분이나 흐른 뒤였다. 은수는 복도 벽에 기대앉은 채 꾸벅꾸벅 졸고 있었다. 마음 졸이며 거울을 보던 나와는 달리 나른한 얼굴로 긴 하품을 연거푸 두 차례나 하면서.

엘리베이터를 타고 1층에서 내린 우리는 평소 버릇대로 자전거를 끌었다. 은수는 내 가방을 어깨에 멘 채 뒷좌석에 앉았다. 나는 손잡이를 잡았다. 안장에 앉자마자 등에 툭 기대 오는 무게감이 느껴졌다. 이어서 잠든 듯 쿨쿨거리는 숨소리가 귓가에 닿았다.

어쩐지 왜 연락도 없이 초인종을 누르나 했다. 그냥 베개가 필요했던 거네.

마을버스 정류장까지는 자전거로 약 15분. 페달을 밟는 속도가 점차 느려졌다. 슈퍼에서 엄마 손을 잡고 나온 꼬마 여자아이가 아이스크림을 핥으며 우리를 물끄러미 응시했다. 자그마한 언니의 등에 구부정하게 기댄 채 달콤한 잠에 빠진 오빠의 모습이 신기하다는 듯이.

버스에서도 시체처럼 잠만 자던 은수는 지하철역 앞에 도착하고 나서야 기지개를 켜며 정신을 차렸다.

"다 잤어?"

"응."

"쯧, 나보고 매일 밤에 안 자고 뭐 하냐고 구박하더니……. 어제 안 자고 뭐 했어? 눈이 좀비처럼 벌겋게 충혈됐던데."

은수가 성의 없는 목소리로 답했다.

"게임?"

거짓말. 스타크래프트에서 저글링이 뭔지도 모르는 녀석이 게임은 무슨……. 국민 게임 카트라이더도 안 해 본 종족은 은수트랄로 피테쿠스, 너뿐일 거다.

번뜩이는 생각에 은수의 얼굴을 흘끔 쳐다보았다. 의심스러운 기색으로 옆모습을 자꾸 훔쳐보자 은수가 묘한 표정을 지었다.

"왜?"

"밤새 야한 거 봤지?"

"안 봤어."

"남자애들끼리 쉬는 시간에 막 이상한 CD 서로 넘겨주잖아. 죽이는 자료라고 하면서."

"그래? 난 못 받았는데 어디 가면 받을 수 있어?"

놀리려고 한 말인데 태연하게 웃으면서 받아친다. 전의를 상실한 채 눈을 흘겼다. 이번에는 은수가 놀리듯 물었다.

"너야말로 밤새 보는 만화책에 그렇고 그런 장면 많던데……."

"아닌데? 잘못 봤겠지."

"15세 미만은 보지 마세요."

내 얼굴이 판화처럼 굳었다.

"그렇게 적혀 있는 걸 본 순간, 펼치지 않을 수가 없더라."

밉살스러운 녀석, 진짜 발로 차 버리고 싶다. 하다못해 저 주둥아리라도 어떻게 꿰매 버릴 수 없을까? 이 나이에 기저귀를 차고 다녀도 지금 이 순간만큼 수치스럽지는 않을 것이다. 하은수, 저 녀석의 이름 석 자가 내 치욕의 역사가 되어 가고 있다.

"제목이 뭐였는데?"

"아, 제목."

"아니야, 됐어. 말하지 마."

내 성교육은 할리퀸과 순정 만화로 이루어졌다 해도 과언이 아니다. 이 책 저 책 추천해 주던 대여점 아줌마의 인도를 덥석덥석 따르다 보니 그렇게 된 것일 뿐. 재가 본 게 할리퀸이 아니라 순정 만화라는 사실이 그나마 다행이었다.

할 말을 잃은 채 아랫입술을 꾹 깨물었다.

"그래, 난 그런 거 좋아한다. 누구와 달리 완전 좋아해서 밤마다 본다, 됐냐?"

붉게 달아오른 얼굴로 자폭하고서는 역내 계단을 향해 성큼성큼 걸었다. 운동회 때 누가 박 터뜨리기에 하은수 얼굴 좀 걸어 놔 줬으면. 초당 콩 주머니 오백 개는 갈길 자신 있는데.

토요일 오후, 지하철 1호선은 퀴퀴한 냄새로 가득했다. 생선 비린내도 나고, 땀 냄새도 나고, 여러 가지로 고약한 악취가 코를 매섭게 찔렀다. 신도림역에서 2호선으로 갈아타기 위해 내렸다. 개미 떼처럼 몰리는 사람들에게 파도처럼 떠밀려 다니다가 정신 차리고 보니 지하철 안이었다. 차라리 냄새나도 한산한 1호선이 나았다. 여긴 산소 부족으로 숨도 쉬기 힘들었다. 줄곧 옆을 지키던 은수의 손이 내 어깨를 잡았다.

"단추 잠가, 김여울."

"응?"

은수는 벌어진 단추 사이로 보이는 내 목덜미를 곁눈질로 응시하며 중얼거렸다.

"옆에 사람."

키가 커서 얼굴을 확인할 수 없는 남자가 이어폰을 꽂은 채 바로 옆에 서 있었다. 딱히 날 쳐다보는 것 같지는 않은데.

"보여, 머리 위에선 보인다고."

낮게 속삭이는 음성에 조바심이 어려 있었다. 냉큼 옷깃을 여몄다. 옆의 남자가 내 쪽을 흘끗 내려다보더니 몸을 돌렸다. 정말 보고 있었는지 은수의 착각이었는지는 모르겠지만 등골이 오싹했다.

어깨를 움츠린 채 주위를 살폈다. 뒷사람이 등을 비빈다. 좁아서 그냥 움직인 것일 수도 있지만 덜컥 겁이 났다. 팔꿈치에 와 닿는 다른 사람의 살갗. 다리를 오므리고 양팔로 내 몸을 끌어안았다. 어쩔 수 없는 상황이란 걸 알면서도 좀 전의 일 때문인지 괜히 예민했다.

은수의 손이 내 등을 천천히 밀어서 자신 쪽으로 끌어당겼다. 불안하던 코끝이 편안해진다. 은수의 몸에서는 늘 기분 좋은 냄새가 났다. 난 더워서 손과 등에 진땀이 나는데, 이 녀석은 방금 목욕하고 나온 사람처럼 보송보송하다. 부끄러워서 가까이 붙는 걸 피해야 될 것 같은 생각이 들 정도로.

손부채질을 하며 슬그머니 옆으로 한 걸음 떨어졌다. 문 앞 기둥에 찰싹 붙는 내 몸짓에 은수의 시선도 따라붙었다. 뭐 하냐는 눈초리였다. 이쪽으로 오라는 듯 턱짓을 한다. 나는 고개를 거세게 내저으며 손짓 발짓으로 말했다.

'지하철 흔들리니까 여기 서 있을게.'

지하철 문이 열리자, 은수의 손이 내 팔목을 덥석 잡았다. 확 끌어당기는 힘에 녀석의 어깨에 코를 박았다.

"그러다가 사람들하고 휩쓸려서 같이 내리려고?"

"내가 바보냐?"

몸서리칠 정도로 불쾌했던 감정들은 어느새 공기 중으로 사라진 지 오래였다. 온몸의 세포들은 이제 오직 은수에게만 정신이 쏠려 있었다.

은수는 계속해서 내가 뒷사람과 닿지 않게 팔로 막아 주었다. 그럴 때마다 나는 억지웃음으로 '고마워' 하고 인사를 했다. 보호해 주는 건 좋은데, 너와 몸이 닿는 건 그보다 더 불편하단 말이다. 이럴 줄 알았으면 엄마 향수라도 몰래 뿌리고 올걸.

그런데 아까부터 은수의 시선이 자꾸 왼쪽 노약자석으로 향한다. 까치발을 세운 채 나도 그쪽을 응시했다. 베이지색 체크무늬 셔츠에 남색 바지. 아까 내 옆에 서 있던 이어폰을 낀 남자였다. 서른 살 정도의 직장인 행색. 이쪽을 흘끗거리던 그는 은수와 눈이 마주치자마자 고개를 휙 돌렸다.

"저 사람 왜 자꾸 우릴 쳐다봐?"

은수는 내 어깨를 잡고 꾹 눌렀다. 까치발을 세웠던 발뒤꿈치가 털썩 지면에 닿았다. 마지막으로 본 남자의 표정에는 짜증이 가득했다. 껌을 씹듯 불만스럽게 입매를 움직이며 음산하게 혼잣말을 중얼거린다.

"신경 쓰지 마."

"저 남자 혹시 아까 진짜……."

"못 봤어, 내가 어깨로 가려서."

딱 잘라 말하는 은수의 목소리에 보글거리던 가슴이 진정되며 가라앉았다. 은수는 다시 남자를 쳐다보았다. 곁눈질로 훔쳐보던 남자와 은수의 사나운 눈초리가 다시 마주쳤다.

내려, 새끼야.

은수의 입 모양을 본 나는 잘못 봤나 싶어서 멍한 표정을 지었다. 얼어붙은 채 서 있는 날 발견한 은수는 눈을 가리듯 내 몸을 빙그르 돌려세웠다. 그런 뒤 다시 남자 쪽으로 시선을 던졌다. 떨떠름한 얼굴로 서 있던 남자는 다음 역에서 도망치듯 내렸다. 그는 끝까지 구시렁거리며 이쪽을 향해 찌릿 따가운 시선을 보냈지만 은수의 얼굴은 무표정했다. 출입문이 완전히 닫힐 때까지 은수는 내 어깨를 잡은 채 놓지 않았다.

체육복 사태 이후, 김민경은 은수만 보면 전보다 더 헤벌쭉하며 달라붙었다.

눈꺼풀이 동공을 반쯤 덮은 채 목표를 빤히 바라보는 시선. 고요히 화가 난 눈동자. 어쩌면 은수는 생각보다 집요하고 철저한 면이 있을지도 모른다.

처음으로 김민경의 행동이 이해가 갔다. 지금 은수를 바라보는 내 표정도 어쩌면 김민경과 비슷하지 않을까?

나는 더 이상 은수의 팔 안에서 빠져나오려고 하지 않았다. 오히려 한 걸음 더 바짝, 가까이 다가섰다. 그런 내 행동을 내려다보는 은수의 눈길이 느껴졌다. 미동 없이 바라보기만 했다. 민망해서 냉큼 다시 물러섰다. 그러자 은수가 고개를 숙이며 뭐 하냐고 속삭인다.

"아니 뒷사람이 자꾸 밀어서……."

날 쳐다보던 은수가 풋 하고 웃었다. 어깨 너머를 돌아본 내 눈이 정지했다. 뒤에는 아무도 없었다. 시커먼 지하를 달리는 출입문이 덜컹거리며 흔들리고 있을 뿐.

내가 입을 꾹 다문 채 인상을 쓰자 은수는 크게 웃음을 터뜨렸다. 은수의 웃음소리에 사람들이 우리 쪽을 흘끔거리며 시선을 던졌다.

"야, 그만 웃어."

재는 내가 당황하면 할수록 즐거워하는 것 같다. 생긴 건 천사인데 내면은 악마다. 오늘부로 재차 확신했다. 그래도 딱딱했던 분위기는 한결 말랑말랑해진 상태였다. 날 응시하는 은수의 눈동자도 평소와 다름없는 모습으로 돌아왔다.

"혹시나 해서 말하는데."

이마에 닿을 듯 가까운 목젖에서 낮은 목소리가 흘러나왔다.

"아까 아무것도 못 봤어, 나도 당황해서……."

"단추 열렸을 때?"

"아니, 그거 말고."

나는 목적어가 빠진 문장을 이해하지 못한 채, 무슨 소리냐는 눈빛을 보냈다. 은수는 다음 할 말을 생각하는 듯 인상을 쓰다가 귀찮은지 얼버무렸다.

"모르면 됐어."

"뭔데?"

"……."

"설마…… 야동?"

날 빤히 내려다보던 은수가 어이없다는 표정을 지었다. 잠시 후 그의 입술 사이로 허탈한 듯 바람 새는 소리가 들렸다.

"그래, 야동."

아니, 야동은 농담이었는데.

별거 아닌 듯 넘어가는 은수를 보며 고개를 갸우뚱거렸다. 잘 이해가 되지 않았지만 더 이상 묻지 않았다. 표정을 보아하니 어차피 말해 주지도 않을 낌새였다.

다시 은수의 티셔츠에 코를 묻었다. 냄새 좋다, 나중에 무슨 세제 쓰는지 물어봐야지.

"김여울, 변태냐? 코 비비지 마."

"아, 안 비볐거든."

멈칫 굳은 내 정수리 위로 녀석이 손을 얹었다. 뒷머리로 파고든 손가락이 꽁지로 반 묶음 한 고무줄을 툭 풀었다. 긴 손가락이 단발머리를 결대로 빗으며 만지작거린다. 쓰다듬는 건가? 설마……. 하은수가 그런 닭살 돋는 짓을 할 리가 없는데.

가끔 은수는 참 낯설다. 운동장에서 애들과 축구 할 땐 영락없는 내 또래 남자애인데, 어떨 때는 너무 어른스러워서 말문이 막혀 버린다. 섬세한 이목구비에 단정한 말투와 달리 아주 서늘하고 날 선 눈빛을 한다. 그리고 입술에 비뚜름한 곡선을 건 채 도저히 당해 낼 수 없는 장난을 친다.

지금도 그런 느낌이었다. 손으로 내 머리카락을 간질간질 어루만지며 피식거리고 있는 듯한 느낌.

철컥, 철컥.

움직이는 지하철 소리가 내 심장 고동 소리만큼이나 벅차고 빨랐다. 은수의 옷자락을 움켜쥔 내 손에도 덩달아 힘이 잔뜩 들었다.

입술이 닿은 은수의 어깨에서 미세한 진동이 느껴졌다. 조용히 웃음을 참고 있는 듯 그런 들썩임. 턱선 너머로 어렴풋이 녀석의 입꼬리가 올라가는 걸 본 것 같았다. 뒤돌아서 지하철 문에 비친 우리 모습을 보고 싶었다. 날 내려다보며 웃고 있는 녀석의 짓궂은 눈웃음이 보이는 것 같아서.

이 모든 것은 나만의 착각일 게 분명했다. 그럼에도 가슴이 세차게 콩닥콩닥 뛰었다.

하은수, 넌 지금 어떤 표정을 짓고 있어? 보이지 않는 네 얼굴이 너무너무 궁금해.

4. 녹턴과 너

4. 녹턴과 너

매년 여름 방학이 오면 예술의 전당에서는 토요일마다 청소년 음악회를 열었다. 말할 것도 없이 인기는 하늘을 찔렀다. 전국 초중고에서 내 주는 음악 수행 평가 때문이었다. 특히 작년부터 공연 중인 〈예술의 전당 창립 15주년 특별기획 청소년 음악회〉는 반응이 더더욱 뜨거웠다.

은수는 지하철역에서 내려 걸어가는 내내 한마디도 하지 않았다. 가로수 그늘 아래 나란히 걷는 우리 둘의 그림자에는 차도에서 들려오는 소음만이 덧칠됐다.

돌연 달라진 분위기에 솜사탕처럼 부풀던 내 마음도 푹 식었다. '하은수, 왜 그래?' 하고 묻고 싶었지만, 은수의 날선 눈초리에 입이 떨어지질 않았다. 이 녀석과는 친해지면 친해질수록 왜 이렇게 모든 것이 어려운 것일까?

"청소년 음악회, 하동준의 음악 교실……. 저쪽이다!"

나는 뒤따라오는 은수를 모른 척한 채 애써 밝은 얼굴로 뛰었다. 그랜드 피아노를 닮은 형태의 콘서트홀 건물 앞에는 익숙한 얼굴이 몇몇 더 있었다. 손을 흔들며 인사하는 곽다정을 본 순간 환하게 웃던 내 입가가 바스러지듯 구겨졌다.

'너는 또 여기 왜 있냐?'

우리 조의 망아지 한 마리만으로도 피곤해 죽겠는데 옆집의 까칠한 고양이까지 놀러 왔다. 김민경과 곽다정, 나란히 서 있는 두 사람의 모습에 짜증이 치솟았다.

나중에 알게 된 사실인데 곽다정네 어머니와 윤아네 어머니께서 아주 가까운 사이라고 한다. 그래서 곽다정네 조도 음악회 초대권을 받게 되었다고. 호시탐탐 우리 조와 엮일 찬스만 엿보고 있던 곽다정으로서는 땡큐였겠지.

곽다정은 이쪽을 보자마자 "은수야!" 하고 신이 나서 손을 흔들었다. 그 앞에 먼저 걸어오는 난 투명인간이니? 어쩜 그렇게 자연스레 무시할 수 있는지.

키가 큰 그녀는 종아리까지 오는 7부 청바지를 늘씬하게 소화한 차림이었다. 문득 오늘 입고 온 베이지색 반바지의 밑단을 한 단 접어 올리길 잘했다는 생각이 들었다.

"자, 하나씩 받아."

애들을 불러 모은 윤아는 검지와 중지 사이에 입장권을 한 장씩 끼워서 내밀었다. 입장권을 받던 나는 윤아의 손을 보고 웃음을 터뜨렸다.

이윤아, 웬일이야. 언제 손톱에 봉숭아물까지 들였대? 그러고 보니 입술에 틴트도 바르고 귀걸이도 했네? 평소 학교에 오던 모습과는 딴판으로 신경 쓴 차림새였다. 물론 저기 껌 씹으면서 오는 언니에 비하면 새 발의 피였지만.

김민경은 은수를 보자마자 오른팔에 매달리듯 달라붙었다. 은수는 입장권을 확인하더니 인상을 쓰며 주머니에 팍 구겨 넣었다. 하은수, 저거 딱 먹기 싫은 반찬 숟가락 위에 올려 줄 때 표정인데……. 평소보다 몇 배는 기분이 안 좋은 상태인 게 확실했다.

그런 줄도 모르고 김민경은 은수에게 팔짱을 끼자며 눈치도 없이 졸라 대고 있었다. 한계에 도달한 표정으로 서 있던 은수는 결국 김민경의 팔을 탁 뿌리쳤다.

쌤통이다.

누군가 중얼거린 목소리에 뒤를 돌아보았다. 곽다정이 팔짱을 낀 채 고소하다는 미소를 머금고 있었다. 김민경보다 얘가 더 무섭다. 적당히 거리를 둘 줄 아는 암사자의 눈초리. 적재적기를 노리는 진정한 맹수 같은 계집애였다.

두 사람의 바보 같은 쟁탈전에 낄 생각이 없는지라 조용히 혀를 차며 팸플릿을 펼쳤다. 지휘자와 연주자들 프로필 사진이 등장하자 기대감이 솟구쳤다.

하동준 지휘자가 해설하는 청소년 음악회 3부작.

솔로부터 오케스트라까지: 피아노 솔로, 쇼팽, 거슈윈, 라흐마니노프…….

거슈윈, 라흐마니노프는 잘 모르지만 쇼팽은 들어 봐서 알고 있었다. 피아노 연주는 하동준이란 지휘자분께서 직접 하시는 모양이었다. 건반을 누르는 느낌이 뭔지 이제 막 알게 된 초보였지만, 피아노를 아예 모를 때와는 연주회를 접하는 기분이 사뭇 달랐다.

기대된다, 쇼팽.

나는 표를 손에 꼭 쥔 채 화장실로 향했다. 역시나 줄이 길게 늘어져 있었다. 윤아와 김민경도 뒤따라 왔다. 곽다정은 자기네 조 애들한테 끌려간 듯했다.

“민경아, 나랑 여울이 가방 좀 잠깐 맡아 주라.”

윤아가 부탁하자 김민경은 눈을 흘기면서 마지못해 가방을 떠안았다. 오늘 연주회를 누구 덕에 공짜로 보는 건데 저도 양심은 있겠지. 우리 가방을 양 옆구리에 끼워서 고정시킨 그녀는 콤팩트를 꺼내 거울을 보며 열심히 분칠을 했다. 반 묶음으로 땋아서 묶은 머리와 동그랗게 솟은 이마. 그녀의 작은 콧망울과 도톰한 입술을 나는 잠시 홀린 듯 바라보았다.

한심한 행동만 일삼는 아이였지만 사랑스러운 외모인 건 인정할 수밖에 없었다. 옅은 색소의 눈동자와 투명한 살갗이 새삼 저 애가 우리 학년에서 제일 예쁜 여자애라는 사실을 깨닫게 만든다.

세면대 앞에서 손을 씻자 윤아도 금방 나왔다. 내 옆에 나란히 선 윤아는 거울로 눈을 마주치며 팔꿈치로 팔을 툭 건드렸다.

“하은수랑은 어떻게 같이 왔어?”

“집에서 나가다가 마주쳤어.”

윤아가 포동포동한 얼굴로 키득키득 웃었다. 하회탈처럼 휜 눈웃음이 실실거리며 뭔가를 캐묻듯 눈을 흘겼다.

“혹시 하은수가 너 좋아하는 거 아니야?”

“말이 되는 소리를 해라.”

“걔 항상 너랑 붙어 다니잖아. 아침에도 네 자전거 뒤에 타고 오고, 저번에 보니까 너네 집에 갈 때도 같이 가더라? 일주일에 한두 번은 꼭 같이 가던데.”

“하은수 취향 완전 청순가련이야, 나랑은 정반대 스타일.”

"네가 은수 취향을 어떻게 알아?"

철문이 끽 하고 벽에 부딪치는 소리를 내며 열렸다. 밖에서 기다리던 김민경이 내게 가방을 덥석 안기며 걸어왔다. 나는 젖은 손을 털며 슬그머니 시선을 피했다.

"아니, 뭐……. 그런 것 같다고."

"은수가 그래? 청순한 여자가 좋다고?"

김민경은 쥐 잡아먹은 것처럼 칠한 입술을 휴지로 급히 문질러 닦아 냈다. "아씨, 화장을 너무 진하게 했나?" 그녀는 거울에 뺨을 바짝 대고 경극 배우처럼 떡칠한 얼굴을 손톱으로 살살 긁기 시작했다.

"야, 김여울! 씹냐?"

"궁금하면 직접 물어봐."

약 올리듯 말하며 화장실 문을 열었다. 뒤에서 김민경이 욕설을 내뱉는 게 들려왔지만 그러든가 말든가 픽 웃음이 나왔다.

빽빽한 인파를 피해 잠시 건물 밖으로 나왔다. 타박타박 걷는 발걸음에 구겨진 캔 커피 하나가 차였다. 깡깡, 소리를 내며 굴러간 고철을 향해 입을 삐죽였다. 어둑어둑 저물어 가는 서녘이 멜랑꼴리한 내 마음을 대변하듯 부채처럼 오묘한 색채를 펼친다.

예쁘고 청순한 데다가 연상인 여자 친구.

눈빛만 봐도 알 수 있었다. 이쪽은 고작 자전거 운전수로 취급하는 주제에 그쪽은 아주 공주님 모시듯 다정하게 굴더라? 은수 눈에 동급생 여자애들 따위는 어리거나 시시하게 보이겠지. 곽다정이나 김민경 정도면 몰라도 나처럼 키 작고 눈에 안 띄는 애는 더더욱…….

교문에 서 있던 그 언니와 은수의 모습을 떠올리면 이상하게 갈비뼈 근처가 시큰거렸다. 은수의 체육복을 입은 날 쳐다보던 그 언니와 눈이 마주치던 순간, 내색은 하지 않았지만 온몸이 불안에 휩싸였다.

고개를 붕붕 내저으며 잡념을 떨쳤다. 왜 자꾸 그날 일을 되새김질하면서 자학을 하는지. 눈감고 딴생각을 하면 갈비뼈 통증도 지우개로 지우듯 사라질 거다. 생각하지 말자, 생각하지 말자, 하은수 따위…….

'근데 입장권이 어디 갔지?'

고개를 갸웃거리며 지퍼를 열고 가방 안을 탈탈 털었다. 주머니 속 집 열쇠랑 노트와 필통만 데굴데굴 굴러다녔다. 바지 주머니까지 다 뒤집어 까고 나서야 시선이 건물 안쪽으로 향했다. 설마 화장실에 두고 왔나?

황급히 발길을 돌렸다. 화장실 밖에는 여전히 줄 서 있는 사람들이 많았다. "죄송합니다!"를 연거푸 외치며 비좁은 틈새를 헤치고 나갔다. 좀 아까 들어갔던 칸막이 안과 세면대 주변을 샅샅이 뒤져 봤지만 어디에도 보이지 않았다. 세면대를 짚은 채 멍하니 거울 속을 응시했다. 그때 윤아가 걱정스러운 얼굴로 화장실 문을 열고 들어왔다.

"여울아, 왜 그래?"

"표가 없어졌어."

"뭐?"

매표소로 다시 돌아온 우리는 직원에게 사정을 설명했지만 돌아온 답변은 "입장권이 없으면 관람하실 수 없습니다."였다. 초대권을 입장권으로 바꿔 주고 간 윤아네 어머님도 자리에 안 계신 상황이었다. 친구들과 단체로 온 거라며 열심히 설명했지만 무테 안경을 쓴 여직원은 냉랭한 얼굴로 고개를 가로저었다.

"일단 너희들끼리 먼저 들어가."

내 말에 김민경은 팔짱을 낀 채 씩 웃었다. 시무룩하게 서 있는 날 보며 고소하다는 듯 눈웃음을 머금는 김민경을 보자 눈이 홱 돌았다. 성큼성큼 걸어가 김민경의 머리채를 잡았다.

"너지, 네가 그랬지?"

"뭐래, 이거 놔!"

"티켓 내놔!"

"이 미친년이 이거 안 놔? 놓으라고!"

김민경이 손톱을 세우고 할퀴며 달려들었다. 팔에 날카롭게 세 줄기 선이 긁히며 피가 흘러내렸지만 머리끄덩이를 잡은 손은 놓지 않았다. 오히려 머리채 잡은 손을 좌우로 더 거세게 흔들었다. 김민경은 흐느끼며 바닥에 주저앉아 "아악!" 비명을 질렀다. 나는 아랑곳 않고 바닥에 누워버린 그녀의 정수리를 뽑아 버릴 듯 잡아당기며 화장실로 끌고 갔다. 주변 학생들과 학부모들은 경악한 얼굴로 느닷없이 벌어진 개싸움을 구경했다.

"티켓 내놓으라고! 내가 너한테 가방 맡기고 들어갔잖아!"

"네 티켓을 내가 어떻게 알아! 미친년이 지가 잃어버리고선 지랄이야!"

"내놓으라고!"

결국 직원들이 들어와 우리를 떼어 놓고 나서야 일단락이 되었다. 산발이 된 김민경은 충혈된 눈으로 날 노려보며 나갔다.

멍하니 통증이 느껴지는 팔을 응시했다. 팔꿈치와 손목까지 흘러내린 핏방울이 바지에도 묻어 있었다. 수도꼭지를 틀고 찬물로 대강 씻은 뒤 휴지로 지혈했다. 손가락 사이사이 뽑힌 머리카락이 달라붙은 게 보였다. 그 계집애도 꽤나 아팠을 거다.

'일진은 개뿔, 박새미 없으면 한 주먹거리도 안 되는 게…….'

김민경은 끝까지 억울하다며 우겨 댔다. 주머니까지 뒤집어 보여 주면서 '찾아봐! 찾아보라고, 미친년아!' 고래고래 소리를 질러 댔다. 난 코웃음을 쳤다. 진즉에 찢어서 쓰레기통에 버렸겠지. 네가 아무리 멍청하다 해도 그걸 여태 주머니 속에 간직하고 있겠냐?

나와 김민경은 어깨를 세운 채 서로를 죽일 듯 노려보았다. 같은 조 아이들은 둥글게 서서 우리 눈치를 보며 마른 침을 꼴깍 삼켰다. 그사이 매표소에 다녀온 곽다정이 난감한 얼굴로 말했다.

"전 좌석 매진이래."

"여울아, 일단 엄마가 오신다고 했으니까 기다려 볼래?"

통화를 마친 윤아가 핸드폰을 손에 쥔 채 말했다. 연주회가 곧 시작한다는 것을 알리는 듯 콘서트홀 건물 내부 샹들리에가 화려한 조명을 밝히기 시작했다. 흩어져 있던 사람들이 부랴부랴 입장을 알리는 직원 앞에 모여들었다. 검은 정장을 입은 직원이 두툼한 문을 열자, 다들 줄을 서서 입장권을 내밀었다.

"너희들 먼저 들어가."

윤아는 어쩔 줄 몰라 하며 자꾸 뒤를 돌아보았다. 혼자만 들어가서 미안하다는 얼굴이었다. 난 괜찮다며 희미하게 웃어 보였다. 김민경은 날 향해 혀를 쏙 내밀며 입매를 뒤

틀었다.

'아오, 저걸 그냥…….'

머리카락을 다 뽑아서 대머리 독수리로 만들어 버렸어야 했는데.

은수는 애들을 뒤따라가며 나를 향해 힐끔 시선을 던졌다. 당황한 나는 얼른 뒤로 돌았다. 엉킨 머리칼이 뺨에도 덕지덕지 달라붙어 있었다. 귀 뒤로 넘긴 머리칼을 손가락으로 냉큼 빗질해서 정돈했다. 다시 돌아선 나는 텅 빈 홀을 멍하니 바라보았다. 아무도 없었다. 은수를 포함한 우리 조 애들은 모두 이미 콘서트홀 안으로 입장을 한 뒤였다.

악기를 조율하는 소음에 섞여 깔깔거리는 김민경의 웃음소리가 들려오는 것 같았다. 직원은 손목시계를 확인하더니 붉은 벨벳으로 장식된 문을 '끼익' 하고 닫았다.

아이들을 들여보낸 학부형들은 수다를 떨며 위층 카페테리아로 가거나 건물을 떠났다. 나는 홀로 덩그러니 남은 채 높다란 천장 샹들리에를 응시했다. 오늘 예술의 전당에 온 내 머릿속에 남을 것이라고는 저 화려한 조명뿐이었다. 아무도 없는 홀을 밝히는 샹들리에처럼, 지금 내 모습도 다른 아이들의 추억을 밝혀 줄 장식품으로나마 기억되겠지.

금방 오신다던 윤아네 아줌마는 30분이 지나도록 소식이 없었다. 윤아가 준 번호로 몇 번이나 전화를 넣어 봤지만 도통 연결이 되지 않았다. 심지어 휴대 전화 배터리마저 방전되기 일보 직전이었다. 손목에 차고 온 시계만 흘끗거리길 50분째, 자포자기한 심정으로 MP3를 꺼내서 이어폰을 귀에 꽂았다.

2층 관람석으로 이어지는 계단으로 가 쪼그리고 앉았다. 바닥에 엉덩이를 대자마자 느껴지는 얼음장 같은 온도에 팸플릿을 방석 대용으로 깔았다. 이어폰에서 들려오는 오보에 연주가 귓바퀴 안쪽에 스며들었다. 버튼을 눌러 소리를 키워 봤지만 콘서트홀 안에서 들려오는 연주 소리의 진동을 지우기엔 무리였다.

긴 갈채 소리.

눈시울이 붉어졌다. 무릎을 세운 채 코를 묻고 눈을 감았다.

"김여울!"

움츠리고 있던 어깨가 화들짝 놀라 들썩였다. 등 뒤에서 누군가 "지나갈게요!" 하고 어깨를 스치며 계단을 내려갔다. 어리둥절한 표정을 짓던 나는 귀에 꽂은 이어폰을 뺐다. 웅성거리는 소음과 함께 2층 관람객들이 계속해서 내려오는 게 보였다.

1부가 끝났구나.

분주히 지나가는 사람들 어깨 사이사이로 익숙한 모습이 보였다. 계단 아래에 나타난 은수는 팸플릿과 물병을 든 채 이쪽을 올려다보고 있었다. 예쁜 눈매가 인상을 찌푸려서 그런지 사뭇 날카로워 보였다.

"너 여기서 뭐 해?"

"그냥 앉아 있는데."

"저쪽에 의자 많잖아."

"저긴 너무 넓고 아줌마들이 자꾸 말을 걸어서……."

"그럼 말을 하고 가든가!"

버럭 소리친 음성에 깜짝 놀라 얼어붙었다. 겁먹은 토끼처럼 쳐다보는 내 모습에 은수의 표정도 굳었다. 저도 모르게 언성을 높여 놓고 되레 당황한 기색이었다. 은수는 복잡한 얼굴로 헝클어진 머리칼을 넘겼다. 단정한 이마가 땀에 젖어 있었다.

"미, 미안."

떨떠름한 얼굴로 저도 모르게 사과를 했다. 그런 날 보는 은수의 눈빛이 복잡해 보였다. 좀처럼 땀을 흘리지 않는 은수가 저렇게 몸이 눅눅해질 정도로 뛰어다녔다는 사실만으로도 나는 꽤 놀란 상태였다.

그때 모퉁이에서 여자 직원 분이 기웃거리며 등장했다. 직원에게 다가간 은수는 잠시 대화를 나누더니 "감사합니다." 하고 고개를 꾸벅 숙였다. 계단에 앉아 있던 날 발견한 그녀의 눈이 살짝 커졌다. 내 얼굴을 흘끔거리던 직원은 괜찮다며 웃었다. 다행이네요, 라는 미소로.

“문자는 왜 답장 안 하는데? 전화는 왜 안 받아?”

“어? 아, 진동이었나 봐. 가방에 넣어 놔 가지고…….”

뒤적뒤적 핸드폰을 꺼내자 화면에는 ‘읽지 않은 문자 8개와 부재중 전화 3통’ 메시지가 떠올라 있었다. 느릿하게 눈을 깜빡인 후 차례차례 확인 버튼을 꾹 눌렀다.

[김여울, 뭐 해?]

[아줌마 오셨어?]

[음악회 지루하다, 완전 별로야.]

[설마 사람들 다 보는 데서 자는 건 아니겠지?]

[너 어디야?]

[김민경하고 같이 있어?]

[전화 받아, 김여울.]

윤아가 보낸 문자 하나를 제외하면 전부 은수였다. 놀란 눈으로 고개를 들었다. 팔로 땀을 닦은 뒤 바닥을 쳐다보는 은수의 옆모습에 숨이 막혀 왔다.

왜 이러지, 또 가슴 한쪽이…….

난 천천히 일어서서 가방을 둘러멨다. 그러고는 다섯 칸짜리 계단을 깡충깡충 내려갔다.

“미안해, 연락한 줄 몰랐어.”

무표정한 눈으로 날 쳐다보던 은수가 등을 보이며 돌아

섰다. 삐쳤나? 은수의 옆구리 사이로 고개를 쏙 내밀었다. 바닥을 보며 땀을 닦던 은수가 나와 눈이 마주치자 흠칫 커졌다. 나는 배시시 웃으며 은수의 옆구리를 손가락으로 쿡 찔렀다.

"하은수, 너 오늘 이상해."

"뭐가?"

"그냥……. 그냥 이상해."

페트병의 물을 벌컥벌컥 마신 은수는 손등으로 턱을 훔치며 내 핸드폰 화면을 곁눈질로 훔쳐봤다. 그러더니 심술 부리듯 핸드폰 슬라이드를 툭 쳐서 올렸다.

"잠을 못 자서 그래."

"아까 내 등에 기대서 잘만 잤잖아."

고개 돌린 채 내 쪽을 흘겨보던 은수는 한심하다는 표정을 지었다. 재는 꼭 가끔 저런 얼굴로 사람을 바보 취급하더라, 죽을라고.

"왜? 뭔데?"

"됐어, 집에나 가자."

내 팔을 덥석 잡은 은수가 건물 출구까지 순식간에 끌고 갔다. 영문도 모른 채 따라가던 나는 문 앞에서 은수의 손을 뿌리쳤다.

"가긴 어딜 가, 아줌마 기다려야지."

내 얼굴을 빤히 보던 은수가 대답을 주저하며 밖의 가로등을 쳐다보았다. 고개를 숙인 가로등 조명에 은은한 불빛이 들어와 있었다. 날벌레들이 그 주위를 어지러이 날아다녔다.

“못 오신대.”

중얼거리듯 내뱉은 은수의 목소리에 잠시 사고 회로가 정지했다. 난 멀뚱히 선 채 주름진 바지를 움켜잡았다.

“윤아가 문자로 그랬어, 2부 전엔 오신다고.”

“어차피 너 좋아하는 피아노 솔로는 다 끝났어, 그냥 가자.”

“피아노 솔로만 들으려고 온 거 아니거든?”

“쇼팽 들으려고 온 거잖아.”

“아니거든!”

울먹거리는 눈에 힘을 잔뜩 준 채 서 있는 내 모습에 은수의 표정이 당황스럽게 변했다.

“쇼팽 아니어도…….”

귀찮기만 하던 음악회였다. 초인종을 누른 은수가 문 앞에 서 있는 걸 보기 전까지만 해도 나가는 게 덥고 짜증나기만 했다. 등에 기댄 채 잠든 녀석의 숨소리를 듣기 전만 해도, 지하철 안에서 머리를 쓰다듬는 녀석의 손길에 가슴이 콩닥거리기 전까지만 해도, 이렇게까지 음악회가 기대되지는 않았었는데.

"내 음악 수행 평가……."

삐죽거리던 입술 사이로 결국 울음이 새어 나왔다.

"그건 어떡해!"

코앞에서 나만 쏙 빼놓고 입장하는 애들 모습에 서운하긴 했지만 괜찮았다. 말없이 외면하고 가는 은수의 등만큼 밉지는 않았으니까.

억울한 만큼 '엉엉' 우는 목청도 커졌다. 콘서트홀 입구 근처에서 웬 여자애가 대성통곡을 하자 지나가는 사람들이 하나둘씩 쳐다보기 시작했다. 난감한 표정을 짓던 은수는 내 손목을 잡고 구석으로 향했다. 모퉁이를 돌아 막힌 벽으로 온 녀석은 사람들 쪽을 등진 채 우는 내 모습을 어깨로 가렸다.

콘서트홀 안에 있든 밖에 있든 그건 중요한 게 아니었다. 굳이 쇼팽을 듣고 싶었던 게 아니다. 나는 은수와 함께 쇼팽을 듣고 싶었다.

한참 울고 난 코는 퉁퉁 부어서 빨갛게 부풀어 올랐다. 뺨과 턱이 눈물범벅인 얼굴은 손등으로 닦는다고 될 수준이 아니었다.

"휴, 휴지……."

"없어."

웅얼거리는 내 말에 은수가 칼같이 대답했다. 고요한 눈꺼풀이 생각에 잠긴 듯 바닥을 가만히 내려다보고 있었다. 뭐라고 해석할 수가 없는 표정이다.

이게 다 누구 때문인데.

'없으면 구해 와!'라고 소리치려던 내 시선이 은수의 하얀 티셔츠로 향했다. 비뚤어진 눈빛이 문득 스친 생각에 번뜩였다.

눈이 마주친 은수는 뭔가 직감했는지 불길한 표정을 지었다. 은수의 뒷걸음질보다 쭉 뻗은 내 손이 빨랐다. 잽싸게 은수의 왼팔을 낚아챘다. 휘청거리며 끌려온 은수의 얼굴이 바짝 가까워지자 내 입술에 심술 맞은 미소가 떠올랐다.

"김여울, 너 뭐 하는……."

당황한 은수의 목소리가 귓바퀴를 스쳤다. 귓불을 스친 은수의 입술이 다급히 숨을 들이켰다.

나는 은수의 티셔츠 소매를 잡아당긴 뒤 얼굴을 묻고 좌우로 슥 문질렀다. 눈물범벅인 눈두덩과 코를 닦아 낸 뒤 만족스러운 표정으로 얼굴을 떼어 냈다.

"휴지 없다며."

은수는 왼쪽 어깨를 내려다보며 황당하다는 듯 얼어 있었다.

"하은수?"

은수는 돌아선 채 티셔츠를 엄지와 검지로 살짝 잡아당

기더니 얼룩을 보고선 할 말을 잃은 듯한 표정을 지었다. 그렇게 충격이었나? 평소 체육복 상태를 보면 결벽증 같은 것도 없는 것 같은데.

"김여울, 어디 가서 이런 짓 하지 마."

"왜?"

"나니까 참은 거야."

"너니까 한 건데."

은수가 날 빤히 쳐다보았다. 평소와 달리 오늘은 저 표정이 무슨 생각 중인지 알 것 같았다. 나는 히죽 웃었다.

"너 지금 더러워서 못 견디겠지?"

나를 한 10초간 더 쳐다보던 은수가 한숨과 함께 느릿하게 입술을 열었다.

"찝찝해 죽을 것 같다."

"흙먼지 체육복은 잘만 입고 다니면서."

한바탕 울고 났더니 기분이 한결 나아졌다. 거기에 하은수 어깨에다가 작은 복수까지 했더니 속이 다 시원하다. 기지개를 켜듯 스트레칭을 한 뒤 자화자찬하듯 씩 웃었다.

"이제 들어가 봐. 쉬는 시간 다 끝나간다."

은수는 게슴츠레한 눈초리로 허공을 응시했다. 그러더니 성의 없이 주머니에 손을 넣고선 고개를 갸웃거렸다. 뭘 하는 건가 싶어 물끄러미 관찰했다.

"왜 그래?"

"표가 없어."

은수는 다시 한번 주머니에 손을 넣더니 이상하다는 표정을 지었다.

"표가? 왜?"

"몰라. 어디서 떨어뜨린 것 같은데."

"아까 계단 앞에서 떨어뜨린 거 아니야?"

"글쎄……."

표를 잃어버렸다는 애가 참 태연하다. '마침 잘됐네, 집에 가야지.'라는 표정이잖아.

그때 주머니에서 핸드폰이 진동했다.

"윤아다."

슬라이드를 열자 옆에서 날아온 은수의 손이 슬라이드를 툭 쳐서 닫았다. 저게 아까부터 남의 핸드폰을 자기네 집 방 문짝처럼 닫고 난리야.

"야, 왜 닫아! 아줌마 오셨다는 전화인 거 같은데."

"안 오신다니까."

"네가 어떻게 알아?"

"아까 이윤아가 하는 말 들었어. 걔네 어머니께서 못 오신다고 했는데 그걸 너한테 어떻게 말해야 할지 모르겠다면서 걱정하더라."

"진짜?"

뭔가 이상한데? 의심스러운 눈초리를 하기 무섭게 은수의 손이 내 이마에 딱밤을 때렸다.

"아, 왜 때려?"

"바보니까 맞아도 돼."

"내가 왜 바보냐?"

"티켓도 간수 못하고 잃어버리니까 바보지."

"너도 잃어버렸잖아, 빙구야."

"너랑 옆집 살아서 수준이 똑같아진다."

"그럼 너도 곧 피아노 엄청 못 치게 되겠네."

말문이 막힌 얼굴이 날 쳐다보았다. 이럴 때 세상 제일 통쾌함을 느낀다. 은수는 잇새로 웃음을 머금더니 레슬링을 하듯 오른팔로 내 목을 휘감았다.

"김여울, 언제 말솜씨가 이렇게 늘었어?"

"누구 덕이네요."

"배우라는 피아노는 안 배우고 엉뚱한 것만 배우고."

목 조르는 시늉은 했지만 부드럽게 감은 팔에는 전혀 힘이 들어가 있지 않았다. 은수는 늘 이랬다. 괴롭히는가 하면 슬쩍 풀어 준다. 자전거 탈 때도 그랬다. 낑낑대면서 페달 밟는 걸 멈추면, 느려 터졌다고 타박하면서 제가 손잡이를 잡고 날 뒤에 태운다.

"하은수 팔 무거워……."

이런 장난질에도 가슴이 터질 듯 뛰는 건 정상이 아니겠지? 사실 오늘 제일 이상한 건 나였다. 달음박질치는 심장 소리가 달콤한 오렌지 주스에 취한 듯 계속 두근두근해.

"다른 음악회도 있는데."

"무슨 음악회?"

"쇼팽 들을 수 있는 곳."

"어디서? 근데 나 돈 없는데……."

"그건 무료야."

은수는 손에 쥔 팸플릿을 꼬깃꼬깃 구겨서 은색 쓰레기통에 휙 던져 넣었다.

"갈래?"

날아간 팸플릿이 회전하는 쓰레기통 뚜껑에 끼인 채 빙글빙글 반원을 그리며 돌았다. 구겨진 팸플릿 사이로 접힌 입장권의 모서리가 언뜻 보인 듯한 건 착각이겠지?

그때 웅성거리는 소음 사이로 익숙한 목소리가 귓바퀴를 파고들었다. 은수와 장난을 치며 간지럽게 웃던 내 입매가 굳었다.

"근데 김여울은 어디 갔대?"

"기다리다가 집에 간 거 아닐까?"

김민경과 곽다정이었다. 그 뒤로 음료수 캔을 양손에 들고 가는 윤아도 보였다. 깔깔거리며 웃는 두 사람 뒤에서 윤아는 흘끔거리며 내 모습을 찾는 듯 두리번거렸다.

냉소를 머금은 입술 사이로 헛웃음이 흘러나왔다. 걔들이 나를 찾으러 올 거라고는 기대조차 안 했지만 저렇게 뒤에서 바보 취급을 하고 있을 줄이야.

"걔네……. 진짜 싫어."

중얼거리는 내 목소리에 은수가 말없이 날 내려다보았다. 솔직히 하은수 앞에서만큼은 김민경과의 갈등을 적나라하게 드러내고 싶지 않았다. 하지만 오늘 나의 분노는 그런 자존심마저 지울 정도로 거대하고 격렬했다.

"가자."

불쑥 팔짱을 끼는 내 모습에 은수의 눈초리가 가느다랗게 쫓아왔다.

"어딜?"

"다른 음악회 가자며."

나는 은수의 팔을 옆구리에 단단히 고정한 채 고집스레 턱에 힘을 주었다. 곁눈질을 흘끔 던졌다. 콘서트홀 출입문으로 향하는 김민경을 따라잡기 위해 발걸음이 점점 빨라졌다.

"팔 빼지 말아 주라. 저 앞까지만."

내 말에 잠자코 따라오던 은수가 걸음을 멈췄다. 나는 불안한 표정으로 은수를 쳐다보았다. 설마 아까 김민경한테 그랬던 것처럼 팔을 뿌리치려나? 그럼 정말 죽고 싶을 것 같은데.

은수가 가만히 입술을 열었다.

"뭐야, 김여울."

원숭이처럼 낄낄거리며 울려 퍼지던 김민경의 웃음소리가 뚝 끊겼다. 음료수 캔이 바닥에 통통, 떨어지는 소리도 들려왔다. 은수가 고개를 기울인 채 속삭이듯 묻는다.

"나 이용하는 거야?"

"어? 아, 그게……."

그 순간, 앞을 보며 긴장한 채 뛰던 심장이 가팔라지는 호흡과 함께 멈췄다. 팔짱을 뺀 은수가 내 손을 가만히 움켜잡고 있었다.

"너니까 당해 준다."

은수가 중얼거린 말을 멍하니 곱씹던 나는 눈 깜짝할 새 은수에게 이끌려 건물 밖으로 나왔다. 이쪽을 쳐다보는 곽다정의 눈초리가 보였다. 이어서 김민경이 머리를 쥐어뜯는 듯한 고함 소리가 들려왔지만 나는 떨떠름한 기분에 본래의 목적을 까맣게 잊고 말았다.

너니까.

그건 무슨 뜻인데?

예술의 전당을 장식한 밤의 조명은 참 아름다웠다. 올 때 왔던 길을 그대로 걸어갈 뿐인데 전혀 다른 길을 내려가듯 마음이 진정되지 않는다.

그러고 보면 은수는 내게 있어 또래 소년의 체취가 뭔지 다방면으로 경험하게 해 준 존재였다. 나란히 친 피아노, 허리를 안고 탄 자전거, 눅눅한 체육복, 코를 비빈 티셔츠. 모든 것이 은수가 처음이었다, 온기가 닿는 살갗마저.

곁눈질로 우리 사이를 잇고 있는 깍짓손을 훔쳐보았다. 계속 잡고 걸어가려는 건가? 손에서 땀나는 것 같은데 어떡하지? 혹시 쟤는 지금 우리 손잡고 있는 거 모르는 거 아닐까? 초조하게 뛰는 심장이 호흡 곤란 환자처럼 숨소리를 점차 크게 만들었다.

그냥 내가 먼저 놓을까? 그럼 다시는 안 잡겠지?

아쉬운 마음에 입술을 깨물었다. 뭐라고 입을 좀 열었으면 좋겠는데 왜 저렇게 조용한지 모르겠다. 목마른 사람이 우물을 파는 법. 결국 내가 먼저 입을 열었다.

"근데 우리 어디로 가는 거야?"

"따라오면 알아."

다시 대화가 끊겼다. 자전거 탈 때는 그냥 조용히 페달을 밟으면 됐는데 이건 너무 어색하다. 손을 잡고 있으니 상대의 존재를 무시할 수가 없다. 내 맥박과 숨소리가 고스란히 은수에게 전달되는 느낌이었다.

"근데, 있잖아……."

다시 입을 열던 나는 가로등 아래 놓인 벤치를 발견하고선 발걸음을 멈췄다. 희미한 조명이 비춘 자리에 누군가 앉아 있었다. 그녀는 우리를 보고는 반가운 듯 얼른 일어섰다.

"은수야."

오늘은 체육복 차림이 아닌데도 그녀는 내 얼굴을 바로 알아보았다. 나 역시 그녀를 보자마자 알았다. 크림색 시폰 원피스에 하얀색 샌들. 오늘은 긴 생머리를 하나로 질끈 묶었다. 하얗게 드러난 목선이 정말 예뻐 보였다.

은수가 잡고 있던 내 손을 스르르 놓았다. 갈 곳을 잃은 내 손은 바지춤을 움켜잡았다. 그냥 아까 먼저 손 놓을걸.

"음악회 아직 안 끝났는데 벌써 가는 거야?"

은수는 말없이 언니를 바라보았다. 나는 심드렁한 표정으로 구경했다. 그날과 같은 구도네, 교문 앞에서 두 사람과 마주쳤던 그날과.

"매주 이곳에 왔어. 매주 토요일, 일요일……. 하루도 빠짐없이 매일."

"먼저 갈게, 마저 잘 보고 가."

냉랭한 목소리로 받아친 은수는 가던 방향으로 마저 걸

었다. 충격을 받은 표정으로 서 있던 언니가 황급히 은수의 팔을 붙잡았다. 지켜보던 내가 더 놀라서 눈이 휘둥그레 커졌다. 이건 그날과 아주 다른 구도인데?

"은수야……."

그녀가 은수 이름을 들먹이며 울먹거렸다. 하은수가 울린 건가? 아니지, 은수는 아무 짓도 안 했잖아. 그냥 저 언니 혼자 우는 거다.

"세진 누나가 첼로더라."

은수의 목울대가 잠시 호흡을 삼켰다. 심각해지는 분위기에 나는 숨을 죽인 채 두 사람을 지켜보았다.

"학교 수행 평가만 아니었으면 절대 안 왔어, 이딴 더러운 음악회."

그녀의 동그란 눈매에서 기어코 눈물방울이 후드득 떨어졌다. 그걸 본 은수의 눈동자가 동요하는 게 보였다. 불길하고 찝찝한 예감이 뇌리를 스쳤다. 그리고 바로 적중했다.

"왜 울어, 울지 마."

이거 봐, 결국 같은 구도잖아.

싸늘한 척 굴던 은수는 결국 그녀의 눈가를 다정하게 닦아 주기 시작했다. 철옹성은커녕 모래성만도 못한 녀석.

그날 본 하은수의 뺨 닦아 주는 스킬은 이런 식으로 발전한 게 분명하다. 울지 말라는 목소리가 저렇게 달콤할 수가 없네. 아까 엉엉 울던 나한테는 뭐라고 했더라? 휴지가 없다고 했던가?

"미안해, 은수야. 미안해……."

미안하면 자꾸 와서 말을 걸지 말든가. 나는 심술 가득한 얼굴로 혼자 툴툴거렸다. 발로 바닥을 비비며 제자리를 빙글빙글 도는 와중에도 내 못마땅한 눈초리는 계속해서 두 사람 쪽을 향했다.

"키 컸네?"

빨개진 눈으로 웃는 그녀의 모습에 나는 입이 딱 벌어졌다. 키 재는 척을 하면서 은수 이마에 손을 얹더니 슬그머니 제 이마를 콩 부딪치고 있다. 와, 저 언니 안 되겠네? 헤어졌다면서 저게 대체 무슨 짓이야.

눈이 돌아간 나는 어느새 이성을 잃은 채 두 사람을 향해 걸어가고 있었다.

"저기요, 쉬는 시간 다 끝난 거 같은데 들어가 보세요. 저희는 다른 음악회 가야 해서요."

나는 은수를 방패 삼아 옆구리 뒤에서 고개만 쏙 내밀었다. 체육복의 이름을 내려다볼 때처럼 그녀의 동공이 잔물결이 일듯 흔들리는 게 보였다.

은수의 팔을 잡아서 내 쪽으로 끌어당겼다. 빨리 끌고 가야지, 저 언니가 두 번 울었다가는 천지가 개벽할 것 같다.

"다른 음악회?"

그게 뭐냐는 언니의 눈빛에 은수도 덩달아 내 얼굴을 쳐다보았다. 이게 전 여친을 만나더니 백치가 되었나? 설마 방금 전 일도 기억 못하는 건 아니겠지?

"쇼팽 음악회 데려가 준다며."

아까 저 언니가 그랬던 것처럼 서러움이 가득한 표정으로 속삭였다. 누구처럼 그렁그렁한 눈물은 안 나오지만 최대한 슬픈 입매로 속눈썹을 처연하게 깜빡였다. 그런 내 표정을 빤히 보던 은수가 풋 하고 웃음을 머금었다.

"안 갈 거야?"

다시 조르듯 묻자, 은수는 큭큭거리며 웃음을 터뜨렸다. 그런 은수를 미친놈 보듯이 본 건 나뿐만이 아니었다. 언니도 은수를 망연자실한 표정으로 쳐다보고 있었다.

"김여울, 그 얼굴 뭐야?"

"됐어, 그냥 혼자 갈란다."

저 언니는 김민경처럼 내게 못되게 군 적은 없지만, 내 감정은 기묘하게도 김민경과 저 언니를 같은 선상에 놓았다. 우리 엄마가 1207호 아줌마를 불여시라 부르며 싫어하듯이 나 역시 저 언니가 이유 없이 싫다.

"안녕히 계세요."

꾸벅 인사를 하고 돌아서는 내 팔을 은수의 손이 덥석 잡았다.

"어디 가, 김쇼팽."

"집 간다."

"같이 가."

슬쩍 언니의 눈치를 살폈다. 꼿꼿하게 허리를 편 채 서 있는 그녀는 자존심을 크게 다친 듯한 표정이었다. 허리까지 숙여서 인사했는데 내 쪽은 쳐다보지도 않는 걸 보니.

싱글벙글 벌어지려는 입매를 얼른 꿰매고선 삐친 척 쏘아붙였다.

"네가 자전거 앞에 타기다."

"어두워서 자전거 못 타, 바보야."

그녀는 더 이상 은수를 붙잡지 않았다. 은수도 별말 없이 돌아서서 걸었다. 내 서러운 표정 연기는 분명 은수에게 비웃음당하고 실패했는데, 희한하게도 결과는 성공의 종을 울린 분위기였다.

혼자 덩그러니 서 있는 언니의 모습을 흘끔거리던 나는 죄책감에 찔려서 냉큼 은수의 뒤를 쫓았다. 행여나 은수가 돌아볼까 봐 뒤를 딱 막고선 은수의 시야를 가리며 걸어갔다.

"헤어진 거 아니었어?"

"맞아."

"네가 찼냐?"

"아니, 차였는데."

할 말을 잃은 표정으로 은수를 쳐다보았다. 버스 창밖을 내다보는 은수의 표정은 무덤덤했다.

"근데 왜 자꾸 너 찾아와서 우는 거래?"

"글쎄."

"되게 미련 많아 보이던데."

은수가 날 보더니 묘한 눈초리를 했다. 괜히 헛기침을 하며 물었다.

"다시 사귀자면 사귈 거야?"

"몰라."

"사귈 건가 보네."

은수가 눈을 가느다랗게 모으며 물었다.

"너 아까부터 되게 심통 부린다?"

"내가?"

"설마 질투해?"

"미쳤냐? 그 입 닥쳐."

픽 웃은 은수는 내 귓바퀴를 잡아당겼다. 솔직하게 말해 보라면서. 나는 어깨로 은수의 팔을 공격하면서 으름장을 놓았다.

"아니거든? 이딴 건 그 언니한테나 하란 말이다, 이 변태 자식아!"

"아까 내 몸 킁킁거리던 게 누군데 나보고 변태래? 킁킁거리다가 아예 코도 닦았잖아."

"그러게 휴지 없을 때 손으로라도 닦아 주지? 그 언니한테는 양손을 실크 손수건처럼 헌납하더라. 그 언니는 하나도 모르지? 하은수가 사실은 아침마다 옆집 여자애를 지 자전거 운전수로 부려 먹고 싫어하는 반찬은 기미 상궁처럼 먹게 한다는 거. 그리고 피아노 가르칠 때는 사람 죽일 듯 목 조르다가 손등도 때린다는 거!"

사납게 쏘아붙인 나는 진심을 담아 중얼거렸다.

"그렇게 사람 가려 가며 행동하는 거 아니다."

창밖을 보며 턱을 괸 은수의 표정이 고요했다. 인상을 쓰던 내 표정도 맥 빠진 채 누그러졌다. 저런 은수의 표정은 재미없다. 진지하고 차분한 하은수 따위랑 싸우는 건 하나도 재미없어.

은수가 복잡한 표정으로 중얼거렸다.

"누나한테는 너한테 하는 것처럼 못하겠어……."

"그렇게 했다간 그 언니 도망갈걸?"

뾰루퉁한 얼굴로 답하자 은수가 짐짓 장난스럽게 물었다.

"김여울, 넌 남자 친구 사귀어 본 적 있어?"

나는 심술이 덕지덕지 붙은 입매를 비틀며 웃었다. 네가 예상하는 대답 따위는 날카롭게 피해 주마.

"당연하지."

창틀에 턱을 괴고 있던 은수의 눈이 멈칫 커졌다. 그 표정에 나는 장난처럼 밝히려던 거짓말을 도로 쏙 넣은 채 침묵했다.

우리 대화는 항상 이런 식이었다. 느닷없이 싸우다가 느닷없이 식는다. 대부분의 스위치는 저 녀석이 켜고 끈다는 게 맹점이었지만.

"어……. 비 온다."

창문을 투둑투둑 두들기는 빗방울이 허전한 마음을 훔치고 안개처럼 흩어졌다. 우리는 각자 창밖을 보며 생각에 잠겼다.

이미 끝난 줄 알았던 장마가 여운을 남긴 소나기처럼, 내 마음 한구석에도 차마 묻지 못한 질문이 미련으로 남은 채 파동을 그렸다.

하은수, 아직도 그 언니 좋아해?

버스에서 내려 자전거를 끌고 걸어오면서 우리 둘은 한마디도 나누지 않았다. 갑자기 내린 비로 젖은 인도는 곳곳에 웅덩이를 만들었고, 찰팍찰팍 걷는 발걸음 소리만이 정적을 깨뜨렸다.

엘리베이터에서 내리자마자 "잘 가."라고 짧게 인사한

뒤 복도를 걸었다. 그러자 은수의 손이 내 팔을 잡아 세웠다. 집 열쇠를 꺼내서 문을 여는 은수를 보며 나는 의아한 표정을 지었다. 현관문이 열리자 달빛이 문턱을 비추며 신발장에 스며들었다. 발끝을 머뭇거렸다. 그런 날 보며 은수는 어두운 현관 앞에서 턱짓을 했다.

"들어와."

"아줌마는?"

"안 계셔. 학원 때문에."

"그럼 아무도 안 계셔?"

"부모님께 전화 드려. 우리 집에서 나랑 잠깐 방학 숙제하고 간다고."

뭐? 왜? 빈집에 내가 왜 들어가는데? 경계심 가득한 내 시선에 은수가 어이없다는 듯 웃었다.

"음악회, 안 볼 거야?"

어둠 속에서 웃는 은수의 모습에 홀린 것인지 내 두 발은 이미 하얀 운동화를 벗고 있었다. 손을 씻고 나온 은수는 물을 한 컵 따라 마신 뒤 방으로 가더니 책장에서 뭔가를 뒤적거렸다.

그사이 처음으로 들어온 은수네 집 거실을 구경하던 나는 거실장 안의 액자들을 살펴보았다. 지금보다 앳되어 보이는 은수, 예쁜 은수네 어머니……. 전부터 궁금했던 건데 은수는 아버지가 안 계시나? 생각해 보니 은수로부터 아버지에 관한 이야기는 한 번도 들어본 적이 없다.

방에서 나온 은수가 피아노 의자에 앉았다. 꼬질꼬질해진 흰색 티셔츠와 피아노가 대비되는 모습에 픽 웃음이 나왔다. 이왕이면 옷도 갈아입고 나오지. 조금 떨어진 거실 소파에 앉아 측면으로 그를 바라보던 나는 은수가 꺼낸 악보를 보며 잠시 할 말을 잃었다.

오래된 악보는 모서리가 너덜너덜했다. 수없이 펼치고 넘겼던 것처럼. 그런 악보를 잠시 바라보던 은수의 표정이 조금 슬퍼 보였다.

– 나 피아노 안 쳐.

– 다른 사람 앞에서는 절대 안 쳐.

이건 은수가 나만을 위해 연주하는 음악회다.

오로지, 나만을 위해.

그 사실에 모골이 찌릿해질 만큼 긴장되었다.

베란다 너머로 비친 달빛에 하얀 피아노의 표면이 호수처럼 매끄럽게 반짝였다. 잠시 눈을 감은 은수가 양손을 주물렀다.

시작한다.

나지막한 음의 흰 건반이 눌리자 정적인 피아노의 선율이 가만가만 울려 퍼졌다. 느릿한 음색이 뺨을 어루만지듯 부드럽게 이어졌다. 추운 밤을 끌어안고 녹이듯 따뜻한 곡조였다. 피아노 뚜껑에 비친 은수의 손가락은 천천히 건반 위를 오가며 춤을 췄다. 나는 소파 위에 다리를 올리고 몸을 웅크린 채 온기에 취한 눈빛으로 연주를 감상했다.

"이거…… 뭐야?"

은수는 내 쪽으로 고개를 돌리며 옅게 웃었다.

"녹턴 2번."

"눈물 날 뻔했어."

"왜?"

"모르겠어. 그냥 굉장히 슬프고 아름답고……. 마치 네가 그런 마음으로 친 것 같아."

하얀 피아노에 비친 달빛이 은수를 비추고, 은수의 눈동자가 나를 비춘다. 지금 내 얼굴은 무얼 비추고 있을까?

피아노 의자 모서리에 걸터앉은 은수는 나를 물끄러미 바라보았다. 나는 가방에서 팸플릿을 꺼내 두 번째 곡을 손가락으로 가리켰다.

"이제 이거 칠 거야?"

"이건 쇼팽 아닌데."

"아, 그럼 이건?"

은수는 날 뚫어져라 응시하더니 반대편으로 시선을 홱 돌리며 머리를 매만졌다.

"왜 그래?"

"그냥……. 긴장해서 제대로 못 쳤어. 실수도 많이 했고."

"완전 잘 치던데? 실수한 줄도 몰랐어. 너네 집 피아노 되게 좋은 건가 봐. CD로 듣는 것보다 훨씬 맑고 웅장하고, 소리가 가슴으로 바로 스며드는 것처럼……. 아무튼 짱이야. 그리고 너 연주하면서 가끔 몸 이렇게 숙이는 거 알아? 진짜 피아니스트 같더라."

은수가 곁눈질로 나를 쳐다보더니 웃음을 터뜨렸다. 난 발그레한 뺨으로 입술을 깨물었다가 흥분한 채 말했다.

"정말 멋있었어."

말하지 않으면 참을 수 없을 것만 같은 기분. 부푼 가슴을 풍선처럼 빵 터뜨리지 않으면 숨 막혀 죽을 것 같은 기분. 하은수, 너는 이런 기분이 뭔지 알아?

"예술의 전당보다도 좋았어."

"예술의 전당은 들어 보지도 못했잖아."

"안 들어 봤어도 알아. 네가 훨씬 잘 쳐."

"그건 아닐걸?"

날 물끄러미 보던 은수가 고개를 돌리며 웃었다. 저렇게 부끄러운 듯 웃는 은수는 처음이었다. 항상 나보다 어른스럽고, 내 머리 꼭대기에 있다고 느낀 은수가 지금 이 순간 만큼은 동갑내기인 평범한 남자애로 보였다. 전혀 평범하지 않은 상황 속에서, 아이러니하게도.

"다음은 쇼팽의 즉흥 환상곡이야."

"응."

날 보는 은수의 눈동자가 내 얼굴 위로 잠시 머물렀다.

"가까이 와서 봐도 돼."

"진짜?"

식탁 의자를 드르륵 끌고 와서 코앞에 앉았다. 은수의 머리칼에서 나는 샴푸 향기가 코끝에서 느껴지자 발가락 끝이 찌릿 오그라들었다.

진지하게 건반을 내려다보던 은수의 눈꺼풀이 반쯤 내리 감긴다. 그의 곁눈질과 내 시선이 마주쳤다. 내 입꼬리가 기분 좋게 휘었다. 내 미소에 은수도 기분 좋은 듯 손목을 들었다.

낮은 음으로 묵직하게 시작한 선율. 휘몰아치는 듯한 속도와 놀라운 기교가 빠르게 건반 위를 춤추며 시원한 곡조를 뽑아냈다.

콰광.

천둥이 치는 듯한 커다란 소리에 난 깜짝 놀라 어깨를 바짝 세운 채 얼어붙었다. 내리꽂듯 친 건반에서 쩌렁쩌렁한 소리가 계속 울려 퍼졌다. 꼭대기부터 높은음을 훑으며 내려온 오른손은 실타래처럼 흑건과 백건을 감으며 숨을 앗아 갔다. 화려한 연주는 이내 칸타빌레처럼 고요한 음색으로 흐르기 시작했다.

사로잡힌 듯 넋을 잃은 내 눈동자도 그제야 천천히 눈을 깜빡였다. 비스듬한 시선으로 건반을 내려다보는 은수의 옆모습에서 시선을 뗄 수가 없었다.

아.

불현듯 깨달았다.

오늘 하루 종일 은수만 보면 등골이 오싹하던 이유가 무엇이었는지.

그렇구나…….

나는 은수를 좋아하고 있었다.

5. 특별하고 소중한 감정

5. 특별하고 소중한 감정

열여섯 살 소녀가 짝사랑을 하게 되면?

첫째, 하루에도 수십 번 휴대폰을 열어 본다. 나 같은 경우에는 지나치게 옆집 심부름을 바라게 된다. 둘째, 조울증 환자처럼 감정 기복이 심해진다. 대체로 첫 번째 사항을 하다가 결과론적으로 그렇게 된다. 셋째, 눈 빠지게 개학날을 기다린다.

수요일마다 은수와 하는 방과 후 특별 수업은 방학 내내 한 번도 제대로 이루어지지 못했다. 아지트가 너무 덥다며 수업을 거부한 은수 때문이었다. 내 생각에도 에어컨은커녕 선풍기도 하나 없는 지하에서 한 시간 동안이나 피아노 수업을 하는 건 무리였다. 때문에 예술의 전당에 다녀온 이후 은수를 볼 기회라고는 전무했다.

그러던 어느 날이었다. 엄마가 새로 담근 김치를 은수네 집에 가져다주라며 심부름을 시켰다. 신이 나서 달려갔건만, 내가 본 건 거실 소파에 엎드려 자고 있는 녀석의 뒤통수뿐이었다. 저 녀석의 잠든 모습이라면 자전거 안장 위에서 이골이 날 정도로 많이 봐 온 터라 맥이 탁 풀렸다.

그렇게 하릴없이 몇 주가 흘렀다. 그사이 은수와 나눈 문자는 채 열 통도 되지 않았다. 그마저도 음악 수행 평가 때문에 물어본 질문에 녀석이 단답식으로 답한 게 전부였다.

은수의 전 여자 친구라는 언니를 봤을 때 저 녀석은 아주 고전적인 미인형을 좋아하는 게 틀림없다. 청순가련하고 여리여리한 타입. 그래서 과감하게 스타일을 바꾸기로 했다.

고대하던 개학식 당일. 이틀간 이불 속에서 끙끙거리던 내게 지옥의 문이 열리는 아침이었다. 아침밥도 먹는 둥 마는 둥한 나는 시무룩한 얼굴로 엘리베이터에서 내렸다. 아파트 입구 계단 앞에 자전거를 세워 놓은 채 기다리던 은수는 내 모습을 보자마자 말문이 막힌 표정을 지었다.

"너 머리가 왜 그래?"

후다닥 걸어갔지만 끈질기게 따라붙는 눈초리가 느껴졌다. 포기한 채 허리를 수그린 난 자전거 뒷좌석에 앉았다.

미용실 아줌마한테 분명 타고난 곱슬머리처럼 자연스러

운 웨이브를 넣어 달라고 했는데, 아파트 노인정에서나 볼 법한 수준으로 빠글빠글 볶아 놨다. 거울을 보여 주며 너무 귀엽다고 물개 박수를 치던 아줌마에게 버럭 성질을 냈지만, 네가 말한 대로 해 줬다며 배짱으로 나오는데 별수 없었다.

"그러니까 개학 이틀 전에 파마를 했는데 망해서 다시 펴지도 못했다고?"

은수는 손잡이에 엎어지듯 코를 박으며 웃음을 터뜨렸다. 배꼽을 잡고 웃는 녀석의 등이 얄미워서 눈을 흘겼다.

"웃지 마라……."

"너 양배추 인형 알아?"

"죽을래?"

"교문에서 독사한테 두발 걸릴 텐데."

"묶을 거야."

"한 번만 만져 보자."

"하지 마!"

목요일은 은수가 앞에 타는 날. 은수는 가끔 직선 코스의 등굣길을 일부러 빙글빙글 돌아간다. 오늘도 그런 날 중 하나였다. 바람에 실려 오는 내 머리칼을 어깨 너머로 흘끔거리던 은수가 쿡쿡 웃는 게 느껴졌다.

건널목을 지날 때부터 몸을 일으킨 은수는 빠르게 페달

을 밟더니, 교문 언덕을 눈 깜짝할 사이에 쌩하고 지나갔다. 우리를 향해 회초리를 들던 학주가 멍한 얼굴로 자전거 뒤꽁무니를 쳐다보는 게 보였다. 머리를 가리고 있던 손을 내리기 무섭게 자전거 바퀴가 끼이익, 하고 멈췄다. 안장에서 내린 은수가 내 어깨에서 가방을 받아 갔다.

"하은수……. 키 컸어?"

"그런가?"

"목소리도 낮아졌어."

"방학 시작할 때부터 그랬어. 변성기 온 거 같아."

우리 반 남자애들 대부분이 변성기 중이거나 이미 변성기를 마친 상태였다. 간혹 수염이 나는 것처럼 보이는 애들도 있었다. 평소에는 마냥 징그럽다고만 생각했는데 은수는 달랐다. 오히려 녀석이 나와는 다른 남자애라는 사실을 더 의식하게 될 뿐, 전과는 다른 방식으로 은수를 느끼고 싶다는 생각마저 들었다.

"왜 그래? 안 올라가?"

"나 머리 많이 이상해?"

안 그래도 교복 벗고 버스 타면 초등학생 요금을 내도 의심받지 않는 얼굴인데, 머리까지 볶아 놓으니 청순가련은 커녕 골목대장급 선머슴이 되고 말았다. 게다가 머리카락도 가늘어서 묶으려고 하니 자꾸 고무줄하고 엉켜 아프기만 했다.

무엇보다도 쪽팔려서 건물 안에 들어갈 수가 없었다. 용돈 받자마자 머리는 다시 펼 거다. 하지만 그러려면 앞으로 2주나 더 기다려야 했다. 엄마한테 사정도 해 봤지만, 말도 없이 파마를 하고 온 내게 되레 화를 내며 용돈을 깎아 버리겠다는 경고장마저 날렸다.

우울한 얼굴로 앉아 있는 내 앞에 은수가 다가와 허리를 숙였다.

"내려 봐."

자전거에서 내리자 은수는 바닥에 가방을 놓고 내 어깨를 돌려세웠다. 그러고는 자연스럽게 손을 내밀었다. 길게 뻗은 손가락 중간중간 도드라진 마디뼈가 예쁜 손. 나는 얼떨결에 주머니 속에 쥐고 있던 고무줄을 넘겼다. 빨간색 딸기 모양 고무줄이 은수의 입술 사이에 물렸다.

단정한 손가락이 꼬부랑거리는 머리칼을 살살 빗어서 하나로 모았다. 그날, 은수가 쳐 줬던 쇼팽의 녹턴 2번이 생각났다. 그윽한 선율만으로 온몸에 포근함을 선사하던 그때처럼 다정하고 부드러운 손길. 조심스럽게 머리를 만져 주는 온기가 기분 좋아서 우울하던 입가가 몽실몽실 풀려 갔다.

"아파?"

"아니."

남은 앞머리와 귀 옆머리가 꼬불거리는 것까지는 어쩔 수가 없었다.

"갑자기 파마는 대체 왜 한 거야?"

"몰라도 돼."

제가 묶어 놓고도 웃긴지 은수는 내 얼굴을 보며 간신히 웃음을 참았다. 녀석은 말총머리처럼 묶인 꼬랑지 머리를 툭툭 건드렸다가, 손가락에 고불고불 감은 뒤 풀어 보기도 했다.

"잘 어울리는 거 같아."

"뭐가?"

"네 얼굴 주근깨랑 양배추 인형 같은 머리가 꼭 만화에 나오는……."

신발주머니를 돌팔매질하듯 휘둘렀다. 퍽 소리와 함께 은수가 배를 잡고 '끙' 하며 허리를 수그렸다.

"벼락 맞아 죽어 버려, 하은수."

씨근덕대며 돌아선 나는 미용실 아줌마를 재차 욕했다. 엄마한테도 두 번 다시 가지 마라 할 테다. 그리고 양배추인지 양상추인지 하는 인형은 하은수 생일에 사서 선물로 입 안에 쑤셔 넣어 주겠다고 다짐했다.

개학식 날 전교를 들썩이게 한 소문은 두 가지였다.

하나는 우리 학년 얼짱인 김민경에게 남자 친구가 생겼다는 것. 상대는 우리 학교 일짱이라는 1반의 이형욱이었다. 혹성탈출에 나오는 고릴라를 닮은 이형욱은 키만 180센티미터가 넘는 데다가 팔다리가 길쭉했다. 주먹 크기가 어린애 머리만 하다나? 체격만으로도 압도적인 그는 쭉 찢어진 눈매와 까무잡잡한 얼굴 탓에 차갑고 날카로운 인상이었다.

아는 사람은 거의 없지만 이형욱과 나는 같은 초등학교를 나왔다. 녀석은 6학년 때 내 짝꿍이었는데 김치를 못 먹어서 맨날 씹다가 뱉은 다음 책상 서랍에 숨기던 애였다. 옆에서 그걸 지켜보던 나는 비위가 상해서 제발 그러지 말라고 사정해 봤지만 소용없었다. 김치만 뱉으면 다행이지, 채소란 채소는 죄다 되새김질하듯 서랍 속에 뱉어서 저장하던 녀석이었다.

결국 나는 담임에게 찾아가 짝을 바꿔 달라며 사유를 말씀드렸다. 그러지 않으면 내가 먼저 미쳐 버릴 것 같았다. 당시 담임 선생님은 운동선수처럼 건장한 체격의 남자 선생님이었는데 아주 엄하고 무서웠다. 이형욱이 급식 반찬을 남기지 못하고 숨기던 것도 담임의 체벌이 두려워서였다.

하지만 그날 내가 본 건 공개 처형당하듯 칠판 앞에 선 이형욱의 모습이었다. 담임은 아이들 앞에서 이형욱의 책상 서랍을 들췄고, 그 애가 뱉어 둔 음식물은 당연히 모두의 혐오 반응을 불러일으켰다. 녀석을 본보기 삼아 훈계한 담임은 경멸의 대상이 된 이형욱을 다시 내 짝꿍으로 못 박았다. 이제 그럴 일 없으니 안심하라는 눈초리로 웃으면서.

지금 생각해 보면 이형욱의 얼굴에 피었던 버짐은 심한 편식으로 인한 영양실조 증상이었다. 체격은 좋았지만 비쩍 마른 몸도 정상은 아니었다.

이형욱은 중학교에 오자마자 노는 애들하고 어울리기 시작했다. 알고 보니 초등학교 때부터 껌 씹는 언니였던 박새미가 이형욱을 마음에 들어 했고, 그와 가까워지기 위해 노는 애들 무리에 영입한 것이라고 한다.

박새미를 통해 일진 세계에 발을 들인 이형욱은 2년 만에 우리 학교뿐만 아니라 광명 전역에서 이름을 날리는 존재가 되었다. 덕분에 우리 학교까지 위상이 높아졌다고 자랑하던 김민경의 이론에 나는 콧방귀를 뀌었다. 다른 애들은 몰라도 나는 이형욱의 실체를 안다. 김치도 못 먹어서 "여울아, 제발 하나만 먹어 줘." 하며 부탁하던 시절을 아직도 생생히 기억하고 있었다.

김민경은 은수를 포기한 건지 아침 내내 은수에게 말도 붙이지 않았다. 대신 이형욱의 팔짱을 낀 채 공작새처럼 복도를 거닐며 다른 애들을 시녀 보듯 내려다보는 걸 즐겼다. 박새미는 제가 좋아하던 남자애를 절친에게 뺏겼는데도 여전히 실실 웃으며 김민경과 붙어 다녔다.

듣기로는 이형욱이 짱이 되자마자 한 짓이 저를 데려온 박새미를 애들 앞에서 때리고 무릎 꿇린 것이라고 한다. 여자 짱으로 카리스마의 상징이었던 박새미가 김민경과 팔짱을 끼고 다니며 시시덕거리기 시작한 게 이때부터였다. 분명 수치심을 느꼈을 텐데 저렇게까지 하면서 저들의 일원으로 남고 싶은 것일까? 흡사 동물의 왕국 같은 저들의 생태계를 나는 도저히 이해할 수가 없었다.

그리고 전교에 떠돌아다니고 있는 두 번째 소문. 그건 나와 김민경이 예술의 전당에서 머리채를 잡고 싸운 사건에 관한 것이었다.

"김여울."

뒷문에 기댄 김민경이 풍선껌을 불며 손짓을 했다. 나는 무시한 채 수학책을 펼쳤다. 그러자 김민경이 어이없다는 듯 웃으며 말했다.

"저년이 씹네?"

"간이 배 밖으로 나와서 그래."

박새미와 낄낄대던 김민경은 이쪽으로 걸어오더니 책상을 발로 툭 찼다. 그 바람에 글씨를 쓰던 샤프심이 똑 부러졌다.

"사람 말이 말 같지 않냐?"

나는 수학책에 시선을 고정한 채 귀찮다는 투로 말했다.

"1교시 수학이야. 가서 숙제나 하지 그래?"

"너 잠깐 복도로 나와."

"할 말 있으면 점심시간에 해. 지금 바쁘니까."

눈을 부라리던 김민경이 쥐 잡아먹은 듯한 입술을 깨물며 손을 들었다.

"이게!"

"여기 예술의 전당 아니야."

교실 분위기가 조용해졌다. 나는 수학책을 반듯하게 펴서 눌렀다. 그리고 샤프심이 부러지면서 쭉 그어진 연필 자국을 네모난 지우개로 삭삭 문질렀다.

"나 때리면 너만 손해라고."

"뭐?"

"5층 여자 화장실에서 나오는 담배꽁초 반은 김민경 네 거라며? 입만 열면 아프다고 뻥치고 양호실 가거나 걸핏하면 후배들 삥이나 뜯는 너, 그리고 지각 한 번 한 적 없고, 수업도 열심히 듣는 데다가 성적도 우수한 나. 선생님들께서는 우리 둘 중 누구의 편을 드실까? 한 대라도 치기만 해 봐. 제대로 울고불고 난리 쳐서 너희 부모님이든 친척이든 죄다 학교에 불러 오게 만들 테니까."

차분한 목소리로 말을 마친 뒤 고개를 들었다. 김민경이 날 죽일 듯 내려다보고 있었다. 예술의 전당에서 머리채를 잡혔을 때보다 훨씬 분해 죽겠다는 표정으로. 허공에 떠 있던 김민경의 손이 부들부들 떨더니 책상을 쾅 내리쳤다.

"내가 너 깝치지 말라고 했지?"

"내가 언제 깝쳤는데?"

"하은수랑 뭐냐?"

"너넨 지겹지도 않냐? 몇 달 전부터 입만 열면 은수랑 사귀냐, 무슨 사이냐……. 몇 번을 말해야 알아먹을래? 안 사귄다니까? 너야말로 이형욱이랑 사귄다면서 일처다부제 그런 거 꿈꾸냐? 이형욱도 너랑 같은 꿈을 꾸고 있는지 가서 물어봐 줄까?"

"완전 웃긴 년이네? 사귀지도 않으면서 손을 잡고 다녔어? 그딴 걸 누가 믿어?"

"따지려면 하은수한테 따져."

잠시 말을 멈춘 내 시선이 2분단 두 번째 줄 은수의 자리로 향했다. 오자마자 책상에 엎드린 은수는 웬일로 판치기도 가지 않은 채 잠만 자고 있었다.

"손 먼저 잡은 거, 나 아니고 재니까."

나는 아무렇지 않은 척 지우개 가루를 탈탈 털었다. 거짓말은 아니다. 엄밀히 말하면 손은 은수가 먼저 잡았다. 그리고 어차피 김민경은 은수에게 가서 따지지 못한다. 이건 우리 학교 여자애들 전원에게 통하는 만유인력의 법칙 같은 거다. 비난의 사과는 김여울을 향해 떨어지는 거지, 하은수를 향해 떨어지지는 않는 법이니까.

"오, 김여울 머리 했나 본데?"

옆에서 구경하던 박새미가 딸기 모양 머리끈을 잡아당겨서 풀었다. 부스스하게 풀린 머리를 본 김민경의 눈이 퐙 하고 커졌다. 두 사람은 깔깔대며 웃음을 터뜨렸다. 듣기만 해도 아주 짜증이 날 정도로 시끄러운 웃음소리였다.

"이런 머리 돈 줘도 안 하겠다."

"존나 촌스러워."

그때 소란스러움에 깬 은수가 게슴츠레한 눈초리로 턱을 들었다. 팔꿈치를 책상에 대고 턱을 괸 은수의 안색이 조금 창백했다.

어디 아픈가?

인상을 찡그리며 하품을 하던 은수에게 윤아가 허둥지둥 다가가더니 귓가에 뭐라고 속닥거렸다. 은수가 이쪽을 향해 눈길을 돌렸다. 가늘게 흐려지는 은수의 눈초리를 본 나는 얼른 고개를 외면했다.

드르륵.

의자를 끌며 일어서는 소리가 들렸다. 내 책상 앞으로 걸어온 은수는 박새미의 손에서 머리끈을 홱 낚아챘다.

"하은수, 너 김여울 머리 봤어? 얘 머리 한 거 봐."

여기저기서 킥킥거리는 소리가 들려왔다. 사물함 앞에 모여 있는 곽다정네 패거리가 그중 하나였다.

고작 이게 뭐라고 이런 수치심을 느껴야 하는 걸까? 머리 모양 이상한 거 하나로 웃음거리가 되는 곳, 이게 바로 학교와 교실이다. 교실 내에서는 실수로 뀐 방귀 하나가 1년을 악몽으로 만들고, 얼굴에 난 여드름이 학창 시절의 그늘이 되어 버리는 게 당연한 장소니까.

"김여울, 내가 머리 묶어 줬잖아. 왜 풀었어?"

"내가 안 풀었어."

은수의 손이 내 머리를 정돈해 주듯 살살 어루만졌다. 김민경과 박새미는 그런 은수의 손을 유령 보듯 쳐다보고 있었다. 기분 나쁜 눈초리로 서 있던 두 사람은 자기들끼리 귓속말로 쑥덕거리기 시작했다. 은수의 손은 여전히 엉킨 내 머리카락을 모으듯 움켜잡았다가 풀기를 반복하고 있었다.

나는 수학책 위에 떨어진 지우개 가루를 손등으로 밀어내며 다시 회색 샤프를 잡았다. 은수가 김민경 쪽으로 서늘한 눈초리를 던졌다.

"네가 그랬어?"

"무슨……. 나 아니거든?"

바통 넘기기라도 하듯 당황한 김민경의 눈동자가 옆에서 있던 박새미를 지목했다. 멀뚱히 서 있던 박새미는 졸지에 구석에 몰린 채 눈을 깜박였다. 매일 단짝처럼 붙어 다니던 사이에 토사구팽이 저렇게 쉬울 수가 없었다. 참 아름다운 우정이다.

그때 뒷문이 드르륵, 하고 부서질 기세로 열렸다. 끼익, 하고 밟히는 교실 마루 위로 형광펜으로 칠한 삼선 슬리퍼가 등장했다. 맨발에 신은 슬리퍼의 주인공, 이형욱이었다. 애꿎은 청소 도구함 문을 툭 걷어차며 들어온 그는 건방진 걸음걸이로 우리 반을 침범했다.

느릿하게 교실 내를 훑던 이형욱의 시선이 은수의 얼굴에서 멈췄다.

"이 새끼가 새로 전학 왔다는 녀석이야?"

팥죽색 입술 사이로 흘러나오는 걸쭉한 목소리. 광대뼈 위에 얼룩덜룩 핀 버짐은 여전했다. 금색 단추가 달린 새하얀 셔츠에 꽉 줄인 교복 바지. 올백으로 넘긴 머리에 젤까지 바르고 나타난 이형욱을 보니 여기가 학교인지 관광호텔이 즐비해 있는 철산동 상업 지구인지 심히 헷갈렸다.

이형욱은 영역 표시를 하듯 김민경을 옆구리에 끼더니 비딱한 자세로 웃었다.

"전학생, 네가 우리 민경이한테 그렇게 껄떡댄다며?"

은수가 황당한 듯 미간을 모으며 김민경을 바라보았다. 김민경은 움찔하며 이형욱 옆구리에 두더지처럼 쏙 파고들었다.

"뭐 잘못 알고 있는 거 아니야? 집적댄 건 김민경이지."

받아치는 내 목소리에 이형욱이 눈썹을 꿈틀대며 치켜세웠다.

"저건 또 뭐야?"

"재가 내가 말한 걔야, 김여울."

"그게 누군데?"

"그 있잖아, 음악회에서 나랑 싸운……."

나는 손에 쥔 샤프를 필통 안에 넣고 지퍼를 잠갔다.

"이형욱, 이제 김치는 잘 먹어?"

이형욱의 눈이 흠칫 커졌다. 예전보다 어두워진 피부색과 탁해 보이는 눈동자가 나를 보며 불쾌한 듯 가늘어졌다.

"담임 김경철, 가림초등학교 6학년 5반. 우리 짝꿍이었잖아, 기억 안 나?"

김민경도 뭔가 이상한 낌새를 눈치챘는지 어리둥절한 표정으로 나와 이형욱을 번갈아 응시했다. 이형욱의 눈빛이 먼 산을 바라보듯 흐려지고 있었다. 그는 날카로운 표정으로 내 얼굴을 하나하나 뜯어보기 시작했다. 나도 지지 않으려고 눈에 힘을 준 채 허리를 곧추세웠다.

"김여울……."

내 이름을 중얼거린 이형욱은 몸을 굽힌 채 들개처럼 내 주위를 빙글빙글 돌았다. 나는 눈살을 찌푸렸다. 녀석에게서 풍기는 향수 냄새가 코를 찔러서 숨이 막혔다. 자전거 탈 때 맡는 은수의 몸에서는 아주 좋은 냄새가 나는데, 어쩜 이렇게 다른 건지.

"김여울, 김여울……."

내 이름을 곱씹던 그는 뭔가 생각났는지 걸음을 멈췄다. 갑자기 큭큭거리며 허리를 젖히는 녀석의 모습에 소름이 돋았다. 뭐가 그렇게 재밌는지 새까만 잇몸이 보일 정도로 입매를 뒤튼 채 연신 웃고 있었다.

"오랜만이네, 짝꿍."

확실히 저 녀석은 3년 전 내가 알던 그 이형욱이 아니었다. 학교라는 울타리 내에서 힘과 권력에 취한 악마의 모습이다.

"여전히 쪼그마하다, 너?"

그때였다. 조용히 서 있던 은수가 이형욱이 걷어찬 청소도구함 문을 '쾅' 하고 닫았다. 그 소리에 놀란 이형욱과 김민경이 은수를 쳐다보았다.

"옛날 짝꿍 그만 찾고 반으로 돌아가지 그래? 예비 종도 쳤는데."

웃음기를 거둔 이형욱이 정색한 표정으로 은수를 빤히 쳐다보았다. 표정 없이 새까만 동공이 섬뜩해서 나는 순간 벌떡 일어설 뻔했다. 반면 은수는 동요하는 기색이 없었다.

"그리고."

오히려 아주 언짢은 듯한 목소리였다.

"앞으로 네 김민경하고 말도 섞지 않을 테니까, 너도 옛날 짝꿍 핑계 대면서 김여울 찾아오지 마라."

황당한 표정으로 있는 이형욱에게 은수는 얼른 나가라며 뒷문을 발로 툭 걷어찼다. 얼떨결에 떠밀리듯 나온 이형욱은 뒤늦게 불쾌한 눈초리로 이쪽을 노려보았다. 은수는 이형욱을 쳐다보더니 뒷문을 드르륵 닫아 버렸다.

복도에 홀로 멀뚱히 서 있던 김민경은 1교시 시작종이 울리고 나서야 뒷문을 열어 달라며 두들겼다. 뒷문을 닫고 부러진 빗자루로 고정시켜 버린 은수는 자리에 엎드려서 못 들은 척 눈을 감았다.

한참 동안 문을 쾅쾅 두들기던 김민경은 결국 씨근덕거리며 앞문을 열고 들어왔다. 4분단 뒷자리에 앉아 있던 곽다정은 이어폰을 끼고 있어 이제야 알았다는 듯 소스라치게 놀란 표정을 지었다.

"문 열어 달라고 하지 그랬어, 민경아!"

책상 앞에 앉아 손톱을 정리하던 박새미는 비뚜름한 미

소를 지었다. 그녀의 곁눈질 끝에는 은수가 고정시켜 놓은 빗자루가 비스듬히 서 있었다.

열여섯의 가을, 고교로 향하는 문턱 위에 선 우리는 각자 다음 미래를 향해 나침반을 돌리고 있었다.

천 개의 학 접기, 유리병에 종이별 가득 채우기, 러브장 만들기, 장미 접기, 목도리 뜨기, 교탁 밑에 이름 적어 놓기, 타임캡슐 만들기 등 저마다 소원 성취나 기원을 위해 정성을 쏟는 작품이나 부적도 하나씩은 있었다.

내 목표는 오로지 한 길로 통했다. 은수와 같은 고등학교에 가는 것, 은수와 계속 피아노 연습을 하는 것, 은수와 쭉 함께 있는 것.

골몰히 생각에 잠긴 샤프심이 수학책 모서리를 지그재그로 연결하며 색칠하다가 글씨를 작게 끄적거렸다.

은수의 여자 친구가 되는 것.

써 놓고 누가 볼 새라 얼른 지우개로 지웠다. 책상에 엎드려 팔로 가리고서는 그 위에 몰래 날짜를 적어 넣었다.

2005년 8월 25일.

지우개 가루를 털고 책 모서리를 보이지 않게 세모로 반듯이 접었다. 내 부적, 천년만년 오래오래 잘 보관해야지. 이 무시무시한 계획을 녀석이 절대 알아서는 안 된다.

창문 너머로 여름의 마지막 입김이 느껴졌다. 아직은 뜨거운 바람이 나의 뺨을 옅은 홍조로 물들이고 있었다. 엎드려 자고 있는 은수의 등을 보며 나는 턱을 괸 채 배시시 웃었다.

하은수, 너도 날 얼른 좋아했으면 좋겠어. 내가 널 좋아하는 것만큼, 아니 그보다 훨씬 더 많이 나를 좋아했으면 좋겠어. 그날이 오면 나도 널 실컷 골려 줄 거야.

그러니 어서 빨리 날 좋아해 줘.

은수와 나는 종종 필담을 즐겼다. 주로 수업 시간에 선생님 몰래 쪽지를 비행기로 접어 날리거나, 쉬는 시간에 서로의 서랍 속에 메모를 남기는 식이었다. 내용은 대체로 수요일마다 하는 방과 후 특별 활동에 관한 사항이었다. 오늘은 목요일이지만 방학 내내 피아노 수업이 없었으니, 보충 수업을 졸라 보기로 결심했다.

[방과 후 특별 수업 재개? 오늘 학교 끝나고 아지트에서 기다린다!]

졸라맨 수준의 그림 실력으로 손을 싹싹 비는 모습도 그려 넣었다. 하은수가 이런 거에 마음이 짠해질 녀석은 아니었지만.

점심시간이 되자 급식차가 올라왔다. 남자애들이 줄 서서 밥을 산처럼 받아 가는 와중에 슬그머니 은수의 자리로 향했다. 서랍 속에 쪽지를 슬쩍 넣고 두리번거리자, 뒤에서 윤아가 어깨를 툭 치며 다가왔다.

"은수 아까 양호실 가던데?"

"양호실? 왜?"

"몰라. 오늘 하루 종일 엎어져서 자지 않았어?"

그러고 보니 아침에 안색이 좀 창백했던 것 같다. 수업시간에도 계속 엎드린 자세로 있던 모습이 뭔가 불편해 보였는데.

급식을 받아서 자리에 앉자, 윤아가 앞자리에 와서 의자를 돌렸다. 곧이어 소영이도 급식판을 가지고 자연스럽게 옆자리에 합류했다.

"여울아, 너 그거 알아?"

"뭐?"

"은수네 부모님 이혼했대. 원래는 강남 살았는데 이혼해서 여기로 전학 온 거라더라."

숟가락으로 된장국을 후르르 떠 마시던 소영이가 눈이 동그래져서 물었다.

"강남 어디?"

"부자 동네였다는데? 은수네 아버지가 뭐 유명한 분이신가 봐."

"유명한 분?"

"우리 엄마가 그러더라고, 얼굴 좀 알려진 사람 같다던데?"

"연예인 아닐까? 하은수 얼굴 보면 연예인일 거 같아."

"여울아, 넌 은수 전에 다니던 학교 어딘지 알아?"

"전학 온 날 예전 학교 교복 입고 왔었잖아. 교복도 되게 멋지지 않았냐?"

"맞아, 베이지색 조끼 예쁘더라."

숟가락을 탁 내려놓았다. 흥분해서 이야기하던 두 사람은 내 표정을 보더니 입을 쏙 다물었다.

"하은수 걔 엄마 닮았어. 은수네 어머니께서 되게 예쁘시거든. 걔네 아버지께서 연예인인지 유명한지 확실하지도 않은 정보 가지고 이상한 추측하지 마. 걔네 집 이혼했다는 얘기도 이렇게 막 할 건 아니잖아. 지나가면서 애들이 들을 수도 있고."

결국 반도 안 먹은 급식을 남긴 채 일어섰다. 화가 난 채 걸어가는 내 뒷모습을 보며 소영이는 머리를 긁적였다.

"김여울 왜 저래……."

"은수랑 친하잖아."

괜한 화풀이를 한 것 같지만 솔직히 기분 나빴다. 윤아네 어머니는 마당발로 통했다. 심지어 교감 선생님하고도 봉사 활동인지 뭔지를 같이 하는 사이라고 한다. 그래서인지 모르는 이야기가 없었다. 덕분에 예술의 전당 음악회도 공짜로 가긴 했지만, 그렇다고 해서 남의 집 사정까지 들쑤시고 다니는 게 정당화되는 건 아니었다.

방학 중에 궁금해서 엄마한테 한번 여쭤본 적은 있었다.

– 은수네 집은 왜 아저씨가 안 계셔?

– 그게…… 같이 사시는 건 아닌가 봐.

– 왜? 외국에서 일하신대?

그냥 지나가는 말로 물어본 거였는데 엄마는 곤란한 듯 옮게 웃었다.

– 은수가 아저씨 일로 한동안 많이 힘들어했대. 모르는 척해 주자. 궁금해도 물어보거나 그러지 말고. 알았지?

내 등을 툭툭 두들긴 뒤 다시 설거지를 시작하는 엄마의 모습을 보며 문득 깨달았다. 은수가 그날 쳐 주던 달밤의 선율이 왜 그렇게 슬프게 들렸는지.

"뭐야, 전학생 어디 갔냐?"

허리를 숙인 채 급식차를 정리하던 급식 당번들이 깜짝 놀라서 주춤거렸다. 이형욱이 막대 사탕을 빨며 뒷문에 기대고 서 있었다. 게슴츠레한 두 눈으로 교실 내를 훑던 그의 시선이 나와 마주쳤다.

"은수 없는데."

이형욱의 뒤로 김민경이 고개를 빼꼼 내미는 게 보였다. 양파 머리를 하고선 날 향해 혀를 메롱 하고 내민다.

"어디 갔는데?"

"몰라. 은수는 왜 찾는데?"

졸렬한 녀석, 아까 일이 분해서 다시 찾아온 게 분명하다. 분하려면 아까 분했어야지 교실로 돌아가서 뒤늦게 생각해 보니 환장하겠더냐? 쯧쯧거리는 내 표정을 읽었는지 이형욱의 표정이 험상궂게 변했다.

"넌 알 거 없어."

텅 빈 교실을 노려보던 그는 그대로 복도를 걸어 사라졌다. 남자애들 대부분이 교실에 없는 걸 보고선 은수도 운동장에 축구를 하러 나갔다고 여긴 듯했다.

왠지 불안했다.

양호실로 가 볼까? 복도로 향하던 내 발걸음은 창문에 기대서 있는 박새미를 보고선 주춤거렸다. 이쪽을 감시하듯 쳐다보고 있는 박새미의 핸드폰이 쥐어져 있었다.

조용히 자리로 돌아와 앉았다.

예비 종이 친 후에도 은수는 교실로 돌아오지 않았다.

몇 주 만에 온 아지트는 오랫동안 문을 닫아 놔서 그런지 퀴퀴한 냄새를 풍겼다. 곰팡이라도 핀 건지 뜀틀과 매트리스에 밴 눅눅한 땀내로 가득한 학교 체육 창고 안보다 더 고약할 지경이었다. 안으로 들어서자마자 코를 막은 채 피아노 의자를 밟고 올라섰다. 손을 뻗어 낡은 창문을 연 다음 내려와 손바닥으로 피아노 의자를 탁탁 쳐서 자욱한 먼지를 털었다.

"뭐 하는 거야?"

폐지 박스를 끌어와 문이 닫히지 않도록 고정시키던 나는 갑작스러운 목소리에 뒤를 돌았다. 은수가 풀풀 날리는 먼지를 향해 쿨럭쿨럭 기침을 하며 손사래를 치고 있었다.

"하은수? 안 올 줄 알았는데……."

"청소라도 하는 거야?"

"방학 내내 문을 닫아 뒀더니 안에 먼지가 좀 많더라. 너 몸은 괜찮아? 양호실 갔었다며."

"그냥 좀 체해서."

은수는 눈을 내리깐 표정으로 별거 아니라는 듯 답했다.

하지만 말과 달리 안쪽으로 들어오자마자 지친 듯 피아노 의자에 앉았다. 건반 위에 비스듬히 엎드린 자세가 힘없어 보였다. 평소 센 척을 하면 했지, 절대 꾀병을 부리는 타입은 아니었다. 밥도 얼마나 잘 먹는데, 심지어 오늘 급식 메뉴는 은수가 좋아하는 불고기였다.

"점심도 안 먹었잖아. 아침에 체한 게 뭐 이렇게 오래 가?"

"쉬면 나아."

"약은?"

"양호실에서 먹었어."

"아줌마한테 말씀드렸어?"

"아니."

"그럼 전화라도……."

엎드려 있던 은수의 손이 핸드폰을 꺼내는 내 손을 덥석 잡아 세웠다. 눈 깜짝할 새에 몸을 일으킨 은수의 안색이 생각보다 창백했다.

"하지 마."

고집스럽게 힘을 준 눈초리에 나는 마지못해 핸드폰을 내려놓았다. 하여간 아줌마 걱정시키는 건 죽어도 하기 싫어한다니까.

"집에 안 가도 되겠어?"

"그냥 여기 있을래."

어색한 침묵이 내려앉는 가운데 나는 은수 옆에 앉아 말없이 연습곡을 연주하기 시작했다. 반복적인 선율이 미숙하게 울려 퍼졌다. 평소 같으면 건반 위에서 음을 쳐 주며 잔소리를 했을 녀석이 오늘은 조용했다. 그저 눈을 감은 채 고요히 연주를 듣고 있었다.

"있잖아……."

졸린 듯 감겨 있던 은수의 눈이 가물가물하게 허공을 응시했다. 소리가 나지 않는 건반 '솔'을 눌렀다. 피아노 의자 위에서 흔들거리는 다리에 맞춰 둔탁한 건반 소리가 조용한 공기를 흔들었다.

"피아노는 왜 그만둔 거야?"

"……."

"네가 그랬잖아, 남들 앞에서는 피아노 절대 안 친다고. 예전에는 많이 쳤었지? 그렇게 잘 치는데, 분명 연습도 많이 했을 거 아냐."

오늘따라 은수와의 대화가 정적으로 흘러간다. 나른해 보이는 은수의 눈동자가 평소보다 느릿하게 생각을 하는 듯했다. 재촉하지 않고 가만히 은수의 대답을 기다렸다.

"내게는 놀이가 아니었어."

"뭐가?"

"피아노."

은수는 피아노 건반 위에 엎드린 채 '솔'을 누르는 내 검지를 쳐다보았다. 아니다, 텅 빈 눈동자는 아무것도 보고 있지 않았다. 공허하고 슬픈 눈이었다. 쇼팽을 쳐 주던 그날 피아노 의자에 막 앉았을 때의 표정처럼.

"즐거웠던 적이 없는 것 같아. 매일 반복되는 연습이 지겹기만 했어. 무조건 피아니스트가 되어야 한다고만 했으니까. 내 앞길은 이미 정해져 있었고, 아무도 내게 선택할 권리를 주지 않았어. 티브이를 보면 사람들이 가끔 그러잖아. 희망도 꿈도 없던 내게 음악은 삶의 위로가 되어 줬어요, 그림은 하나뿐인 친구였어요 등등……. 근데 난 반대였어. 피아노를 치면 칠수록 외롭고 숨이 막혔어. 내 삶은 이 지긋지긋한 피아노 외에 아무것도 없는 것만 같았어."

조곤조곤 말하는 은수의 목소리가 그늘 속으로 잠겨 간다. 천천히 감기는 눈꺼풀 너머 눈동자는 조금도 행복해 보이지 않았다.

"그런데 누가 그러더라, 피아노는 놀이라고."

소리 나지 않는 '솔'을 누르던 내 손가락이 허공에 정지했다. '내 얘기야?' 그렇게 묻는 내 표정에 은수는 말없이 눈꺼풀을 깜빡였다. 반쯤 감긴 눈으로 내 눈을 쳐다보다가 엷게 웃었다.

"어느 바보가 그랬어. 피아노 좀 못 치면 어떠냐고."

"바보 아닌데."

"머리는 어디서 푸들같이 해 와 가지고."

"다음 주에 다시 펼 거다."

"그냥 두지?"

"싫어, 누구 좋으라고?"

은수가 팔에 뺨을 묻으며 쿡쿡 웃었다.

나는 은수의 저런 표정이 좋다. 재밌어 죽겠다는 녀석의 눈웃음을 보면 약이 오르지만, 한편으로는 가슴 판막이 살아 있다는 걸 일깨우듯 요동을 친다. 터질 듯 뛰던 심장이 고요해질 무렵, 날 바라보던 은수의 눈빛이 점차 선명하게 또렷해진다.

은수는 가끔 내 머리를 헝클어트리듯 만질 때가 있는데, 어떤 기분일 때 그러는지 도통 알 수 없어서 늘 기대하며 쳐다보게 된다. 피아노 위에 엎드린 팔이 이리 가까이 오라고 손짓하지는 않을까, 턱을 괸 손을 뻗어 나를 만지지는 않을까, 그런 상상을 해 본다.

은수가 부서질 듯 안아 주는 건 어떤 기분일까? 허리를 숙인 채 얼굴을 비스듬히 기울여 오는 건? 턱을 잡고 입술을 베어 물며 키스한다면?

상상만으로도 목 뒤에 소름이 쫙 돋았다. 만화책에서 본 것처럼 그렇게 혀도 넣고 뜨거워진 숨소리가 터져 나오게 되나? 키스라는 건…… 대체 어떤 느낌일까? 입 안이 녹아 버릴지도 모른다. 정말 다리가 후들거려서 벽에 주르륵 등을 붙이며 주저앉게 될지도.

"……여울, 김여울!"

"어?"

은수가 입술을 비딱하게 끌어올리고 있었다.

"또 무슨 망상해?"

"망상 안 했는데."

"혼자 만화책 보다가 히쭉거릴 때 얼굴인데? 야한 거 볼 때 나오는 음흉한 표정."

"야한……. 야한 거? 아닌데? 야한 생각 안 했는데?"

"진짜 너 내가 본 애들 중에 제일 밝히는 거 알아?"

"밝히긴 뭘 밝혀? 여자애들은 그런 생각 안 해."

"양심이 있으면 스스로를 여자애라 칭하지 않을 것 같다."

이죽거리며 놀리는 은수를 향해 눈을 흘겼다. 내 살기 어린 눈초리도 이제 익숙해졌는지 녀석은 아무렇지 않은 듯 태연하게 웃는다.

"하은수, 네 이름으로 삼행시나 지어 줄까?"

"삼행시?"

은수는 잠시 고민하더니 턱을 괴었다. 한번 해 보라는 듯 가늘어진 눈초리로 건방지게 웃었다.

"하."

"하여간 너."

"은."

"은근히 즐기고 있지?"

녀석의 입술이 흥미롭다는 듯 곡선을 그렸다. 나는 잇새를 꽉 문 채 억지웃음을 지었다.

"수."

"수치심도 모르는 이 변태 자식아!"

"뭐……. 내가 뭘 했는데?"

"평소 행실을 돌이켜 봐, 진짜 밝히는 놈이 누군지."

내가 여자애가 아니라면 너는 인간도 아니다. 능구렁이 뱀이다. 은수는 새끼손가락으로 목덜미를 긁더니 난감한 표정을 지었다. 저것도 연기일 게 뻔했다. 당황은커녕 재밌어 죽겠으면서.

"다 알고 있었어?"

"뭘?"

"여태까지 누구 모르게 감쪽같이 한 줄 알았는데……."

"뭘 했는데?"

은수는 엎드린 팔 위에 턱을 괴며 생각에 잠겼다. 아쉬움이 가득한 눈동자가 나를 빤히 응시했다. 뒷골이 찌르르 울렸다. 주먹을 꽉 쥔 채 물었다.

"그러니까 뭘 했냐고!"

"내 평소 행실을 돌이켜 봐, 뭘 했겠어?"

변성기 때문에 허스키해진 목소리가 내 몸 어딘가를 오싹하게 긁어내렸다. 장난치듯 가늘어지는 눈웃음에 호흡이 달음박질치며 가빠졌다. 얼굴에 몰린 열기가 주변 공기를 복숭앗빛으로 물들인다.

덜컹.

나른하게 엎드려 있던 은수가 천천히 허리를 들었다. 나 역시 의아한 표정으로 뒤쪽을 돌아보았다.

드르륵, 지익.

문 앞에 둔 폐지 박스가 바닥에 끌려가는 소음이었다.

끼잉, 쾅!

은수와 나는 거의 동시에 벌떡 일어섰다. 서로의 얼굴을 쳐다본 우리는 긴장한 채 눈길을 주고받았다.

"문이……."

"닫히는 소리였지?"

은수가 구부정한 자세로 몸을 일으켰다. 경계하듯 주위를 살피며 걸어간 은수는 문고리를 철컥철컥 돌렸다. 그러고는 이내 당황한 듯 내 쪽을 돌아보았다.

"잠겼어."

"뭐? 그럴 리가……. 그 문 고장 나서 잠기지도 않잖아."

"문고리가 아예 안 돌아가. 뭔가로 고정시킨 느낌이야."

피아노 위에 던져둔 가방을 뒤져 핸드폰을 꺼냈다. 손이 떨렸다. 대체 이게 무슨 상황이지? 가만히 있던 문이 혼자 닫힐 리는 없고.

"엄마한테 전화해야겠다."

"여기 지하라 전화 안 터지잖아."

심지어 배터리도 한 칸이다. 마른침이 꼴깍 넘어갔다. 물끄러미 문을 쳐다보던 은수가 "쉬이." 하더니 문에 뺨을 댄 채 가만히 귀를 기울였다.

"왜 그래?"

"밖에 누가 있는 것 같아."

의심스러운 표정으로 귀를 기울이던 은수는 발로 쇠문을 걷어차더니 주먹으로 쾅쾅 두들겼다.

"경비 아저씨인가?"

"경비 아저씨는 아닐 거야."

"어떻게 알아?"

"아저씨는 우리 여기서 피아노 치는 거 아셔. 혹시 몰라서 전에 박카스 몇 병 사 드리고 말씀드려 놨어."

치밀한 녀석, 그 와중에 경비 아저씨는 대체 언제 포섭한 거야?

그 뒤로도 은수가 몇 번이나 문을 두들겨 봤지만 밖에서는 아무런 반응이 없었다.

“혹시 동네 꼬마들이 장난친 거 아니야?”

“동네 꼬마 누구? 걔네가 왜?”

“너 그 건담…….”

내가 쳐다보자 은수가 멈칫하며 말을 멈췄다. 나는 낡은 담요 위에 쪼르르 세워 놓은 건담 시리즈를 쳐다보며 갸웃거렸다. 꼬맹이들이랑 건담 걸고 구슬 치던 걸 은수가 어떻게 알지? 쟤가 이사 오기도 전의 일인데…….

“놀이터 꼬맹이들 말하는 거라면 걔네 나랑 친해. 내가 걔네 학교 앞에서 번데기랑 솜사탕 얼마나 많이 사 줬는데.”

“그래, 걔넨 아니겠지.”

은수가 생각에 잠긴 새 나는 피아노 위 창문을 쳐다보았다.

핸드폰을 쥔 채 피아노 의자를 밟고 올라섰다. 까치발을 들고 창살 사이로 핸드폰을 쥔 손을 내밀었다. 손이 무사히 빠져나가자 엄지로 핸드폰 슬라이드를 열었다. 가랑잎 하나가 흙 사이를 데굴데굴 굴러와 손등에 달라붙었다.

“신호 세 칸이다! 됐어, 전화 될 거 같아!”

신나서 소리치던 나는 어깨 너머를 돌아보았다. 은수가 피아노 의자에 앉은 채 엎드려 있었다. 기가 막혀서 은수의 등을 죽일 듯 노려보았다.

“야, 넌 그새 또 자냐? 나는 여기 올라와서 이러고 있는데…….”

어쩐지 조용하다 했다.

'하은수?'

은수를 빤히 쳐다보던 내 눈동자가 서서히 굳었다. 이상하리만큼 조용했다. 심장이 쿵쾅거렸다. 기우뚱거리는 의자 위에서 황급히 돌아섰다. 그 바람에 창턱을 짚은 손이 핸드폰을 툭 놓쳤다. 손에서 떨어진 핸드폰은 그대로 피아노와 벽 틈 사이로 미끄러지듯 낙하했다.

"하은수!"

의자에서 휘청거리던 은수가 바닥으로 '쿵!' 하고 쓰러졌다. 녀석은 충격에 신음을 뱉으며 배를 움켜잡았다.

"너 왜 그래?"

"김…… 여울……."

"땀 좀 봐, 너 괜찮아?"

달려가 굳게 닫힌 철문을 쾅쾅 두들겼다.

"도와주세요! 여기 사람 있어요!"

흘끔 돌아보자 은수가 몸을 둥그렇게 만 채 입술을 꽉 깨물고 있었다. 문손잡이를 잡고 마구 흔들어 보던 나는 다시 은수에게로 돌아왔다.

"어디 아파? 여기? 여기 아파?"

"으응……."

"너 몸이 왜 이렇게 뜨거워? 뭐, 뭐지, 장염인가? 아씨,

핸드폰 어디 갔어!"

바닥을 더듬던 나는 답답한 나머지 소리를 질렀다. 눈물 때문에 앞이 뿌옇게 흐려졌다. 식은땀을 흘리는 은수의 눈도 빨갛게 충혈되어 있었다. 신음을 참으려는지 죽을힘을 다해 잇새를 꽉 악물고 있는 게 보였다.

"핸드폰을 어디다 떨어뜨렸나 봐. 핸드폰이 안 보여, 왜 안 보이지? 어떡해, 은수야……."

울먹이며 주위를 두리번거리던 나는 결국 울음을 터뜨렸다. 피아노 의자부터 문 앞까지 바닥을 기어 다니며 몇 번을 찾아봤지만 핸드폰은 아무 데도 보이지 않았다.

괴로워하던 은수는 다리를 배에 붙이고 몸을 더 깊숙이 둥글게 말았다. 뒤척거리며 오른쪽 아랫배를 움켜잡다가 참기 힘든지 결국 악 소리를 질렀다.

나는 너무 겁이 나서 은수의 머리를 안은 채 엉엉 울기 시작했다.

"하은수, 아파? 많이 아파?"

"괜찮으니까, 울지 마……."

은수가 고개를 푹 숙인 채 속삭였다. 땀에 젖은 은수의 뒷머리를 매만지던 나는 멍하니 고개를 들었다.

하나밖에 없는 창문의 창살 사이로 노을빛이 칸칸이 내려앉고 있었다.

아지트의 창문은 내 방 창문의 1/3도 안 되는 크기다. 전부터 은수가 불안하다고 말했던 낡은 창살들은 언제 빠질지 모르는 치아처럼 조금만 거센 바람이 불어도 부러질 듯 흔들리고는 했다. 저 창살들만 없다면 창문 사이로 몸을 비집고 나가는 게 불가능해 보이지는 않았다.

은수의 머리를 조심스럽게 내려놓고 피아노 앞으로 다가갔다. 피아노 뚜껑을 닫고 계단처럼 디딘 채 올라갔다. 낡은 피아노 위에 올라서자마자 '우지끈' 하고 뭔가 부서지는 소리가 들렸다.

피아노 바닥 수평이 맞지 않아 발밑이 좌우로 기우뚱거렸다. 무서웠지만 심호흡을 한 채 왼손으로 창턱을 짚었다. 그러고는 녹슨 채 덜렁거리는 창살을 쥐고 미친 듯이 흔들었다.

끼릭끼릭.

거칠거칠한 쇠창살이 손바닥을 긁으며 상처를 냈다. 하지만 이런 건 등 뒤에서 식은땀을 흘리고 있는 은수의 고통에 비하면 아무것도 아니었다.

덜그렁, 소리를 내며 창살 하나가 쓰러졌다. 나머지 창살들도 부러진 이처럼 고꾸라지기 시작했다. 나는 창턱을 짚고 기어올랐다. 좁은 창문에 몸을 우겨 넣었더니 어깨와 등이 부서질 듯 아렸다. 무릎과 손바닥은 날카로운 쇳조각과 바닥에 베여서 피가 줄줄 흐르는 상태였다. 상관없었다. 이대로 은수가 잘못되기라도 한다면. 내 머릿속은 그런 공포 어린 생각으로 가득했다.

하수구처럼 작은 창밖을 향해 머리를 내밀고 어깨와 등을 낮춘 채 연체동물처럼 기어 나갔다.

됐다, 빠져나왔어.

"내가 금방 아저씨 불러올게!"

옆으로 누워서 몸을 웅크린 은수는 더 이상 대답조차 하지 못했다. 나는 바닥에 엎드린 채 아지트 창문에 대고 다시 소리쳤다.

"금방 올게! 조금만 참아, 하은수!"

제일 가까운 아파트 경비 아저씨한테 가야겠다.

그때였다. 섬뜩한 감각이 뒷목을 어루만지듯 스치고 지나갔다. 등 뒤로 조용히 다가온 누군가가 머리 위에서 숨을 길게 내쉬고 있었다. 모골이 송연하게 젖은 채 얼어붙었다. 움직여지지 않는 발끝을 어렵사리 반보 돌려 뒤를 향해 흘끔 곁눈질을 했다.

"누구……."

허공에 손을 휘두르는 그림자를 발견하자마자 다리를 뒤로 주춤 움직였다. 나는 나오지 않는 목소리를 간신히 쥐어짜 비명을 내질렀다.

“꺄아아아악!”

“씨발.”

욕설을 중얼거린 누군가의 손이 내 눈을 가리며 뒤통수를 강타했다. 후두부에 가해진 충격과 함께 눈앞이 핑그르르 돌았다. 눈이 감기려는 순간, 눈꺼풀 사이로 바닥에서 주춤거리는 상대의 발이 보였다.

형광펜이 칠해진 삼선 슬리퍼.

털썩, 어깨와 등이 바닥에 닿았다. 코끝에 남은 불쾌한 냄새. 돌아서는 상대의 발목을 붙잡으려 팔을 뻗어 보았지만, 정신은 아득히 멀어지고 말았다.

6. 너무 좋아서 슬퍼지는 순간이 올 만큼

6. 너무 좋아서 슬퍼지는 순간이 올 만큼

무거운 눈꺼풀을 열자 하얀 천장이 시야를 뒤덮었다. 몇 번인가 힘없는 동공을 움직이니 고개를 숙인 채 잠든 엄마의 모습이 눈에 들어왔다. 지친 엄마의 어깨 너머로 보이는 창밖에는 짙은 어둠이 내려앉아 있었다.

손으로 이불을 만지작거리자 꾸벅꾸벅 졸고 있던 엄마가 고개를 들었다. 나는 멍한 눈으로 이마를 어루만지는 엄마의 손을 쳐다보았다.

"여울아, 괜찮아? 어지럽거나 어디 아픈 데는 없어?"

"여기가 어디야?"

아빠와 동생인 도연이가 병실 문을 열고 급히 들어왔다. 나와 눈이 마주치자 둘 다 안심한 표정을 지었다.

“병원이야, 성애 병원. 가벼운 뇌진탕이라고 하더라.”

2인실인 병실에는 다행히 우리 가족 외에 아무도 없었다. 벽에 걸린 시계를 보니 벌써 밤 10시였다. 퍼뜩 정신이 들어서 물었다.

“엄마! 은수는? 은수는 어떻게 됐어?”

“좀 전에 수술실 들어갔어.”

“수술? 왜? 어디가 잘못됐는데?”

“맹장염이래. 수술하면 아무 이상 없을 테니 걱정하지 마.”

그래도 수술인데 정말 괜찮은 거냐고 물어보려다가, 엄마의 표정을 보고 그만뒀다. 얄밉다는 듯 나를 흘겨보던 엄마는 대뜸 내 코를 꼬집었다.

“깨어나자마자 은수부터 찾아? 엄마랑 아빠가 얼마나 놀란 줄 알아?”

괜찮으니 다행이라며 머리를 쓰다듬는 엄마의 손길에 미세한 떨림이 남아 있었다. 평소 딸을 아들처럼 쥐고 패던 엄마인지라 떨떠름했다. “우리 딸, 많이 놀랐지?”라고 묻는 목소리에 울컥 눈시울이 뜨끈해질 정도로.

카디건을 입은 엄마의 어깨 너머로 도연이가 보였다. 아직 초등학생인 도연이야말로 많이 놀랐는지 낯빛이 창백했다. 나는 내 얼굴을 빤히 쳐다보고 있는 도연이를 향해 작게 웃어 보였다.

불현듯 울린 벨소리에 아빠가 전화를 받으러 나갔다. 몇 분 뒤, 까만 조끼를 입은 경찰 아저씨 한 명이 병실로 들어왔다.

엄마 옆에 앉은 아저씨는 주머니에서 전원이 꺼진 핸드폰부터 꺼내 건넸다. 아지트 바닥에 굴러다니고 있던 걸 찾았다고 했다. 나는 "감사합니다." 하고 중얼거리며 핸드폰을 건네받았다. 내 눈치를 보던 아저씨가 조심스러운 말투로 물었다. 늦은 시간에 미안하지만 몇 가지 질문을 좀 해도 괜찮겠냐면서.

기절하기 직전, 내가 지른 비명 소리에 화단을 정리하던 경비 아저씨께서 놀라 바로 달려오셨다고 했다. 아저씨는 바닥에 쓰러진 날 보자마자 119를 불렀으나 주위 다른 사람은 보지 못한 모양이었다.

"남자였어요. 키가 크고 손이 컸어요."

"얼굴은 봤니? 목소리는? 옷은?"

갑작스러운 인기척에 뒤를 돌아보았고, 머리 위에서 낮게 욕설을 중얼거리는 목소리를 들었다. 커다란 손이 시야를 가리기 무섭게 뒷목에 충격이 가해졌다.

"냄새……. 담배 냄새가 났어요, 손에서."

경찰 아저씨는 수첩에 메모를 하면서 계속 말해 보라는 눈빛을 지었다. 나는 기억을 더듬으며 미간에 힘을 주었다.

귓바퀴에 닿았던 남자의 당황한 숨소리. 눈앞이 까맣게 막히기 직전, 까무잡잡한 목선을 보았다. 가운데 목젖이 툭 튀어나와 있었고, 수염은 면도를 한 건지 없었는데…….

“바지가…….”

멍하니 생각하던 내 눈이 커졌다.

“바지?”

“아, 아니에요.”

“여울 학생?”

경찰 아저씨의 눈초리가 의문을 담고 날 바라보았다. 멍하니 닫히던 눈꺼풀 사이로 보이던 남자의 복숭아뼈, 바짓단은 줄인 듯 짧았다. 그리고 흰 양말에 슬리퍼…….

기억이 희미했다. 혹은 확신이 흐릿했다. 아무런 생각도 하고 싶지 않았다.

“죄송해요……. 잘 생각이 안 나요.”

“아니야, 답해 줘서 고맙다.”

아저씨는 몇 번인가 눈길을 더 던졌지만, 나는 피곤한 기색으로 시선을 회피했다. 경찰 아저씨가 병실을 나가고서야 숨을 제대로 쉴 수가 있었다. 오한이 드는 것처럼 온몸이 떨렸다. 나는 몸을 움츠리며 무릎에 얼굴을 묻었다. 등을 쓸어내리는 엄마의 손길에 지친 눈이 감겼다.

“엄마, 나 집에 갈래.”

유독 코가 민감한 나는 병원 특유의 냄새가 괴로웠다. 엄마는 그런 내 기분을 눈치챘는지 얼른 짐을 챙기기 시작했다.

“아빠 왔다. 가자, 여울아.”

“응.”

자동차는 병원을 나온 뒤 우회전을 하고 2차선 도로를 탔다. 나는 무거운 눈꺼풀을 올린 채 멍하니 창밖을 응시했다.

은수는 수술을 잘 받고 있을까?

반대편 차선에서 경찰차 한 대가 번쩍번쩍 사이렌을 울리며 지나갔다. 무섭게 울려 대는 경보음에 가슴이 북치듯 질주했다.

– 은수야, 많이 아파? 여기? 여기 아파?

– 김…… 여울…….

갑자기 울음을 터뜨리는 내 모습에 엄마가 놀란 듯 뒷좌석을 쳐다보았다.

만약 그대로 은수가 잘못되었다면……. 상상할 필요조차 없었다. 그냥 생각하는 것만으로도 피가 얼어붙는 느낌이었으니까.

누군가를 좋아하는 게 마냥 행복한 일은 아닌 것 같다.

가스 불에 올려놓은 물처럼, 내가 품은 감정은 사람의 마음을 애끓게 하기도 하고 바짝 졸이기도 한다. 때로는 냄비 바닥처럼 속을 까맣게 태워 버리기도 한다.

문득 궁금해졌다.

냄비의 물이 다 끓어서 말라 버리면 어떻게 되는 것일까?

사람들은 매일 사랑을 하고 포기를 하고 이별을 한다. 하다못해 우리 학교만 봐도 한 학기에 몇 커플이 맺어졌다 사라지는지 셀 수조차 없다. 언젠가 은수를 향한 이 감정이 지우개처럼 점점 작아지다가 없어져 버리는 날도 올까?

다른 사람들처럼 나도, 은수를 좋아한 게 아프고 후회되는 순간이 올 수도 있는 것일까?

다음 날, 몸이 안 좋다는 핑계를 대며 등교 거부를 시도했다. 하지만 돌아온 건 엄마의 등짝 스매시뿐이었다. 멀쩡하면서 어디 꾀병을 부리냐고. 어제는 하나밖에 없는 딸이라며 애지중지 안아 주더니만. 구시렁거리며 교복을 꺼내 입었다. 등교 거부는 해도 아침밥 거부는 못하는지라 밥 한 그릇을 뚝딱 해치우고 나왔다.

자전거 없이 걸어서 등교한 건 몇 달만이었다. 교문 앞에서 독사가 내 머리를 보더니 인상을 쓰며 회초리를 꺼냈다. 손으로 머리를 감추며 냉큼 줄행랑을 쳤다. 은수가 있었으면 독사가 보기 전에 자전거 페달을 음속으로 밟아 줬을 텐데.

교실 내에선 아침부터 이형욱과 김민경이 시시덕거리며 물을 흐리고 있었다. 막대 사탕을 쪽쪽 빨면서 거들먹거리는 이형욱의 눈길이 힐끔거리며 내 쪽으로 향했다. 신경 쓰지 않는 척하면서 자리에 앉았다.

2분단 맨 앞줄로 온 이형욱은 얌전히 앉아 있던 남자애를 쫓아낸 뒤 책상을 점령했다. 그러고는 결석한 은수의 책상 위에 떡하니 발을 올렸다. 일부러 책상 위에다가 발을 비비기도 하고 다 먹은 막대 사탕을 투척하는 등 온갖 비열한 행태를 부리고 있었다. 그 모습을 죽일 듯 노려보던 내 시선이 이형욱의 바짓단에 멈칫 머물렀다.

– 바지가…….

– 바지?

– 아, 아니에요.

밑단이 점차 좁아지도록 줄여 놓은 회색 체크무늬 교복 바지.

낄낄대던 이형욱은 한쪽 다리를 반대쪽 허벅다리 위에 올리고선 무릎에 김민경을 앉혔다. 그의 발에서 삼선 슬리퍼가 툭 떨어졌다. 형광펜이 칠해진 삼선 슬리퍼를 보던 내 눈동자가 고요히 침몰했다.

필통에서 샤프를 꺼낸 뒤 손안에서 으스러져라 움켜쥐었다.

그때 책상 하나가 우당탕 소리와 함께 넘어갔다. 은수의 책상이었다. 서랍에서 와르르 쏟아진 책과 노트들이 이형욱의 발밑에서 축구공처럼 구르고 짓밟혔다. 김민경은 그걸 보면서 숨이 넘어가도록 웃음을 터뜨렸다.

벌떡 일어나 의자를 거세게 밀어 넣었다. 씨근덕거리는 숨을 가까스로 진정시키는 내 모습에 짝꿍인 박승환은 안경을 치켜세우며 침을 꼴깍 삼켰다. 녀석은 자신에게 불똥이라도 튈까 봐 둥그런 몸을 움츠린 채, 곁눈질로 내 쪽을 흘끔거렸다. 급기야 괜한 일은 벌이지 말라는 어조로 조곤조곤 훈수까지 놓기 시작했다.

"김여울, 나서지 마."

"넌 가만있어."

"어차피 쟤네 종 치면 갈 거잖아."

"그럼 다음 쉬는 시간에 또 오겠지."

"뭐 어쩌려고?"

"쟤네가 은수 책이랑 노트 밟는 거 안 보여?"

박승환은 한숨을 쉬며 마음대로 하라는 듯 의자를 앞으로 끌어당겼다. 나는 곧장 김민경 일당에게로 직진했다. 그리고 이형욱이 손가락으로 빙글빙글 돌리고 있는 은수의 수학책을 냉큼 낚아챘다. 깔깔거리던 웃음소리가 뚝 끊겼다.

"발 치워."

넘어진 은수 책상을 떡하니 밟고 있는 녀석의 발을 싸대기 치듯 밀어냈다. 툭 떨어진 발을 보던 이형욱이 황당하다는 얼굴로 나를 쳐다보았다.

쓰러진 책상을 세워서 바닥에 떨어진 은수의 교과서들을 서랍 속에 차곡차곡 정리해 넣었다. 구겨진 노트는 탈탈 털어서 반듯하게 펼쳤다. 노트 표지에 슬리퍼 발자국이 남은 게 보였다.

"야, 꼬맹이. 여덟 시 반 넘었는데 전학생은 왜 안 오냐?"

"몰라서 물어?"

"몰라서 묻는데?"

실실 웃는 이형욱의 잇몸이 거무스름하게 드러났다. 초등학교 때는 녀석이 웃는 걸 한 번도 못 봤는데 어제 오늘은 참 많이도 보고 있다. 원래 저랬는지는 모르겠지만, 어쨌든 저 까만 잇몸이 소름 끼치게 더럽고 추악해 보였다.

"은수 입원했잖아."

"왜?"

"구급차에 실려 갔어. 아파서 쓰러진 애 나오지도 못하게 누가 밖에서 문을 잠가 놓은 덕분에."

은수가 입원했다는 소식을 처음 들은 반 아이들이 수군거리며 동요하기 시작했다. 이형욱의 표정도 싸늘하게 굳었다.

"아, 몰랐을 수도 있겠네. 내 비명 소리에 놀라서 도망갔을 테니."

날 빤히 보던 이형욱은 김민경을 옆으로 밀어내더니 일어섰다. 녀석은 바닥에 떨어진 슬리퍼를 챙겨 신은 뒤 이쪽으로 걸어왔다.

"왜 쓰러졌는데?"

"왜? 이제 와서 궁금해?"

"뭐라는 거냐, 너……."

난 대답 대신 발길을 돌렸다. 선생님께 먼저 말씀드려야 하나? 아니면 집으로 전화해서 엄마한테 말할까? 어쨌든 일단 교무실로 가야겠다.

"이르러 가냐?"

이형욱이 날 빙그르르 돌려세우며 앞을 가로막았다. 커다란 그림자가 내 온몸을 어둡게 뒤덮었다.

"선생한테 가서 말해도 소용없어."

"소용 있는지 없는지는 두고 보면 알겠지."

길게 심호흡을 한 이형욱의 눈 밑 근육이 불만스럽게 꿈틀댔다. 녀석의 가슴이 부풀었다 꺼지길 반복하며 숨소리가 커지자, 다들 긴장한 듯 주변이 고요해졌다. 심지어 김민경마저 숨을 죽인 채 박새미 곁에 찰싹 달라붙어 있었다.

"쥐방울만한 게……. 옛날부터 진짜 거슬린단 말이야?"

"그래? 난 옛날부터 너 신경도 안 썼는데."

"뭘 믿고 까부냐? 오늘은 전학생도 없는데?"

이형욱이 주먹을 들었다. 나는 피하지 않고 고개를 빳빳이 들었다. 맞아서 코피가 터지는 한이 있더라도 이번에는 끝까지 녀석의 눈을 쳐다볼 생각이었다. 이형욱은 가까스로 화를 참는 듯 주먹을 내리더니 잇새로 김민경을 불렀다.

"민경아."

"응?"

"아까 얘한테 뭘 해 주고 싶다고?"

김민경이 주머니에서 은색 가위를 꺼내더니 피식 웃었다.

"해도 돼?"

"신경 안 쓰신다잖냐, 마음대로 해."

"뭐 하는 짓들이야?"

"걱정하지 마. 그 거지 같은 머리, 내가 예쁘게 정리해 줄 테니까."

김민경의 손안에서 빙글빙글 돌아가던 가위 끝이 내 이마로 향했다.

"어차피 다음 주면 미용실 가서 펴려고 했잖아. 자르면 그럴 필요도 없을걸?"

"네가 그걸 어떻게 알아?"

싸늘한 눈초리로 되묻는 내게 김민경은 흠칫하며 말문이 막힌 표정을 지었다. 잠시 딴청을 부리던 그녀는 이왕 이렇게 된 거 뻔뻔해지기로 했는지 팔짱을 낀 채 한 걸음 다가왔다.

"어제 들었어."

코앞까지 다가온 김민경은 날 죽일 듯 노려보더니 입매를 뒤틀었다. 사나운 눈으로 웃더니 가위를 흉기처럼 손에 잡았다.

"그 동굴 같은 지하실에서 너희 둘이 대화하던 거 다 들었다고. 뭐? 안 사귀어? 웃기고 있네, 애들 다 속이고 몰래 사귀니까 좋냐?"

– 잠겼어.

– 뭐? 그럴 리가……. 그 문 고장 나서 잠기지도 않잖아.

– 밖에 누가 있는 것 같아.

"하은수랑 맨날 그 지하실에서 뭐 한 건데? 얌전한 척하더니 뒤에서 호박씨 제대로 까더라, 너?"

얼굴이 시뻘게진 채 날 노려보는 김민경은 이미 이성을

잃은 기색이었다. 죄책감이나 양심의 가책 따위는 눈을 씻고 찾아도 찾아볼 수가 없었다. 잔뜩 충혈된 눈동자가 그저 분해 죽겠다는 듯 소리쳤다.

어째서 너 따위가! 내가 아닌 너 따위가 감히? 감출 수 없는 질투와 분노가 그녀의 씩씩거리는 잇새로 흘러나왔다. 나는 매서운 눈초리로 김민경을 노려보았다.

"재 머리 잡아."

박새미가 내 머리를 잡자, 김민경이 가위를 들었다.

"이거 놔!"

누군가 뒷문을 드르륵 닫는 소리가 들렸다.

"하지 말라고!"

비명을 지르며 버둥거렸지만 양팔을 뒤에서 포박한 박새미의 손힘에서 벗어나기는 무리였다.

싹둑싹둑 경쾌한 가위질과 함께 머리카락이 잘려 나가기 시작했다. 나는 비명을 지르며 발을 굴렀다.

"자꾸 움직이면 얼굴 베일 텐데."

"들었지? 미용실에선 얌전히 있는 거야."

박새미가 내 종아리를 걷어차며 무릎을 꿇렸다.

"하지 마아아!"

울음 섞인 외침에 깔깔대며 웃는 김민경의 웃음소리가 겹쳐졌다.

교실 내 아이들 모두가 목격하고 있었다. 지금 일어나고 있는 일들을 하나도 빠짐없이 똑똑히. 하지만 전부 고개를 돌려 외면한 채 모르는 척 눈을 감았다. 개중에는 귀에 이어폰을 꽂은 채 조용히 노트를 펼치고 있는 윤아의 모습도 있었다.

고개를 든 윤아의 눈동자가 내 시선과 마주쳤다. 몇 초간 나를 물끄러미 보던 윤아는 아무렇지 않은 표정으로 다시 노트 필기를 하기 시작했다.

윤아야…….

나는 망연자실한 표정으로 바닥을 짚었다. 잘려 나간 머리칼이 눈앞에 계속해서 떨어졌지만 내 눈에는 태연하게 앉아 있는 윤아의 모습만이 보였다. 심지어 윤아는 중간에 이어폰을 고쳐 끼우며 시끄럽다는 듯 인상을 찡그리기도 했다.

믿을 수 없어 멍하니 쳐다보던 내 눈동자에는 기어코 눈물방울이 고였다. 건조한 뺨에 흘러내린 눈물이 목선까지 선을 그으며 내려올 때까지도 나는 윤아에게서 시선을 뗄 수 없었다. 얼른 이쪽을 보며 놀란 눈으로 벌떡 일어나 주길 바라면서……. 그렇게 끝까지 윤아의 얼굴을 쳐다보았지만 책에 고정된 그녀의 차가운 눈초리는 끝내 이쪽을 돌아보지 않았다.

예비 종소리가 울려 퍼졌다.

흩어져 있던 아이들이 일사불란하게 후다닥 움직이기 시작했다. 김민경이 자리에 앉고, 곽다정이 뒷문을 열었다. 이형욱이 복도로 나가고 원래 자리 주인이었던 아이들이 와서 제 자리를 정돈했다. 누군가 빗자루를 가져오더니 바닥에 떨어진 내 머리카락들을 쓰레받기에 쓸어 담기 시작했다.

"야, 선생님 오기 전에 빨리 자리에 앉아."

귓가에 소곤거리는 목소리가 들리자 나는 멍하니 고개를 들었다. 박승환이 못마땅한 어조로 구시렁거리며 의자를 당겨 앉고 있었다.

더듬더듬 뒷목을 어루만지자 새집 지은 것처럼 삐죽빼죽해진 머리가 손에 닿았다. 꼬불거리던 감촉 대신 남자애처럼 짧아진 머리칼이 손으로 빗질하기도 전에 끊겼다.

– 김여울, 내가 머리 묶어 줬잖아. 왜 풀었어?

은수의 이름을 곱씹는 내 입술 위로 눈물이 후드득 떨어졌다.

– 잘 어울리는 거 같아.

– 뭐가?

– 네 얼굴 주근깨랑 양배추 인형 같은 머리가…….

누군가 책장 넘기는 소리가 신경질적으로 공기를 찢었다.

‘김여울이…….’

‘김여울하고 하은수가…….’

‘완전 웃겨…….’

쑥덕거리는 목소리들은 불쾌하다는 듯 ‘쳇’ 하고 마무리를 짓더니 조소를 머금었다. 나는 이미 이들에게 있어 이런 짓을 당해도 마땅한 대상이었다.

– 머리는 어디서 푸들같이 해 와 가지고.

– 다음 주에 다시 펼 거다.

– 그냥 두지?

– 싫어. 누구 좋으라고?

아픈 와중에도 나와 농담을 하며 웃던 은수의 모습이 떠오르자 눈시울이 붉어졌다. 하도 깨물어서 피가 난 입술 사이로 가느다란 울음소리가 터져 나왔다.

“바보, 왜 여기 없는 거야…….”

그런 내 모습에도 교실은 쥐 죽은 듯 조용했다. 벌거숭이처럼 몸을 웅크린 채 이를 악물고 끅끅거리는 소리를 억눌렀다. 가슴이 체한 것처럼 막혔다. 나는 바닥에 엎드려서 슬리퍼가 벗겨진 발등을 꽉 움켜잡았다.

예비 종이 울리고 수업 시작종이 울릴 때까지는 약 10분 남짓. 그사이 내게 다가오는 반 아이들은 단 한 명도 없었다.

고개를 들자 다시 섬뜩한 침묵이 이어졌다. 시험 기간 자습 시간보다도 조용했다. 소름 끼치는 고요함이었다. 탈진 상태로 일어서서 뒤를 돌아보았다. 무표정한 얼굴로 책과 핸드폰만 들여다보는 아이들에게서는 싸늘한 한기가 느껴졌다.

멍한 얼굴로 교실을 한 바퀴 훑은 뒤 복도로 걸어 나왔다. 반대편 복도에서 마침 옆 반 수업이던 담임이 걸어오고 있었다. 안경을 치켜세우며 무슨 일이냐고 묻는 그녀에게 나는 달려가 매달리듯 팔을 붙잡고선 애원했다.

"선생님, 저 조퇴시켜 주세요."

"뭐?"

"집에 좀 보내 주세요."

"갑자기 조퇴라니……. 어디 아프니?"

"네, 너무 아파요. 너무……."

"대체 무슨 일이야, 응? 머리는 또 왜 이렇고? 일단 양호실부터 가자."

“선생님, 흐윽……. 선생님, 제발요……. 저 그냥 집에 보내 주세요, 네? 흐흑, 선생니임…….”

“그래, 알았다. 알았으니까 진정하고…….”

은수가 보고 싶었다.

지금 당장, 날 감싸 줄 은수의 갑옷이 필요했다.

“김여울!”

방문을 열고 들이닥친 엄마가 구름처럼 뭉쳐진 이불을 확 젖혔다. 덕분에 창문을 투과한 햇살이 뺨과 귓불에 빗발치듯 쏟아졌다.

“지금 대체 몇 시인 줄 알아! 정말 안 일어날래?”

“좀만 더 잘래.”

“선생님한테 전화 왔었어. 대체 학교는 언제까지 빠지려고?”

“몰라…….”

베개로 귀를 막았다. 열린 방문 너머로 오늘 아침 메뉴인 김치찌개 냄새가 솔솔 풍겼다. 배에서 꼬르륵 소리가 났지만 굼벵이처럼 엎드린 채 꼼짝도 하지 않았다. 방구석에서 홀로 치기 어린 고집을 부리는 중이었다.

"안 갈 거면 이유라도 말을 해 봐. 그렇게 혼자 끙끙 앓지 말고."

"그런 거 없어."

"담임선생님께서 너 같은 반 애들하고 싸운 거 같다고 하시던데, 내 딸이 고작 애들하고 싸웠다고 등교 거부를 하는 애는 아니거든?"

"선생님이 그래? 내가 애들하고 싸웠다고?"

기가 막힌 얼굴로 고개를 들었다. 앞치마를 한 엄마가 허리춤에 손을 얹은 채 눈을 부라리는 게 보였다. 나 못지않게 화가 난 얼굴이었다.

"너랑 싸웠다는 애들이 선생님 찾아와서 그랬대, 여울이한테 사과하고 싶다고."

"사과?"

"가서 말로만 사과하겠다는 애들한테 쏘아붙이기라도 하고 와야지, 계속 이렇게 이불 뒤집어쓰고 있을래? 그리고 머리는 왜 잘랐어?"

"그냥……. 하은수가 자꾸 양배추 인형 같다고 해서."

엄마는 눈을 흘겼다. 뭔가 더 묻고 싶은데 참는 눈치였다.

"은수 병원은 안 가 볼 거야? 꽃다발까지 사서 가 놓고 왜 그냥 왔어? 얼굴이라도 보고 오든가 하지."

"케르베로스가 문 앞을 아주 단단히 지키고 있어."

"케르베로스? 그게 뭐야?"

"지옥 문지기."

머리가 셋이 아니라 꼬리가 셋인 케르베로스다. 솔직히 지금 더 화가 나는 건 이쪽이었다. 나는 책상 위에 올려 둔 꽃다발을 흘끔 쳐다보다가 애꿎은 이불을 발로 뻥 차 버렸다. 이래도 분이 풀리지 않았다.

"그럼 은수도 모르는 거야? 학교에서 무슨 일 있었는지?"

"몰라."

미간을 구기던 엄마는 이내 안쓰러운 표정을 지었다. 그러더니 침대로 다가와 내 머리를 다정히 어루만졌다. 아무 이야기도 안 해 줬는데 이미 다 알고 있다는 듯한 미소. 이래서 엄마인가 보다, 우리 엄마.

"은수라도 옆에 있어야 든든한데."

"이게 다 하은수 때문인데, 무슨."

"그럼 은수한테 가서 다 패 주라고 해야겠다."

나는 힘없이 웃으며 엄마의 무릎 위에 누웠다. 손가락을 만지작거리며 생각에 잠겼다. 그러나 곧 복잡한 심정에 다시 풀 죽은 채 시선이 아래로 향했다.

"그래도 학교는 가야지. 엄마랑 같이 갈래? 가서 일단 담임 선생님하고 이야기는 해 보자. 걱정 많이 하시더라."

"가서 얘기하면? 걔네 학교 못 나오게 해 준대? 다른 학교로 전학시켜 버린대? 퇴학시킨대?"

그날, 교실에서 도망치듯 나오자마자 등 뒤에서 들려오던 건 비웃음 섞인 조롱이었다. 조퇴를 허락받고 가방을 챙긴 뒤 교문을 나섰다. 교문 앞에서 뒤를 돌아보자 5층에 위치한 교실 창문 곁에 서 있는 몇몇 여자애들의 모습이 보였다. 또렷하게 구별할 수는 없었지만 그중 김민경이 껴 있다는 건 알 수 있었다. 그 계집애 특유의 깔깔거리며 웃는 목소리가 환청으로 들려올 정도였으니.

그 순간, 전에 없던 살기가 치밀어 올랐다. 저 계집애만 안 볼 수 있다면 뭐든 할 수 있을 것 같았다. 턱에 힘을 꾹 준 채 얼른 횡단보도를 건넜다. 학교에서 도망치던 발걸음, 그 걸음걸이가 그날 하루 중 제일 비참했다.

파마를 한 지 3일 만에 미용실을 또 찾아갔다. 나를 본 미용실 아줌마는 놀란 듯 커피 잔을 내려놓더니 의자를 당기며 앉으라고 손짓했다. 그녀는 벽에 걸린 시계부터 확인했다. 학교에 있어야 할 시간에 여긴 어쩐 일이냐는 표정이었다.

"조퇴했어요. 머리 자르려고."

내 말에 아줌마는 가위를 내려놓고 내 머리를 여기저기

헤집어 보았다. 상처를 살피듯 조심스러운 손길이었다.

"어쩌다가 이렇게 됐어?"

"그냥요, 애들하고 장난치다가요."

말없이 거울 속의 나를 쳐다보던 그녀는 내 정수리를 어루만지더니 피식 웃었다. 이왕 이렇게 된 거 최신 유행하는 스타일로 잘라 주겠다며 어깨를 들썩였다. 나는 불안했지만 양배추 머리보다 못할 게 뭐가 있겠냐는 생각에 눈을 감았다.

약 삼십 분 뒤, 쥐 파먹었던 머리는 단정한 숏커트가 되어 있었다. 옆 가르마를 탄 앞머리에 동그스름한 커트가 의외로 갸름한 얼굴선에 잘 어울렸다.

이 아줌마, 머리 못 자르는 게 아니었네?

흐뭇한 표정을 지은 그녀는 돈은 됐다며 손사래를 쳤다. 오히려 가다가 과자라도 사 먹으라면서 천 원짜리 한 장을 손에 쥐여 주었다. 괜히 미안해졌다. 이미 온 동네방네 여기 미용실 머리 진짜 못 자른다고 소문은 다 내놨는데. 죄책감에 꼭 머리하러 다시 오겠다며 새끼손가락을 걸고 약속하며 도장까지 찍고 나왔다.

「이번에 정차하실 곳은 광명 성애 병원 앞입니다.」

버스에서 내리자 왠지 손이 허전한 걸 느꼈다. 다행히 정류장 근처에 조그마한 꽃집이 하나 있었다. 꽃 같은 걸 사다가 준다고 좋아할 녀석 같지는 않지만 빈손으로 가는 것보다는 낫겠지.

병동 엘리베이터에서 내리자마자 간호사들이 분주하게 데스크와 복도를 오가는 게 보였다. 몇몇 환자들은 링거 꽂은 손으로 수액걸이를 끌고 나와 천천히 복도를 거닐고 있었다. 하얀 벽을 따라 걸으며 병실 호수를 눈으로 확인했다.

610호, 611호…… 612호, 여기다.

6인실인 병동 호수에는 다른 환자들 이름과 함께 〈하은수〉라는 이름이 검은색 네임펜으로 적혀 있었다. 기분이 이상했다. 엄마가 분명 맹장염은 수술만 잘하면 아무 일도 없는 거라고 했는데 병실에 적혀 있는 은수의 이름을 보자 가슴 한구석이 시큰거렸다.

살짝 열린 문틈으로 고개를 빼꼼 내밀었다. 고스톱 치는 할머니 한 분, 옆으로 누워 있는 아저씨 한 명, 침대 위에서 안짱다리를 하고 포도 주스를 마시는 아줌마, 그 옆에 성경책을 펴 놓고 중얼거리는 다른 아줌마. 그 사이를 두더지처럼 두리번거리며 열심히 은수의 모습을 찾았다.

"은수는 해바라기 싫어하는데."

불쑥 들려온 목소리에 화들짝 놀라 문을 쾅 닫고 돌아섰다. 하마터면 꽃다발까지 떨어뜨릴 뻔했다. 나는 비딱한 시선을 위아래로 던졌다. 베이지색 니트 조끼가 제일 먼저 눈에 띄었다. 감색 체크무늬 치마에 반질반질한 학생 구두, 학교 마크가 새겨진 갈색 반양말.

옷차림을 다 확인한 뒤에도 고개를 들지 않았다. 얼굴까지 굳이 볼 필요도 없었다. 목소리만 들어도 누군지 알 것 같았으니까.

그녀는 내 얼굴을 보자마자 얇은 입술에 완벽한 호선을 그렸다. 쏙 들어가는 입 보조개가 매력적이고 예쁜 미소였다. 그러고 보니 이 언니가 웃는 모습은 처음 보는 듯했다.

"우리 언니가 아저씨 책상 위에는 늘 해바라기를 담은 꽃병을 올려놨었거든."

어색한 침묵이 내려앉았다. 나는 품에 안은 꽃다발을 움켜쥐었다. 포장 비닐이 바스락거리는 소리가 정적을 갈랐다. 아무 말 않고 서 있는 내 모습을 내려다보던 언니는 다시 입을 열었다.

"은수 지금 진통제 맞고 자. 밤새 아파서 잠을 설친 모양이야."

밤새? 밤새 곁에서 돌봤다는 소리인가? 아니, 아줌마는 대체 어디 가시고…….

"아줌마는 피아노 학원 나가셨어. 그래서 내가 지금 대신 병실을 지키고 있는 거고."

"언니는 학교 안 가세요?"

"빠졌지. 너도 지금 조퇴하고 오는 길이잖아. 교복 차림인 걸 보니 개교기념일은 아닌 것 같고."

지금 보니 이 언니 아주 고단수다. 은수와 있을 때는 한 떨기의 꽃처럼 가련하게 눈물만 뚝뚝 흘리더니, 나와 대화할 때는 이단 옆차기를 날리는 흑조 못지않게 날카롭다. 겉만 하얗고 속에 숨겨 둔 깃털은 완전 시커먼 가짜 백조. 물론 이건 내 사심이 가득 반영된 지극히 개인적인 평에 불과하지만.

"은수한테 다시 사귀자고 했어."

"네?"

잘못 들었나 싶어서 표정 관리를 못한 채 되물었다. 사귀자고 했다고? 아니 멀쩡한 애 뻥 차 버릴 때는 언제고 이제 와서 다시 사귀자는 건 무슨 심보냐? 불안하게 뛰는 심장 소리가 튀어 나갈 듯 커진 동공을 통해 울려 퍼졌다.

"역시 알고 있었구나? 은수가 말해 줬니?"

"뭘요?"

"나에 대해서."

"그거라면 제가 먼저 물어봤는데요."

그녀가 예상치 못했다는 눈빛을 짓더니 풋 웃음을 터뜨렸다. 어른처럼 여유롭게 팔짱을 끼고 귀엽다는 듯 내려다보면서. 내가 자신에 대해 물어봤다는 게 그렇게 기분 좋은 일인가? 아니면 내가 먼저 물어볼 만큼 은수가 자기 얘기를 많이 했다고 생각하는 건가? 집어치우자. 안 보이는 상대방 머릿속 따위 짐작해 봤자 짜증만 난다.

"그래서요? 은수는 뭐라고 했는데요?"

"생각해 보겠대."

하은수, 이 물러 터진 자식. 생각해 보긴 뭘 생각해 봐, 차여 놓고 자존심도 없냐? 꽃이 아니라 야구 방망이를 사 올 걸 그랬다. 흠씬 두들겨 패 줘야 정신을 차리지. 아니다, 좀 이따 매점 가서 생수라도 사 와야겠다. 정신 차리라고 녀석 얼굴에 찬물이라도 끼얹어야 속이 풀릴 것 같다.

언니는 예상했다는 표정으로 나를 향해 눈을 흘겼다.

"오해하는 거 같은데……. 나랑 은수, 서로 싫어서 헤어진 거 아니야."

"네."

"언니 일을 알게 되고도 은수 얼굴을 계속 볼 만큼 강심장은 아니었거든. 은수가 사실을 알게 될까 봐 무서웠어. 은수가 받을 상처도, 이후에 혹시 날 미워하게 되진 않을지 겁도 났고……."

"언니네 언니 일이 뭔데요?"

"우리 언니랑 은수네 아저씨."

그녀는 검지로 아랫입술을 매만지며 어두운 표정을 지었다. 손톱을 깨물며 고민하던 눈초리가 조용히 뒷말을 덧붙였다.

"그래서 이혼했어, 은수네 집."

나는 품에 안은 꽃다발을 모아 안으며 움켜쥐었다. 시선을 어디다 둬야 할지 난감했다. 모르는 게 약인 걸 알게 되면 어떻게 해야 하지? 계속 모르는 척해야 하나? 억지로 주입한 약장수를 패야 하나?

"아줌마 얼굴 보기도 너무 죄송했고, 그래서 그만 만나자고 했었는데……. 은수는 이미 다 알고 있었어. 알면서 계속 나랑 만난 거였나 봐. 나이도 어리면서 애어른 행세를 한다니까."

"……."

"은수랑 나 십 년 알았어. 은수가 처음 피아노 교습받을 때 같이 시작한 것도 나였고, 은수가 아저씨한테 혼날 때마다 피아노 밑에 숨으면 그걸 찾아온 것도 나였어. 나랑 은수, 같은 동네에 살면서 남매처럼 자랐어. 은수가 없는 삶, 난 그런 거 생각해 본 적 한 번도 없었어. 그건 은수도 마찬가지일 거야."

"그래서요? 이걸 저한테 얘기하는 이유가 뭔데요?"

"어젯밤 아줌마한테 무릎 꿇고 애원했어. 은수 만나게

해 달라고."

그렇게 말하며 그녀가 나를 지그시 바라보았다. 아, 이제 알았다. 지금 이 언니는 내게 선전포고를 하고 있는 것이다. 나는 인상을 쓰며 언니한테 꽃다발을 턱 넘겼다.

"은수한테 전해 주세요."

"왜? 직접 전해 주지 않고?"

내가 미쳤냐? 적진에서 싸우게. 여기서는 일보 후퇴다.

"그냥 가면 안 전해 줄 건데?"

"네, 그럼 저는 은수한테 언니가 안 전해 줬다고 전할게요."

"전에도 느꼈는데 꽤 성질 있구나, 너."

그녀는 또렷한 이목구비의 예쁜 얼굴로 흐릿하게 웃었다. 사람의 가슴을 찌르르하게 사로잡는 은수와 달리, 보는 것만으로도 가슴이 불안해진다. 그런 감정을 담고 웃기 때문인 것일까? 생각해 보면 저 언니 쪽도 내가 좋을 이유는 하나도 없었다.

김민경이 내 머리를 이렇게 만들어 놓은 지금, 나는 그 계집애 머리채를 다 뽑아 놓는 걸로는 모자랄 만큼 증오심이 커진 상태였다. 그럼에도 정말 놀라운 것은 여전히 김민경보다 저 언니가 더 싫다는 것이었다. 성큼 다가가 그녀에게 넘겼던 꽃다발을 다시 낚아채 왔다.

"안녕히 계세요."

어딜 가도 인사는 잘하고 다니라고 배웠다. 문을 열 때도 닫을 때도 허리 숙여 공손하게 끝을 맺고 오라고. 홱 돌아서서 곁눈질로 그녀를 슥 째려보고는 엘리베이터를 향해 걸었다.

그렇게 케르베로스에게 한 방 먹은 채로 돌아왔다.

집에 도착하자, 미싱 앞에 앉아서 퀼팅을 하던 엄마는 내 머리 꼴을 보더니 뭔가 직감한 표정으로 일어섰다. 희한하게도 집에 오니 코끝이 찡했다. 가방과 꽃다발을 집어 던지고는 엄마 품에 안기자마자 와앙 하고 울음을 터뜨렸다.

이후 토요일까지 방에 처박힌 채 아무 데도 나가지 않았다.

집 전화벨이 울릴 때마다 듣기 싫어서 귀를 막고 억지로 눈을 감았다. 학교에 관련된 일은 아무것도 알고 싶지 않았다. 이번에는 경찰 아저씨도 오지 않았다. 나는 핸드폰을 꺼 둔 채 3일간 내리 잠만 잤다.

그리하여 월요일인 오늘 아침, 인내심에 한계가 온 엄마는 결국 방문을 열어젖히고 나와 이런 대화를 나누고 있었다. 4일이면 꽤 오래가기는 했다. 나도, 우리 엄마도.

"은수 오늘 퇴원했다더라."

수그렸던 몸을 벌떡 젖혔다. 진짜냐고 묻는 내 눈동자에 엄마는 무릎베개를 해 주던 자세 그대로 장난스럽게 웃었다.

"얼씨구, 엄마 말에는 백날 시큰둥하더니 은수 퇴원했다니까 눈 말똥말똥해진 거 봐라."

"그걸 왜 이제 얘기해? 언제? 몇 시에 퇴원했대?"

침대에서 데굴데굴 굴러 내려온 나는 옷장 안을 들여다보느라 방문이 삐걱 열리는 것도 눈치채지 못했다.

"재가 너 몇 시에 퇴원했냐고 묻는다."

"아침 일찍이요. 여울이 깨느라 기다린 것만 두 시간째니까요."

엄마는 방에 들어온 누군가와 대화를 나누더니 혀를 차며 거실로 퇴장했다. 단정한 말투에 허스키한 중저음. 나는 돌아서서 방문 앞을 쳐다보았다.

"하은수?"

하얀색 티셔츠에 청바지를 입은 은수가 책상 앞에 서서 액자를 바라보고 있었다. 3월에 윤아와 소영이랑 같이 찍은 사진이었다. 녀석은 책상 위에 올려져 있는 꽃다발을 보며 물었다.

"병원 왔었다며. 왜 그냥 갔어?"

"그게……."

"케르베로스 어쩌고 하던데 무슨 소리야?"

"뭐야, 엿들었어?"

"엿들은 게 아니고 들렸어."

"네가 밤새 아프다고 울다가 진통제 맞고 간신히 잠들었다고 해서 그냥 왔어."

"누가 밤새 울었다고?"

은수가 눈초리를 얇게 구기며 되물었다. 빤히 응시하는 눈동자가 평소보다 더 새까맣고 예뻤다. 고작 며칠 새 살이 쏙 빠졌는지 얼굴 음영이 더 또렷해진 느낌이었다.

은수의 시선을 회피하던 나는 문득 내 몰골을 깨달았다. 민소매에 분홍색 레이스 잠옷. 우리 엄마는 어떻게 딸이 이런 꼴인데 방 안에 남자애를 들여보낼 수 있는 거지?

"머리 편다면서 잘랐어?"

"어?"

옷장에서 허둥지둥 박스 티셔츠를 꺼내다가 혼이 쏙 빠진 얼굴로 되물었다.

"머리 왜 잘랐냐고."

"아, 그냥. 파마가 너무 세게 돼서 다시 못 편대."

이번에도 못마땅한 눈빛이었다. 쟤가 대체 왜 저러지? 애꿎은 해바라기 꽃잎 하나가 은수의 손에 의해 똑 떨어졌다. 이쪽으로 천천히 걸어오는 은수를 보며 슬그머니 몸을 뒤로 젖혔다. 뭔가를 캐묻는 듯한 은수의 눈초리를 슥 외면하며 괜한 말을 던졌다.

"벌써 퇴원해도 되는 거야?"

"원래는 내일 퇴원이야."

"근데 왜 오늘 했어?"

"그럴 일이 좀 있었어."

"그럴 일?"

순간 병원 복도에서 마주쳤던 언니의 얼굴이 떠올랐다.

— 은수한테 다시 사귀자고 했어.

은수는 어떻게 할 생각일까? 혹시 이미 대답했나? 그래서 퇴원한 건가? 학교에 간 그 언니가 보고 싶어서? 그냥 3일 내내 병원이나 놀러 갈 걸. 후회가 밀려왔다. 김여울, 바보. 그 여우 같은 언니가 은수 입원하는 동안 무슨 짓을 할 줄 알고 둘만 있게 놔둔 거냐.

"넌 괜찮아?"

"응?"

"너도 병원에 실려 왔었다며."

은수의 손이 허공을 가르고 이마에 살짝 닿았다가 멀어졌다. 걱정하는 눈빛인 거 같긴 한데 묘했다. 뭔가 할 말이 있는 듯한 표정이었다.

"학교는 왜 빠졌어? 그렇게 아팠어?"

"넌 입원해 있었다는 애가 무슨 소식이 그렇게 빠삭해?"

"네 소식은 누워 있어도 다 들리더라."

은수는 아까 보던 책상 위의 사진 액자를 들더니 다시 가만히 응시했다.

"김여울."

"응?"

"이윤아랑 박소영 중 누구랑 더 친해?"

"글쎄, 윤아랑 조금 더 친한가……."

말끝이 흐려졌다. 고개를 외면한 채 필기를 하던 윤아의 모습이 뇌리를 스쳤다. 생각에 잠기는 사이 은수는 방문을 연 채로 말했다.

"꽃 가져간다."

"어? 그거……."

"나 주려고 산 거 아니야?"

"맞긴 맞는데, 해바라기잖아."

은수는 날 보며 '그래서 뭐?' 이런 표정을 지었다. 풀죽은 해바라기를 요리조리 쳐다보던 그가 픽 웃으며 말했다.

"막 자고 일어난 김여울 닮았어."

"뭐가?"

"해바라기가, 꽃잎이 삐죽빼죽한 게……."

저게 미쳤나? 바닥에 떨어진 베개를 들고 던질 자세를 취하자 은수는 웃음을 터뜨렸다. 그러더니 배를 잡고 으윽, 하고 허리를 굽혔다.

"하은수? 왜 그래? 괜찮아?"

놀라서 넘어질 듯 달려온 나는 은수의 어깨를 잡고 안색부터 살폈다. 인상을 쓰는 은수의 입꼬리에는 여전히 웃음기가 남아 있었다.

"웃으니까 배 아파."

"멍청아, 그러니까 누가 그렇게 웃으래!"

나는 손등으로 눈두덩을 슥 닦고선 돌아섰다. 미세하게 떠는 손을 은수가 말없이 바라보는 게 느껴졌다. 장난기가 사라진 얼굴로 아까처럼 뭔가 할 말이 있는 눈빛을 하다가 뭔가를 발견하고선 흥미롭다는 듯 말했다.

"근데……. 여자애들은 보통 잘 때 이런 거 입어?"

뒷목에 파고든 손가락이 잠옷을 튕기듯 잡아당기며 물었다. 신기한지 옷깃의 레이스를 관찰하던 은수는 아예 옷자락 뒷덜미를 쭉 잡아당겼다. 그 바람에 잠옷 원피스가 허벅지까지 말려 올라가자 나는 허둥지둥 옷을 끌어내렸다. 뒤를 돌자 얄궂게 휜 눈매가 웃음을 참고 있었다.

"이 변태 자식이……. 나가! 당장 나가라고!"

"산책 가자. 의사 선생님이 나 산책 많이 하랬어."

이런 내 반응에 익숙해진 은수는 태연하게 어깨동무를 하며 말했다. 쿡쿡 웃는 은수의 입술이 귓바퀴에 닿을 듯 가까웠다. 너는 모르지, 그 감촉 하나만으로 나는 또 이렇게 무장 해제되듯 고개를 끄덕이고 만다는 것을.

낙엽을 밟는 소리가 들려왔다. 평소보다 조금 느린 발걸음, 바닥을 질질 끄는 듯한 소리. 검은색 티셔츠에 면바지를 입고 나온 나는 집 밖에 나오고 나서야 후회했다. 치마 입을 걸, 은수는 하늘하늘한 스타일을 좋아할 텐데.

폐쇄된 분리수거함 옆을 지나던 우리는 잠시 걸음을 멈췄다. 아지트 문이 쇠사슬로 칭칭 감긴 채 자물쇠까지 잠겨 굳게 닫혀 있었다.

안타까운 눈빛이 주머니를 푹 찌른 손 아래로 떨어졌다. 마음 한구석을 강탈당한 기분이었다. 나는 짧아진 머리칼 탓에 훤히 드러난 목덜미를 만지작거리며 인상을 썼다.

"걱정 마. 경비 아저씨한테 다시 열어 달라고 할 거니까."

은수가 날 바라보며 이마를 톡 때렸다. 그 말에 신기하게도 울컥거리던 가슴이 녹아내리듯 풀렸다.

"안 해 주실 거 같아."

"그럼 다른 곳에 새로 만들면 되지, 아지트."

"난 저기가 좋아. 저기에 있잖아, 우리 피아노."

물론 내가 밟고 올라가서 다 망가졌을 테지만. 그래도 이제 저곳이 아니면 싫었다. 은수와 처음으로 젓가락 행진곡을 쳤던 저 장소가 아니면.

아파트 입구를 지나가자 모자를 비스듬히 쓴 경비 아저씨께서 계단을 비질하며 내려오시는 게 보였다.

"어이쿠! 은수 학생, 벌써 학교 다녀온 거냐?"

"아, 안녕하세요, 아저씨?"

805동 경비 아저씨는 우리 아파트 경비 아저씨와 사이가 돈독하신데, 두 분 다 은수를 참 예뻐했다. 물론 은수가 평소 뇌물로 갖다 바친 박카스와 쌍화탕이 한몫했다는 사실을 부정할 수 없다.

경비 아저씨는 퇴원한 날부터 학교 가느라 고생했다며 요구르트를 하나 꺼냈다. 요구르트는 좋아하지도 않는 은수가 넙죽 "잘 먹겠습니다!" 하고 꾸벅 인사를 하는 모습에 웃음이 새어 나왔다. 팔꿈치로 건드리기만 해도 아프다고 난리 치는 놈이 90도 폴더 인사는 예쁘게도 잘만 한다.

"학교 갔었어?"

"응."

"아직 몸도 안 좋다면서 학교는 왜 갔어?"

"그럴 일이 좀 있었어."

발걸음이 멈칫 정지했다.

은수가 빨대를 꽂아 준 요구르트는 순식간에 쪽 빨아 먹힌 채 바닥에 떨어졌다. 녀석이 날 이상하다는 듯 쳐다보며 바닥에 떨어진 요구르트 병을 주웠다. 나는 하얀 보도

블록 위에 파란색 스니커즈를 신은 은수의 발뒤꿈치를 물끄러미 응시했다.

"담임한테 갔다 왔어?"

"……."

"가서 뭐라고 했는데?"

"그냥……. 별말 안 했어."

"정말로?"

"왜? 내가 애들 다 패고 왔을까 봐?"

말문이 막힌 표정을 짓자 은수는 입매를 비스듬히 올려 웃었다.

아무것도 말하지 않고, 아무것도 보여 주지 않았는데, 너는 왜 다 아는 것처럼 행동하는 걸까? 눈물이 순식간에 고였다. 발등 위로 후드득 떨어지는 물방울에 목이 멘 얼굴을 푹 숙이고 있는 내 모습이 비쳤다.

"왜 울어, 바보같이."

팔등에 이마를 묻고 주저앉는 내게 은수는 나란히 쪼그려 앉으며 속삭였다. 고개를 든 나는 울먹이던 눈을 흐리게 깜빡였다. 줄곧 뭔가 할 말이 있는 것처럼 쳐다보던 은수의 눈동자에 담긴 말을 그제야 알아챘다.

미안해.

빨갛게 충혈된 은수의 눈동자가 나를 보며 그렇게 말하

고 있었다.

눈물을 쏟으며 엉엉 울었다. 은수의 손이 조심스럽게 귀 뒤로 넘긴 내 머리카락 끝을 어루만졌다.

"울지 마, 김여울……."

말끝을 흐리는 은수의 목소리도 목이 멘 듯 잠겼다. 바보, 바보 하며 울지 말라는 녀석의 눈시울이 나만큼이나 붉게 물들어 있었다.

머리를 묶어 주던 날과 변함없이 다정한 손길. 그때도 지금도 내 머리를 만져서 화가 나지 않는 사람은 은수뿐이었다. 나를 헐벗은 병사로 만드는 것도 은수뿐이다. 내 유일한 갑옷, 나는 이 안에서만 나약하게 울 수 있었다.

몇 분 뒤 우리는 둘 다 실핏줄이 비치는 토끼 눈이 된 꼴로 일어섰다. 서로를 쳐다보자마자 풋 하고 웃음이 터졌다. 더 민망해한 쪽은 은수였다. 얼굴을 홱 돌린 채 귀까지 빨개진 은수의 모습이 가슴을 간질였다.

남자애한테 사랑스럽다는 생각이 드는 게 과연 정상일까? 은수를 꼭 안아 주고 싶었다. 심지어 저 뺨에 입을 맞추고 지금 이 기분을 말과 몸짓으로 가득 표현하고 싶었다.

어색했던 분위기도 말랑말랑해지고, 뜨끈했던 눈두덩도 정상적인 온도로 돌아올 무렵, 나는 화단에 심어진 어린 묘목들을 바라보며 조용히 입을 열었다.

"하은수, 해바라기 좋아해?"

"그냥……. 싫지는 않은데."

"피아노는?"

"싫지는 않지."

"축구는?"

"그것도 싫지는 않아."

나는 이마를 만지며 웃었다. "넌 싫지 않은 게 좋은 거니?" 그렇게 묻자 은수는 의외의 대답을 내놓았다.

"환장할 만큼 좋지는 않으니까."

그렇게 피아노를 오래 쳤으면서, 점심시간마다 축구하러 뛰어나갔으면서 환장할 만큼 좋지는 않다고?

"아, 건담처럼?"

"나 건담 별로 안 좋아하는데."

"뭐, 진짜? 근데 그때는 왜 그랬어?"

은수는 무슨 말이냐는 눈빛을 지었다. 나는 기가 막혀서 죽일 듯 눈을 흘겼다. '파란색 건담, 잊었냐?' 내 입 모양에 은수의 눈이 당황한 듯 커졌다. 저거 그때 뻥친 거네. 별로 갖고 싶지도 않으면서 간 본 게 틀림없다.

"취나물은?"

"그건 싫어."

"반찬에 대한 너의 취향은 정말 한결같다."

“태어날 때부터 싫었어.”

“태어날 때부터 좋은 건 있어?”

문득 궁금해졌다. 은수는 살면서 뭔가를 절실하게 원하거나 바랐던 적이 있긴 할까? 뭐든지 두루두루 잘하고, 두루두루 잘 지내는 은수. 늘 주변 사람들로부터 사랑받고 인기 많은 은수가 누군가에게 애정을 갈구하거나 매달려 본 경험이 있을지 궁금했다.

잠시 생각하던 은수는 조금 허무한 기색으로 말했다.

“없나 봐.”

“없을 수도 있지, 뭐.”

“넌 많잖아.”

“뭐가 많아?”

“김여울은 태어날 때부터 저 구름도 좋아했다고 말할 녀석이라서.”

보조개를 옮게 패며 웃는 은수의 옆모습에서 바람이 묻어온다. 나도 덩달아 웃었다. 은수는 그런 나를 가만히 미소 짓고 바라보았다.

늦여름과 초가을 사이, 아직 식지 않은 계절의 열기가 뺨에 느껴졌다. 구름이 바람을 끌어당기듯 태양을 가린 채 하늘을 뒤덮었다. 그 틈에 목소리를 실었다.

“하은수, 그럼 나는?”

은수가 멈칫하며 내 얼굴을 쳐다보았다. 가늘게 웃던 눈초리가 뚫어져라 이쪽을 향하며 일렁였다.

"넌 취향의 문제가 아니잖아."

"그럼 뭐의 문제인데?"

"너처럼 다이나믹한 애를 어떻게 딱 좋다, 싫다로 나누냐?"

"왜 못 나눠?"

"자전거 태워 주는 김여울은 좋은데, 피아노 치는 김여울은 바보 같고, 반찬 먹어 주는 김여울은 좋은데, 신발주머니 날리는 김여울은 무섭거든."

장난스럽게 대답한 은수가 앞장서서 걷기 시작했다. 내가 어련히 따라올 줄 알고 먼저 발을 움직인다. 몇 걸음 걷던 그가 뒤를 돌아보더니 의아한 표정을 지었다. '왜 안 와?' 그런 표정이었다.

홀연히 서 있는 나를 보던 은수가 다시 되돌아오기 시작했다. 뭐 하냐는 눈빛으로 인상을 쓰면서. 나는 아까부터 망설이던 입술을 간신히 떼었다.

"나 너한테 할 말 있어."

"뭔데?"

심장이 달음박질치고 있었다. 백 미터 달리기 시합을 할 때보다도 호흡이 더 가쁘게 뛴다.

아무 말도 못하고 서 있는 내게 은수는 싱겁다는 표정을 지었다. 할 말 없으면 얼른 오라는 눈짓을 보내며 다시 걷는다. 멀어지는 은수의 등이 아른거리며 묽어졌다. 눈시울이 열어지는 탓이었다.

지금 못 하면 내일도 못 할 게 뻔했다. 모레도 못 할 거고, 그 다음 날도 못 한다. 케르베로스 언니는 이미 먼저 말해 버렸어. 오늘이 아니면 나는 영원히 기회조차 없을지도 모른다.

"하은수……."

앞서가던 발이 다시 뒤를 돌았다. 엄청 작게 말했는데 용케 들은 모양이었다. 나를 물끄러미 바라보는 은수의 눈동자를 보자 가슴이 다시 뭉클하고 아파 왔다. 태어나서 난생처음으로 가지게 된 이 감정이 너무나 소중하고 특별한데, 그만큼 견디기 힘든 이 마음을 어떻게 표현해야 할지 모르겠다.

"말해."

엷은 미소를 지으며 말했다. 서너 걸음 떨어진 곳에서 날 가만히 바라보며 기다려 주는 은수의 모습에 가슴이 답답하다가 용솟음하듯 뛰었다. 매번 널 볼 때면 심장을 쓸어내리며 조마조마한 기분으로 입술에 몰래 담고 있던 말.

"아니야……. 아무것도."

"뭐야."

픽 웃으며 돌아서는 은수의 뒷모습이 가슴을 옥죄였다. 움켜쥔 손으로 허벅지를 비비며 입술을 깨물었다.

빨갛게 충혈된 눈으로 날 보며 미안하다고 속삭이던 은수의 모습이 자꾸 가슴을 짓누르며 떠올랐다. 오늘 아침 학교에 가면서 은수는 무슨 생각을 했을까? 은수는 왜 내가 일어날 때까지 두 시간이나 기다렸을까? 엄마랑은 무슨 대화를 했을까? 날 향한 그 작은 행동들에 어떤 특별한 의미라도 있는 걸까? 조금은 기대를 해 봐도 되는 걸까?

어느 날부터인가 매일 밤 자기 전 야광별을 붙인 천장을 보며 똑같은 상상을 하기 시작했다. 어쩌면 은수와 이어질지도 모를 두근거리는 미래를 상상하며 오르막인지 내리막인지 알 수 없는 롤러코스터를 타고 잠에 든다. 꿈속에서 은수는 내 남자 친구이기도 하고, 나 아닌 다른 누군가와 멀리 가 버리기도 한다. 짓궂은 장난을 치다가 달콤한 말을 해 주기도 하고, 낯부끄러운 행동을 서슴없이 해 줄 때도 있다. 창피하지만 나는 은수가 해 주는 그런 낯부끄러운 짓들이 좋았다.

정말 너무너무 좋아서……. 슬퍼지는 순간이 올 만큼.

그러니까 지금 해야 하지 않을까?

지금 아니면 못 말할지도 몰라.

지금 아니면 내일도.

지금 아니면.

심호흡을 하며 참았던 숨을 크게 내뱉었다. 허공을 향한 내 눈꺼풀이 바르르 떨고 있었다.

"하은수, 좋아해! 나랑 사귈래?"

과호흡 증상처럼 빨개진 얼굴로 눈을 질끈 감았다. 수영장에서 잠수 기록을 재던 순간보다 숨이 더 가쁘게 차올랐다. 성적표가 나오는 날도 이렇게 긴장될 수는 없었다. 속으로 천천히 3초를 센 뒤 숨을 크게 들이마셨다. 그러고는 감았던 두 눈 중 한쪽 눈만 슬그머니 열어 보았다.

은수가 나를 멍하니 쳐다보고 있었다.

7. 안녕, 나의 쇼팽

7. 안녕, 나의 쇼팽

중학교 3학년, 막 봉긋해지던 내 가슴은 옆집 남자애만 보면 시도 때도 없이 콩닥거리며 뛰었다.

은수는 번데기에서 나온 내가 날개를 처음 펼치던 순간 접한 향기였다. 저항할 수 없는 달콤함 속에 푹 빠졌던 첫사랑. 가장 순수했던 시절에 나의 가장 투명한 심장을 꺼내 간 열여섯 소년.

달려오는 기차의 경적 소리에 귀가 먹먹해졌던 게 생각났다. 지금이 딱 그랬다. 시간이 멈춘 듯 모든 게 정지한 느낌이었다. 소년의 눈동자는 동요하듯 잘게 흔들렸다. 생각지도 못했다는 듯 당황한 기색으로 물든 채 나를 쳐다보면서.

나는 기도하듯 양손을 모은 채 운동화 속 발끝을 오므렸다.

제발.

제발요, 하나님.

"미안."

짧은 한마디가 고막을 송곳처럼 찌르며 파고들었다. 잘못 들은 것일까? 아니, 내 머릿속은 제대로 들었다고 속삭였다.

"뭐가?"

"안 될 것 같아."

말끝을 흐린 은수가 시선을 회피하듯 땅을 쳐다보았다. 미간을 구긴 그의 표정이 괴로워 보였다.

"내가 싫어?"

"싫은 게 아니라……."

너무 긴장한 나머지 쏘아붙이듯 말이 튀어나왔다.

"그럼 왜?"

"……."

"아까 그랬잖아. 자전거 태워 주는 김여울은 좋다고, 반찬 먹어 주는 김여울은 좋다고."

"내 말뜻은 그게 아니고."

은수가 말문이 막힌 듯 날 쳐다보았다. 저 표정을 보지 말았어야 했다. 말을 잇지 못하는 은수의 모습에 가슴이 멍든 것처럼 욱신거렸다.

"친구로서…… 좋다고?"

은수는 정곡을 찔린 듯 아무 말도 하지 못했다. 주먹을 꽉 쥔 손이 후회와 수치심으로 덜덜 떨렸다. 고백하지 말 걸 그랬다. 오늘도, 내일도, 앞으로도 나는 영원히 고백을 하지 말았어야 했다.

"나는……."

내 목소리에 은수가 죄지은 사람처럼 내 시선을 회피했다. 그게 더 싫었다.

"나는 그냥 하은수 너랑……."

너만 있으면 된다고 생각했어. 그럼 괜찮을 거라고.

김민경과 박새미가 괴롭힐 때도, 이형욱이 무섭게 굴 때도, 반 아이들 모두가 외면할 때도 은수만 생각했다. 그럼 괜찮았다. 교실에서도, 교실 밖에서도 은수만 있다면 아무 문제없었다.

지그시 깨문 입술 사이로 울음이 터져 나왔다. 서럽게 울며 주저앉는 내게 은수는 중얼거리듯 미안하다는 말을 건넸다.

비참했다.

김민경과 박새미가 내 머리를 자를 때도 이런 기분은 아니었다. 두렵고 무서웠지만 적어도 부끄럽지는 않았다. 지금 난 죽고 싶을 정도로 모든 게 창피했다.

까발려진 내 마음을 감추고 싶었다. 방금 전 있었던 일 자체를 없었던 걸로 만들 수만 있다면 뭐든 할 수 있을 것 같았다.

은수는 이제 두 번 다시 나를 전과 같이 대하지 않을 것이다. 내 바보 같은 고백 때문에 모든 것이 변해 버렸다. 그냥 계속 친구로라도 곁에 있을걸. 여자 친구는 아니어도 특별한 친구는 될 수 있었는데. 그런 관계로라도 함께할 수 있었는데.

"하은수, 피아노 수업 그거……."

울먹이며 고개를 든 내 눈동자에 하얗게 질린 은수의 얼굴이 비쳤다. 창백한 안색에 눈시울이 붉게 젖어 있었다.

"이제 그만하자."

이제 나는 영원히 쇼팽을 칠 수 없게 되었다.

5일 만에 학교에 갔다. 도보로 평소처럼 8시 25분쯤 도착했다. 교실 앞문을 열고 등장한 내 모습에 반 아이들은 웅성거림을 멈춘 채 숙연한 시선으로 날 응시했다. 3분단 세 번째 줄 책상 위에 가방을 내려놓자 옆자리에 앉아 있던 박승환이 안경을 치켜세우며 내 눈치를 살폈다.

"왜 그렇게 쳐다봐?"

"어? 아니……. 너 몸은 이제 괜찮아?"

"넌 내가 진짜 아파서 결석한 거라고 생각해?"

내 말에 박승환뿐만 아니라 뒷자리에 앉아 있던 아이들까지 흠칫하며 숨을 죽였다. 반 전체가 이쪽을 힐끔힐끔 훔쳐보며 쑥덕이고 있었다. 몇몇 여자애들은 죄스러운 표정으로 창문 커튼 뒤에 숨어서 안절부절못했다.

"저기……. 김민경 정학당할 거 같던데?"

"뭐?"

내 시선을 끄는 데 성공한 박승환은 의자를 바짝 당겨 앉더니 뭐 엄청난 비밀이라도 털어놓듯 소곤소곤 말을 이었다.

"아까 반장이 하는 말 들었는데 박새미는 교내 봉사 활동, 김민경은 한 달 이상 정학일 가능성이 크대."

그 말에 나는 박승환의 머리를 한쪽으로 밀며 김민경의 자리를 확인했다. 비어 있었다. 뒷문 옆 거울 앞에도 그녀의 모습은 보이지 않았다. 이 시간이면 저기 서서 고데기로 열심히 머리를 펴고 있어야 하는데. 아니, 내가 학교에 온 걸 알았다면 그 계집애 성격에 공작새처럼 거들먹거리며 나타나서 시비를 걸어야 정상이었다.

"진짜 정학이래?"

"그렇다니까? 이형욱 걔는 퇴학당할 수도 있다더라."

"퇴학?"

"그 미친놈은 이미 몇 번이나 정학당했잖아. 독사가 제대로 열 받았던데? 학부모들한테 항의 전화 엄청 왔었대. 근데 3학년 마지막에 퇴학당하면 고등학교 못 가는 거 아니야? 세 달 뒤면 연합고사잖아."

박승환은 신이 난 듯 떠들었다. 이형욱이 퇴학당할지도 모른다는 부분에서 없던 용기가 치솟았나? 박쥐처럼 눈치만 보던 게 웬일로 그 녀석을 '미친놈'이라고 칭하기까지 하고. 날 쳐다보는 눈빛도 전과 달랐다. 혹시 얘도 전에 이형욱한테 맞은 적이 있었나?

"어제 하은수 학교 왔던 거 알아?"

"어, 알아."

"교실 오자마자 김민경 손목 잡고 나간 건?"

난 놀라서 은수의 책상 쪽을 쳐다보았다. 빈 의자만 보였다. 칠판 옆 시계를 보니 이미 8시 30분이 지난 시각이었다.

"은수가? 김민경을 왜?"

"김민경이 막 싫다고 손목 놓으라고 하니까 이렇게 죽일 듯 노려보면서."

박승환은 안경 속 작은 눈을 부릅뜨고선 목소리를 낮게 깔았다.

– 손목 싫어? 그럼 너도 머리채 잡아 줄까?

"이러는데 와, 하은수 카리스마! 김민경이 그 말에 찍소리 못하고 끌려가더니 나중에 막 울면서 돌아오더라? 그러고 난 뒤에 하은수네 엄마랑 경찰 오고 완전 난리였지……."

집에 틀어박혀서 잠만 자고 있던 사이, 은수는 생활 지도부에 가서 그날 있었던 일들을 자세하게 털어놓은 모양이었다. 나는 당시 경찰 아저씨한테 제대로 설명도 못 했는데, 은수는 그새 응급차를 불러 준 경비 아저씨와 근처 놀이터에서 놀던 동네 아이들 목격담까지 꼼꼼하게 모아서 전달했다.

덕분에 학교는 한바탕 뒤집혔다.

김민경은 생활 지도부실에 끌려가서 눈이 퉁퉁 부을 때까지 울었다. 독사가 걔네 집에 전화를 건 모양이었다. 부모님이 아니라 할머니가 오셨는데, 김민경은 할머니 얼굴을 보자마자 울음을 터뜨리며 싹싹 빌기 시작했다. 걔네 할머니는 손녀딸 정학을 시키든 말든 알아서 하라고 하셨다고 한다. 자기도 애한테는 두 손 두 발 다 들었다면서.

제일 웃긴 점은 박새미가 그간 김민경이 한 일을 독사한테 다 까발렸다는 것이었다. 김민경과 이형욱이 내 아지트를 알아내서 문을 잠근 날에도 박새미는 미리 눈치를 채고 발을 뺀 듯했다. 절친의 뒤통수를 제대로 친 그녀는 기분 좋은 얼굴로 생활 지도부실을 걸어 나왔다.

이형욱은 독사가 매를 들고 다그치는데도 눈 하나 깜짝하지 않았다. 결국 은수네 아줌마가 화가 나서 언성을 높이자 녀석은 피식 웃으며 "아, 예. 죄송하네요, 됐죠?" 하고 비딱한 사과를 뱉었다. 민망해진 걔네 담임과 독사가 대신 허리를 숙여 사과를 할 정도였다. 이형욱네 집에서는 아무도 오지 않았다.

"퇴학당해도 싸지. 소년원 안 가는 게 어디야? 여태껏 쟤가 때리고 삥 뜯은 애들이 몇인데 퇴학이면 감지덕지 아니냐?"

박승환은 못마땅한 어조로 구시렁댔다. 역시 이 자식, 이형욱한테 원한이 있는 게 분명하다. 솔직히 내 입장에서는 '왜 너는 가만있지를 못하냐, 그냥 참지 그랬냐?'란 식으로 피해자에게 책임과 죄를 전가하는 박승환 같은 족속이 더 비열하고 싫었다. 결국에는 저도 두려웠기 때문에 그랬을 테지만, 아무 일 없었던 척 말 걸어오는 주둥이를 보니 확 빨래집게로 물어 버리고 싶었다.

나는 턱을 괸 채 은수의 책상을 응시했다. 주머니 속의 핸드폰을 꺼냈다. 최근 통화 목록을 열자 맨 위에 은수의 이름이 보였다.

어제 은수한테 거절당한 뒤, 쪼그리고 앉아서 한참을 울었다. 우는 사이 은수가 집에 먼저 가기를 바랐다. 하지만 은수는 말없이 서서 내가 울음을 그치길 기다렸다. 뭔가 할 말이 있어 보이는 눈빛이었다. 하지만 나는 아무런 말도 듣고 싶지 않았다. 무슨 변명을 들어도 내가 차였다는 사실은 변하지 않을 테니까.

다 울고 난 뒤, 녀석의 어깨를 확 밀치며 걸어 나왔다. 몇 걸음 걷다가 분한 마음에 뒤를 돌았다. '나쁜 새끼, 쫓아오지도 않네?' 인상을 쓰던 눈초리가 멈칫했다. 멀찍이, 은수가 제자리에 멍하니 서 있는 게 보였다.

버림받은 강아지처럼 서 있는 녀석의 모습에 마음이 울컥했다. 차인 건 이쪽인데 왜 본인이 더 불쌍한 척 저러고 있는지 알 수 없었다.

나쁜 놈.

씩씩대며 집에 오자마자 침대에 엎드려서 엉엉 울었다. 엄마는 문을 벌컥 열고 들어왔다가 안쓰러운 듯 머리를 한 번 어루만지고 나갔다. 나는 그대로 잠든 듯했다. 아침에 일어나 보니 핸드폰에 부재중 전화 한 통이 와 있었다.

밤 11시 48분, 은수였다.

혹시 문자라도 보내 놨을까 봐 확인해 봤지만 아무것도 없었다. 일말의 기대가 수그러들었다. 보나 마나 미안하네, 아직도 울고 있냐, 이런 전화였겠지.

"여울아, 괜찮아? 학교에 계속 안 나와서 다들 걱정했어."

곽다정이 불쑥 말을 걸어왔다. 그녀는 내 책상 위에 조심스럽게 초콜릿 하나를 올려놓았다. 하여간 구색 갖추는 데에는 선수다.

"여울! 학교 왔네?"

"머리 자른 거 예쁘다."

곽다정의 양옆으로 날개처럼 쪼르르 붙은 패거리 여자애들이 걱정 많이 했다는 듯 다가와 말을 건넸다. 그들을 빤히 보던 나는 교과서를 탁탁 정리하며 싸늘하게 대꾸했다.

"괜찮아. 괜찮으니까, 괜히 와서 말 걸고 그러지 않아도 돼."

MP3 플레이어를 꺼내서 귀에 이어폰을 꼈다. 무시로 일관하는 내 모습에 그녀들은 민망해하며 돌아섰다. 돌아서자마자 눈을 흘기며 구시렁거리는 게 보였다. 상관없었다. 같은 교실을 공유한다고 억지로 사이좋은 척 친구인 척 지내는 편보다 이쪽이 훨씬 마음 편하니까.

곽다정 패거리가 자리로 돌아가자 다른 여자애들이 와서 괜찮냐고 물었다. 줄줄이 사탕처럼 이어지는 안부 인사에 나는 결국 이어폰을 뽑았다.

"여울아, 이거 너 수업 빠졌던 거 필기 노트야."

"숙제 뭐 있는지 모르지?"

갑작스럽게 호의적으로 바뀐 애들의 태도가 부담스러웠다. 나란 존재를 눈엣가시처럼 취급하던 시선들이 단체로 미친 것처럼 친절하고 따뜻해졌다.

왜?

단순히 김민경이 나쁜 애였다는 사실 하나만으로 여론이 이렇게 돌변한 거라면 크레타 섬에는 거짓말쟁이가 한 명도 없어야 한다. 모순의 모순이요, 역설의 여신이 내게 미소 짓는 게 아니라면.

"여울아, 넌 알아?"

"뭐를?"

곽다정이 내 옆에 식판을 내려놓으며 흥미진진한 눈으로 물었다. 이제 나의 평화로운 점심시간마저 방해하려는 모양이었다. 식판을 들고 오던 소영이가 떨떠름한 표정으로 얘가 왜 여기 있냐는 눈빛을 보냈다. 낸들 아냐? 반장으로서 해야 할 덕목 중 하나인가 보지.

"은수 여자 친구 말이야."

허공에 들던 숟가락이 멈칫하며 굳었다. 내 표정을 보던 곽다정이 너도 몰랐냐는 듯 눈을 동그랗게 떴다.

"엊그제 은수 문병 갔던 남자애들이 봤대."

"하은수 여자 친구를?"

국을 후르르 떠먹던 소영이가 관심을 보이며 물었다.

"완전 예쁘다던데?"

"우리 학교 애야?"

"아닌가 봐. 연상이라고 하더라?"

"진짜?"

손에 들고 있던 숟가락이 된장국에 첨벙 빠졌다. 국물이 튀기자 곽다정이 순간 표정 관리를 못하고 인상을 쓰며 소리쳤다.

"야, 김여울!"

쓴웃음이 나왔다. 이런 표현이 맞는 건지는 모르겠지만 진짜 똥개한테 물린 기분이었다. 케르베로스한테 해바라기가 지다니.

"어? 하은수 왔네."

뒷문을 열고 나타난 은수의 눈동자가 나와 마주쳤다. 나는 식판을 들고 일어섰다. 왜 안 먹냐고 묻는 소영이의 목소리도 귓등으로 흘린 채 남은 음식을 급식대에 버리고는 복도로 향했다. 그러자 은수가 내 손목을 낚아채듯 붙잡았다.

"김여울."

"……."

“어제 전화했었는데…….”

“여자 친구 생겼다며?”

내 말에 뭔가 말하려던 은수의 입술이 멈칫했다. 어제보다 더 커진 그의 동공이 날 빤히 쳐다보고 있었다. 기분 탓인지는 모르겠지만 은수의 눈이 잔뜩 충혈되어 보였다.

“몰랐네, 축하해.”

질투심에 말이 못되게 나가고 있다는 걸 알고 있었지만 멈출 수가 없었다. 나만큼 은수도 아프길 바랐다. 그만큼 나는 더 아플 걸 알면서도.

복도로 나오자마자 울음이 터져 나왔다. 손등으로 눈을 훔치며 화장실을 향해 뛰었다. 제일 끝의 칸으로 들어가서 문고리를 잡은 채 주저앉았다.

가슴이 너무 아팠다.

이제는 정말 아무 희망도 없다.

나는 은수에게 차이고 만 것이다.

그 뒤로 석 달이 어떻게 지났는지는 기억도 나지 않았다. 모든 것이 은수가 전학 오기 전으로 돌아간 기분이었다.

이형욱은 결국 퇴학당했다. 행여나 학교로 찾아오지는 않을까 겁이 나서 한동안 엄마가 교문 앞으로 데리러 오고는 했다. 소문으로는 안양에 있는 학교로 전학을 갔다는데 부디 살면서 다시는 마주치지 않기를 바랐다. 김민경은 한 달 뒤 다시 학교에 나오기 시작했는데 나오자마자 박새미한테 끌려가서 얻어맞았다. 그간 김민경을 공주처럼 대우해 주던 걔네 무리도 이형욱이 퇴학당하고 없자 그녀를 괴롭히기 시작했다. 덩달아 우리 반 애들도 김민경을 없는 존재인 양 무시했다. 김민경의 고데기는 우리 반 여자애들 모두의 공용 고데기가 되어 버렸다.

윤아와 나는 여전히 서먹서먹했다. 소영이도 윤아와 더 이상 대화를 하지 않았다. 몰랐는데 어느새 윤아는 반 아이들 누구와도 어울리지 못한 채 혼자 다니고 있었다. 곽다정 패거리마저 윤아를 끼워 주지 않는 듯했다. 다행히 남자애들만이 여자애들 사이의 미묘한 분위기를 읽지 못한 채 윤아와 곧잘 농담을 하며 놀았다.

하은수만 빼고.

녀석은 윤아를 볼 때마다 찬바람이 느껴질 정도로 서늘한 눈초리를 지었다. 어찌나 싫은 티를 내는지 경멸마저 느껴지는 수준이었다. 이제 나랑 사이도 어색해진 마당에 굳이 저럴 필요까지 있나 싶었지만 신경 쓰지 않기로 했다. 나 역시 은수와 친한 남자애들 근처에는 얼씬도 하지 않았다.

2005년 12월 9일.

연합 고입 선발 고사가 실시된 날이었다. 나의 내신 점수는 178점, 연합고사 성적은 대략 180점 정도였다. 요즘은 워낙 하향 지원을 해서 전략적으로 고등학교 내신을 노리는 추세였기에 최상위권인 북고의 경우에도 작년까지 정원 미달이었다.

곽다정은 외고에 떨어졌다. 그렇게 자신만만해하더니 떨어지고 나서는 우울한 얼굴로 매일같이 상담실을 들락거렸다. 다른 사립고를 쓸지 북고에 갈지 갈팡질팡하는 그녀를 제외하고선 대부분의 아이들이 지망 학교를 정한 상태였다.

"하은수, 너 진성고 썼다며?"

화장실 옆 새로 생긴 정수기 앞에 서 있던 은수가 몇 달 만에 말을 건 나를 물끄러미 쳐다보았다. 그동안 또 키가 큰 모양이었다. 몇 달 만에 나눈 대화의 시작은 눈높이부터 어색하게 삐걱거렸다.

"북고 왜 안 가는데?"

"……그냥."

진성고는 사립 자율형 고등학교였다. 광명시 내 학생들뿐만 아니라 전국에서 지원이 가능했는데, 커트라인은 광명 내에서 제일 높은 북고보다도 더 상위였다. 북고도 간당간당한 내 성적 가지고는 어림도 없는 곳이다.

"북고 가면 내가 쫓아올까 봐 그래? 그래서 아예 진성고로 가는 거야?"

"그런 거 아니야."

"거기 기숙사잖아."

생활 지도에 아주 엄격한 걸로 소문난 학교였다. 중학교 때보다 더 짧은 머리를 유지해야 하고, 핸드폰은 당연히 사용 불가며, 전원 기숙사 생활로 주말에도 나오기 힘들다는 곳.

"굳이 안 그래도 되는데……. 나 북고 안 쓰기로 했으니까."

"왜?"

놀란 듯 되묻는 은수의 표정이 굳었다.

"너랑 같은 학교 가기 싫어서."

"너 북고 가고 싶어 했잖아. 거기 가려고 이번 학기 죽어라 공부한 거 아니었어? 북고 교복 베이지색 조끼인가 그거 입고 싶다고 했잖아!"

눈시울이 울컥 젖은 은수가 내 어깨를 잡고 소리쳤다. 그 목소리에서 녀석의 마음이 들리는 것 같았다.

내가 안 가는데, 일부러 진성고로 피해 줬는데 왜 북고에 가지 않는 거냐고. 그 배려가 나를 더 비참하게 하는 줄도 모르고.

나는 고개를 숙인 채 중얼거렸다.

"내가 왜 북고에 가고 싶어 했는데……."

그걸 모르는 너는 참 나쁘고 잔인하다.

"광명고는 재작년까지 남고였대."

"……."

"그래서 남자애들 수가 더 많고 선배들도 멋있는 사람 엄청 많대. 거기 가자마자 남자 친구부터 만들 거야. 너보다 훨씬 잘생기고 멋진 사람으로. 그러니까 쓸데없는 걱정하지 마. 나 이제 완전 괜찮으니까."

오기로 뱉은 말이었다. 나는 아직도 은수에게서 전혀 벗어나지 못했다. 방금 전 은수가 내 어깨를 잡고 있는 동안에도 가슴이 뚝 끊어지는 듯했다.

은수는 얼어붙은 채 아무 말도 못했다. 충격을 받은 듯한 녀석의 표정이 꽤 통쾌했다. 돌아서자 은수가 걸어가는 내 팔을 덥석 붙잡았다.

"김여울."

"왜?"

은수의 눈동자가 흐려졌다. 나는 꾹 다문 입술에 힘을 준 채 애써 덤덤한 표정을 지었다. 무슨 할 말 있냐는 표정으로 쳐다보는 내게 은수는 망설이다가 입을 열었다.

"이제 나랑은……."

나는 은수가 뒷말을 마저 해 주기를 기다리며 빤히 쳐다봤다. 무수한 감정으로 얽힌 그의 눈동자는 도무지 속마음을 읽어 낼 수가 없었다.

"아무것도 아니야."

내 교복 소매를 붙잡고 있던 은수의 손이 마지못해 소매 끝을 놓았다. 나는 걸어가면서 흘끗 뒤를 돌아보았다.

하려던 말이 뭐였냐고 가서 물어볼까? 두더지처럼 솟아나는 갈등에 일부러 걸음을 늦췄다. 하지만 은수는 끝내 따라오지 않았다.

나는 교실에 돌아와 책상에 엎드린 채 찡해진 코를 훌쩍였다. 박승환은 무슨 망상을 한 건지 괜찮냐고 물으며 등을 토닥였다. 여느 때처럼 박새미가 교탁 위에 걸터앉은 채 김민경을 세워 놓고 깔깔대고 있었다.

익숙한 소음 속에서 늘 그래 왔듯 눈을 감으며 귀에 이어폰을 꽂았다. 쇼팽의 녹턴 2번이 은은하게 울려 퍼지자 마음이 진정되듯 가라앉았다.

며칠이 흘렀다.

학교 교문 앞에는 '누구누구 외고 합격!'이라는 글씨가 현수막에 큼지막이 적힌 채 걸렸다. '자랑스러운 가림인'이라는 칭호를 받은 이들의 목록이었다.

"와, 미친. 곽다정 이름도 걸렸네."

검은색 파카로 무장한 소영이가 짜증 난다는 목소리로 중얼거리며 눈길을 걸어 내려갔다. 그 뒤를 쫓으며 힐끔거리던 내 눈동자가 잘게 떨며 멈췄다.

3학년 2반 곽다정, 하은수 진성고 합격.

뽀드득, 뽀드득. 눈 밟는 소리에 애꿎은 눈덩이가 발에 차였다. 이 못생긴 오리 알 같은 게! 나는 눈덩이를 발로 부수며 퍽퍽 걷어차기 시작했다. 곽다정 얼굴을 닮아서 아주 생긴 게 재수 없기 짝이 없었다.

발등을 적신 눈이 흙탕물처럼 까맣게 녹고 나서야 숨 차오르던 씨근덕거림이 멈췄다. 고개를 든 나는 횡단보도 건너편에 서서 미쳤냐는 듯 쳐다보고 있는 소영이에게 이를 씩 드러내고 웃었다.

“저거, 제정신 아니네…….”

소영이는 혀를 끌끌 차며 돌아섰다.

무법 지대가 된 교실에서 매일같이 틀어 준 반지의 제왕과 해리포터의 대사를 줄줄 읊을 경지에 이르렀을 무렵, 설 연휴가 지나고 기다리던 졸업식이 다가왔다.

“여울아, 소영이네랑 같이 점심 먹을 거니까 차로 와.”

“알았어, 화장실만 갔다 올게.”

운동장 여기저기 꽃다발을 든 아이들이 돌아다녔다. 다들 부모님 혹은 친구들과 사진을 찍느라 정신이 없는 모습이었다. 시끌벅적한 운동장과 달리 건물 안은 쥐 죽은 듯 고요했다.

5층의 빈 교실에 온 나는 「3-2」이라고 달려 있는 팻말을 핸드폰으로 찰칵 찍었다. 텅 빈 복도도 사진 한 장을 찍고, 신발장도 찍었다. 뒷문으로 들어와 사물함부터 교탁까지 한 바퀴를 빙 돌아본 뒤 마지막으로 책상 앞에 앉았다.

서랍에 놓고 갔던 수학책을 꺼내 펼쳤다. 일부러 버려두고 간 것인데 그놈의 미련이 뭔지 결국 찾으러 오고야 말았다. 입가에 씁쓸한 미소가 맺혔다. 접어놓은 모서리가 세모꼴로 가지런히 남아 있었다. 접은 종이를 펼치자 불과 몇 달 전에 써 놓은 소원 글귀가 보였다.

은수의 여자 친구가 되는 것.

필통에서 펜을 꺼내 펜촉을 꾹 눌렀다. 그러고는 마음을 담아 썼던 글 위로 벅벅 가로줄을 긋기 시작했다.

~~은수의 여자 친구가 되는 것.~~

~~은수의 여자 친구가 되는 것.~~

누군가를 향해 그렇게 온 마음을 소리쳐 본 것은 처음이었다. 그 외침이 클수록 되돌아오는 공허한 메아리에 내 자신이 더 아프게 될 거라는 건 미처 알지 못했다.

어려서 발목이 부러져 본 사람은 안다. 어른이 되어서도 다쳤던 부위는 자꾸만 삐끗하고 접질리기 마련이라는 것을. 완벽한 치유란 없다. 겉보기에는 아무렇지 않을지 몰라도 내면은 옛 상처가 남긴 흔적에 절뚝거린다. 그러다가 또 괜찮아지면 일상으로 돌아오고, 잊을 만하면 찾아와 옛 상처를 들춰 보게 하고.

은수는 내게 그런 존재였다.

길 가다가 아무 이유 없이 발목을 삐듯 문득 떠오르던, 내가 참 좋아했던 옆집 남자애…….

종이가 찢길 정도로 덧칠을 하던 중, 눈물이 투둑 흘러내렸다. 동그랗게 떨어진 물기가 종이를 적시자 볼펜이 검게 얼룩지며 퍼져 나갔다.

– 이거 너랑 나랑만 아는 비밀이다, 김여울.

– 잊었어? 매일 아침 같이 등교하기로 했잖아.

– 변태냐? 코 비비지 마.

– 어디 가, 김쇼팽.

– 넌 남자 친구 사귀어 본 적 있어?

– 다음은 쇼팽의 즉흥 환상곡이야.

– 어느 바보가 그랬어. 피아노 좀 못 치면 어떠냐고.

젖어서 너덜너덜해진 종이 모서리를 잡은 채 펜을 놓았다. 손등 위로 눈물이 하염없이 떨어졌다.

수학책을 덮고 은수의 책상을 바라보았다. 말끔하게 정

리된 채 서랍까지 텅 비어 있었다. 나는 은수의 자리로 와서 책상에 뺨을 댄 채 멍하니 엎드렸다. 그러다가 불현듯 든 생각에 가지고 있던 수학책을 서랍 속에 집어넣었다.

이제는 아무런 가망이 없다는 걸 안다. 각자 다른 고등학교에 가서 떨어져 지내고, 연락도 하지 않은 채 결국은 서서히 멀어지겠지만 그래도……. 그냥 마지막 주문 같은 행위였다.

의자에서 일어서면서 차가운 책상을 손으로 어루만졌다. 그리고 지금도 너무 좋아하는 그 아이에게 작별 인사를 고했다.

나의 쇼팽,

나의 첫사랑.

"이제 진짜로 안녕……."

2006년 2월 8일.

파란만장하던 내 중학교 시절이 마침내 막을 내린 순간이었다.

View of Eunsu

8. 이웃집 건담 소녀

8. 이웃집 건담 소녀

"하은수, 좋아해! 나랑 사귈래?"

심장이 질주하듯 빠르게 뛰다가 정지할 것처럼 호흡을 멈췄다. 아무것도 생각할 수가 없었다. 여울이의 눈 속에 그 애를 빤히 바라보는 내 모습만이 보였다.

그녀의 뺨은 홍조로 빨개진 채 나를 올려다보고 있었다. 뭔가를 기대하고 있는 듯한 눈빛에 입이 차마 떨어지지가 않았다.

신은 왜 이렇게 얄궂은 것일까? 왜 하필 지금, 이 상황에서 여울이가 내게 고백을 하고 있는 것일까?

"미안."

"뭐가?"

아직 잘 이해가 되지 않는지 순수한 눈동자가 되물었다. 나는 죄지은 사람처럼 등골에 식은땀이 흘러내렸다. 손가락 끝에 미세한 경련이 일었다.

이 말을 하면 여울이가 나를 안 볼 텐데.

이 말을 하면 여울이를 아마도 이제 다시는…… 다시는 못 볼 것 같은데.

"안 될 것 같아."

내 말에 그녀의 동공이 소스라치게 커졌다. 이내 까만 눈망울이 산산조각 나듯 부서지며 흔들리기 시작했다. 금방이라도 쓰러질 듯 깜빡이는 눈동자가 나를 힘겹게 바라보았다.

"내가 싫어?"

"싫은 게 아니라……."

"그럼 왜?"

목멘 목소리로 묻는 여울이의 표정이 금방이라도 울음을 터뜨릴 것 같았다. 뭐라고 말해야 할지 가슴이 답답했다.

"아까 그랬잖아. 자전거 태워 주는 김여울은 좋다고, 반찬 먹어 주는 김여울은 좋다고."

"내 말뜻은 그게 아니고."

"친구로서…… 좋다고?"

어떻게 설명하면 좋을까? 머릿속이 하얗게 젖은 채 혼란스러웠다.

여울이가 상처받는 게 싫었다. 더 이상 다치지 않게 지켜 주고 싶었다. 그거 하나만 생각했다. 어떻게 하면 여울이가 울지 않을지, 어떻게 하면 애들과 다시 잘 지낼 수 있을지. 여울이가 웃을 수만 있다면 나는 뭐든 할 수 있었다.

이런 식으로 상황이 얽힐 거라고는 상상도 하지 못했다.

"나는……."

울먹이던 여울이의 눈에서 눈물이 후드득 떨어졌다.

"나는 그냥 하은수 너랑……."

가슴이 철렁 내려앉는다. 녀석이 나를 원망하듯 바라보고 있었다.

여울이가 주저앉아 엉엉 울음을 터뜨리기 시작했다. 가녀리게 들썩이는 어깨를 보면서 내 눈시울도 시큰거렸다.

나는 아무 말도 하지 못한 채 여울이의 울음소리를 고스란히 받아 냈다. 그냥 없던 일로 치고 이대로 지내자고, 그녀가 그렇게 말해 주기를 바랐다. 웃으면서 농담이었다고, 그러니까 긴장하지 말라고.

그러나 돌아서서 가 버리는 여울이의 등은 내 쪽을 한 번도 되돌아보지 않았다. 다시는 오지 않을 사람처럼 그렇게 걸어가 시야에서 멀어져 버렸다. 나는 어찌할 바를 모른 채 고개를 숙였다.

뭔가 굉장히 잘못되었다는 건 알겠는데 어디서부터 어떻게 돌이켜야 할지 알 수가 없었다.

허망한 눈으로 빈손을 내려다보았다. 홀로 남은 그 순간, 덜컥 무서운 생각이 들었다. 이대로 여울이가 나를 영원히 보지 않으면 어떡하지?

[자? 너한테 할 말 있는데…….]

밤늦게 뒤척이던 끝에 핸드폰을 열고 문자를 썼다. 탁탁 타이핑을 치던 손이 멈칫 정지했다. 침대에 누운 자세로 핸드폰 화면을 바라보다가 신경질적으로 슬라이드를 탁 내렸다.

"하아."

뭘 어떻게 설명할 건데? 사실 어제부터 유진 누나와 사귀기로 했다고? 그래서 너와 사귈 수 없다고? 어설픈 변명을 늘어놓기도 전에 절교 선언부터 날아와 꽂힐 게 뻔했다. 김여울 성격상 아예 우주 밖으로 꺼져 버리라고 할 가능성도 높다.

그때 핸드폰에서 문자 알람 소리가 울리기 시작했다. 알람 소리가 채 끝나기도 전에 폰을 집어서 빛의 속도로 슬라이드를 열었다.

[은수야, 뭐 해?]

유진 누나였다. 짜증이 나서 핸드폰을 홱 집어 던졌다.

멍하니 천장을 바라보기만 5분째. 고민 끝에 바닥에 떨어진 핸드폰을 들어서 통화 버튼을 꾹 눌렀다.

한참 동안 신호가 여러 번 갔지만 녀석은 끝까지 전화를 받지 않았다. 나는 베개 옆으로 팔을 힘없이 내려놓았다.

눈물이 날 것 같았다.

이대로 여울이와 끝나 버리는 건 싫었다.

그것만큼은 정말 싫었다.

나는 어릴 때부터 아버지를 집에서 본 적이 거의 없다. 가끔 아버지가 집에 오는 날이면 꼭 아침에 먹은 밥을 체하고는 했다. 그날은 아버지의 피아노 앞에 앉아야 하는 날이었기 때문이다.

나를 집어삼킬 듯 기다리고 있는 검은 피아노.

그 옆에 선 아버지는 항상 오래된 연미복을 꺼내 입었다. 나는 그 앞에 앉아 시험을 보는 아이처럼 건반 위에 손을 올렸다. 단 한 번의 실수도 용납되지 않는 엄격한 시간. 살 떨리는 긴장 속에서 치는 피아노가 즐거울 리 만무했다.

숨 쉬는 것도 잊고 연주했지만 결과는 늘 참혹했다.

건반 위의 내 손을 노려보던 아버지는 매서운 눈초리로 '이딴 게 무슨 연주냐'고 소리쳤다. 실망이 가득한 표정으로 이마를 짚는 아버지. 그는 엄마에게 역시 저 녀석은 내가 아니라 당신을 닮았다고 중얼거렸다.

그때부터는 같은 레퍼토리의 반복이었다.

얼핏 들어 보면 부부 싸움의 주제는 아들의 교육 문제인 듯했지만 그 이면에는 더 깊은 갈등이 존재했다. 문틈 사이로 들려오는 고성과 유리잔 깨지는 소리. 나는 두 눈을 질끈 감은 채 귀를 막았다.

내가 피아노를 조금만 더 잘 쳤더라면, 내가 공부를 조금만 더 잘했더라면, 내가 조금만 더 우수했더라면…….

그런 자책 어린 감정도 중학교에 입학할 때쯤에는 모두 증발하고 사라진 채였다. 언제부터인가 타인에게 기대하지 않게 되었다. 욕심을 부리는 대신 양보하고 포기하는 버릇이 생겼다. 무엇이든 집착하지 않았다. 특정 대상에 대한 애정과 소유욕은 날카로운 부메랑이 되어 돌아와 나를 해친다. 이렇게 발달한 성향은 매끄러운 교우 관계에도 일조했다. 모든 것이 편했다. 삶의 빈 저울은 만능인 사고방식이었다.

아버지와 이혼을 한 뒤 엄마는 매일 밤 홀짝이던 술을 끊었다. 화려한 블라우스 대신 헐렁한 니트와 청바지를 입고 가사 도우미와 운전기사를 쓰는 대신 직접 차를 몰고 장을 보러 다니셨다. 그러자 동네 사교계와 십 년간 다니던 골프 모임에서는 즉시 엄마를 퇴출시켰다.

"은수야, 우리 이사 가야 할 것 같아. 중요한 시기인데……. 엄마가 미안해."

절이 싫으면 중이 떠나는 거라고, 학교만 가면 쑥덕거리는 애들 시선에 안 그래도 질려 가던 참이었다. 아직 열여섯밖에 안 된 애들이 얼마나 교활하고 영악한지, 벌써부터 가면을 썼다 벗었다 가식을 떠는 게 역겨울 지경이었다.

– 하은수 너는 엄마랑 살아, 아빠랑 살아?

애들이 궁금한 것은 오직 그거 하나였다. 부모들이 학교 가면 물어보라고 시켰겠지.

이곳은 별동네다. 누군가에게는 별나라, 꿈나라일지도 모르지만 엄마와 내게 있어서는 허세와 위선으로 가득한 별똥네였다.

"상관없어, 어차피 나는 엄마랑 살 거니까."

내 말에 엄마는 처음으로 편안하게 웃었다. 그 미소에 안심했다. 몇 년간 내가 보고 싶었던 것은 엄마의 저런 얼굴이었다. 어떤 학교에 다니든, 어떤 동네에 살든 그저 우리 집이 평온하기만을 바랐다.

우리는 두 식구가 되어 새 출발을 하기로 했다.

새로 산 엄마의 검은 그랜저가 깜빡이를 켜고 들어간 곳은 광명시의 어느 조용한 아파트 단지였다. 뒤뚱거리며 과속 방지 턱을 넘는 차창 밖으로 한산한 동네 풍경이 보였다. 운전석에 앉은 엄마가 창문을 열며 턱짓을 했다.

"은수야, 어때?"

"응? 뭐……."

여긴 아파트밖에 없나? 차를 타고 오면서 쭉 보인 것이라고는 주공아파트 1단지부터 10몇 단지까지 담뱃갑처럼 판에 박힌 모형으로 즐비한 건물들뿐이었다.

"저기 슈퍼 옆에 노란색 건물 보이지?"

"응."

"저기 3층에다가 피아노 학원을 낼 거야."

"엄마가 하려고?"

"너 나 무시하니? 이래 봬도 엄마가 어렸을 때는 할머니 장사도 돕고 그랬어."

나는 턱을 괸 채 신이 나서 옛날이야기를 쏟아 내는 엄마를 보며 픽 웃었다.

다시 느릿느릿 움직인 자동차는 곧 우리가 이사를 올 거라는 아파트 앞 주차장으로 향했다. 총 25층짜리인 고층 아파트의 입구에는 803동이라는 글씨가 새겨져 있었다. 나는 낯선 표정으로 하얀색 건물을 물끄러미 올려다보았다.

"엄마는 아까 그 학원 건물에 좀 다녀올 테니까 그동안 동네 구경이라도 하고 있어."

엄마는 오천 원짜리 지폐 하나를 손에 쥐여 주며, 졸린 눈으로 하품을 하는 내 등을 떠밀었다.

별로 구경할 것도 없어 보이는데.

화단 앞에 쪼그리고 앉아 있던 경비 아저씨가 이쪽을 빤히 쳐다보고 있었다. 꾸벅 인사를 한 뒤 핸드폰 슬라이드를 열며 어슬렁어슬렁 걷기 시작했다. 텅 빈 수신 메시지함. 유진 누나한테서는 여전히 아무런 연락도 없다.

– 은수야, 우리 그만 사귀자.

처음에는 망치로 한 대 얻어맞은 것 같았는데, 최근에 충격적인 일이 너무 많아서인지 누나의 일은 금방 파도처럼 휩쓸려 지나갔다.

허전함.

문득문득 외롭고 쓸쓸한 기분이 들기도 했지만, 이런 느낌은 늘 가슴 한쪽에 자리하고 있던 것이었다. 유진 누나도 이 커다란 구멍을 채워 주지는 못했다. 그걸 깨닫자마자 생각보다 아무렇지 않았다. 그냥 내 마음을 잘 몰랐구나 싶었을 뿐.

누나의 존재가 없으면 허전할 것 같았는데 아니었다. 헤어지면 슬플 것 같았는데 그것도 아니었다.

유치원부터 초등학교 때까지 함께했던 친구들과 중학교에 올라가면서 헤어질 때 느꼈던 서운함과 아쉬움, 딱 그 정도였다. 그녀에게서 느낀 감정이란.

– 얘가 하은수야.

– 얼마 전에 해외 피아노 콩쿠르 나가서 입상도 했어.

– 지휘자 하동준 선생님 알지? 그분이 은수 아버지셔.

그녀는 평소에도 친구들에게 자랑하듯 내 존재를 소개하는 걸 즐겼다. 내가 피아노 치는 것을 누구보다도 뿌듯해하며 응원한 게 유진 누나였다. 지금 와 생각해 보니 궁금했다. 누나가 뿌듯해한 것은 과연 나라는 존재였을까, 아니면 우리 집안 배경과 아버지였을까?

– 나 피아노 그만둘 거야.

– 뭐?

몹시 실망한 눈초리로 노려보는 그녀의 모습에서 일순 아버지가 보였다. 훈계하며 분노하는 목소리는 숨을 옥죄어 오기까지 했다.

어쩌면 잘된 일이었다.

세진 누나와 아버지의 일로 양쪽 집안이 쑥대밭이 된 마당에 우리가 아무 일 없다는 듯 만난다는 것은 상식적으로 불가능했다. 그런 고집을 피울 만큼 우리는 어리지도, 성숙하지도 않았다.

생각에 잠긴 채 터벅터벅 걷다 보니 어느새 아파트 앞 놀이터에 도착해 있었다.

베이지색 챙 모자를 쓴 야구르트 아줌마가 벤치에 앉아 있는 아줌마들과 수다를 떨고 있었다. 맞은편에 빈자리를 포착했다. 낮잠이나 자 볼까 하는 생각에 자리를 잡고 벌렁 드러눕던 찰나였다.

스테인리스 재질의 은색 미끄럼틀 앞에 누군가 서 있는 게 보였다.

자그마한 체구의 뒷모습이 고뇌에 찬 듯 머리를 부여잡고 끙끙대더니 집중하듯 심호흡을 했다. 그리고 잠시 후 미끄럼틀 위로 작은 구슬 하나를 또르르 던졌다.

"아……."

뭔가 잘 안 됐나 보다. 답답한지 이마를 벅벅 문지르던 그녀는 다시 구슬 하나를 미끄럼틀 위로 던져 올렸다. 눈을 세모꼴로 모은 채 팔짱을 끼고서는 어느 방향으로 내려오는지 빤히 주시하면서.

"아오!"

또 성질을 부린다. 이번에는 손목에 걸고 있던 신발주머니까지 모래 위로 냅다 집어 던졌다. 나는 비스듬히 누워 있던 자세에서 허리를 들고 앉았다. 낮잠을 자는 것보다 훨씬 보람차고 재밌는 일거리를 발견한 기분이었다.

자그마한 어깨가 분노로 바르르 떨자 목선으로 떨어지는 단발이 씨근덕대는 숨소리에 맞춰 흔들렸다.

"아, 짜증 나."

그녀는 구슬을 휙 집어 던지고선 화가 난 걸음걸이로 모래밭을 나오기 시작했다. 그러다가 우뚝 멈췄다.

그렇지, 아무리 화가 나도 구슬을 버리고 오는 건 안 되지.

아무도 없는 허공을 괜히 노려보던 그녀는 뒤돌아서서 미끄럼틀로 다시 돌아갔다. 그러고는 사방팔방 집어 던진 구슬들을 손에 모아 바지 주머니에 쏙 넣었다.

벤치의 그늘을 향해 뚜벅뚜벅 걸어오던 그녀는 내 뒤로 가더니 걸쳐 놓은 가방을 어깨에 걸쳤다.

그 순간, 나와 여자애의 눈이 스치듯 마주쳤다.

뭘 쳐다보냐는 듯 뾰족한 시선을 던진 그녀는 주머니 속에서 구슬 비비는 소리를 내며 놀이터 밖으로 나갔다. 잔뜩 심술이 난 입술을 뿌루퉁하게 내민 채, 주근깨투성이인 뺨을 실룩거리며.

나는 멀어져 가는 그녀의 등을 한참 동안 쳐다보았다.

그 뒤로 한 달간 매주 토요일마다 엄마를 따라 광명에 왔다.

피아노 학원 쪽 인테리어 공사는 착착 진행되고 있었다. 엄마는 아주 흡족해했다. 엄마가 공사 중인 학원을 둘러보는 동안 나는 놀이터에 와서 낮잠을 취했다. 할 일도 없는데 뭐 하러 따라오느냐는 엄마의 핀잔에도 꿋꿋하게 쫓아왔건만, 돗자리를 펴고 기다려 봐도 매번 허탕 치기 일쑤였다.

그날 내가 본 여자애는 신기루였나? 아니면 나도 모르게 졸다가 꿈이라도 꾼 걸까?

대망의 이사 날이 다가왔다.

이삿짐 센터 아저씨들이 열심히 짐을 옮기는 동안 나는 제집처럼 편해진 놀이터로 향했다. 하품을 하며 걷던 내 눈동자가 동그랗게 커졌다.

'어라?'

매주 기다려도 코빼기도 보이지 않던 그 여자애가 눈앞에 서 있었다. 이번에는 그녀 혼자가 아니었다. 나는 야구

결승전이라도 보러 온 사람처럼 반색을 하며 얼른 벤치에 앉았다.

"치사하게 1대3이냐?"

"누나는 중학생이잖아요."

"여자잖아."

"네, 우리보다 힘센 여자요."

대략 아홉 살에서 열 살 정도로 보이는 초등학생 꼬마 애들 세 명이 그녀와 마주 보고 서서 신경전을 벌이고 있었다.

"됐고, 그건 가져왔어?"

"네, 누나도요?"

희비가 엇갈리는 데에는 채 10분도 걸리지 않았다. 놀랍게도 승자는 혼자 놀이터에서 연습하던 여자애 쪽이었다. 베이지색 야구 모자를 뒤집어쓴 남자애는 울먹이며 제가 들고 온 하얀색 건담을 등 뒤로 감췄다.

"약속했잖아, 내놔."

"싫어요, 다시 해요."

"다시는 뭘 다시야. 구슬치기는 자신 있다며."

"안 돼요! 이건 안 된단 말이에요……."

녀석이 콧물을 빼며 엉엉 울기 시작하자 그녀는 당황한 듯 침묵했다. 주저앉아서 떼쓰며 발을 동동 구르는 꼬마 애 고집도 보통내기는 아니었다.

"아 진짜……. 알았으니까 그만 울어. 이번 한 번만 봐주는 거다, 앞으로 또 누나 꺼 몰래 훔쳐 갔다가는 그거 확 뺏어 버릴 거야! 알았어?"

"네! 절대 안 그래요."

"말은 잘한다. 아지트 근처에서 기웃거리다 걸렸다가는 진짜 너네 건담이랑 팽이까지 싹 몰수야."

초등학생 꼬마들하고 저렇게까지 열심히 다투다니…….

눈을 흘기며 도망치는 애들의 꽁무니를 보며 그녀는 팔짱을 낀 채 웃었다. 손으로 제 눈썹을 밀어서 치켜세우며 '이게 무섭나?' 하고 갸웃거리는 그녀의 모습에 나는 실소를 흘렸다.

핸드폰을 꺼내 뭔가를 확인한 여자애는 서둘러 슈퍼로 향했다. 나도 일어나서 슬그머니 그녀의 뒤를 쫓았다. 어슬렁어슬렁 뒤에서 누가 쫓아오는 것도 눈치채지 못한 채, 구슬치기 소녀는 대파가 툭 튀어나온 비닐봉지를 들고 나왔다. 그러고는 왔던 길 방향으로 다시 총총걸음으로 가기 시작했다.

어라…….

803동이라고 새겨진 하얀색 아파트 건물 입구를 올려다보며 나는 묘한 표정을 지었다.

"딸 하나, 아들 하나인데 큰딸이 너랑 동갑인 거 같더라.

내년에 고등학교 간다는 걸 보니까."

나는 식탁에 올려놓은 대파를 쳐다보며 말없이 밥숟가락을 들었다.

"이름도 예쁘던데? 여울이래. 김여울."

"그래?"

성의 없이 대답하며 젓가락으로 동그랑땡을 집던 나는 밥그릇에 침투한 낯선 풀떼기를 발견했다. 엄마는 웃으며 젓가락을 들더니 다른 반찬 통에서 또 나물을 집어 내 숟가락 위에 올려놓았다.

"엄마가 한 거야. 먹어 볼래?"

"싫어."

"어휴, 저 편식……."

"동그랑땡이나 더 튀겨 줘."

"그냥 계란에다 먹어!"

"네."

장난스럽게 대답하며 밥을 대충 입에 넣고 일어섰다.

"근데 이건 뭐야, 웬 대파야?"

"주차장에 누가 떨어뜨리고 갔어. 갖다 주려고."

"어느 집 건데? 엄마가 갖다 줄게."

"아니야, 내가 갖다 줄 거야."

엄마가 더 묻기 전에 세탁실로 가서 비닐봉지를 하나 가져와 대파를 안에 구겨 넣었다. 엄마는 그런 나를 희한하다는 듯 쳐다보더니 설거지를 하러 몸을 돌렸다.

– 김여우우울! 안 오고 뭐 해!
– 지, 지금 가!

피아노 주위를 기웃거리며 신기하다는 듯 쳐다보던 눈망울. 이삿짐 사다리가 몇 층까지 올라가는지 손가락으로 톡톡 세더니 어디 조사라도 나온 사람처럼 남의 이삿짐 트럭을 꼼꼼하게 살피질 않나, 아파트 베란다에서 들려온 엄마의 목소리에 화들짝 놀라 부리나케 뛰어가던 뒷모습까지. 욱하는 성질뿐만 아니라 급하고 어수선하기까지 한 여자애였다.

심지어 옆집이라니.

재밌는 우연에 피식 웃음이 나왔다.

같은 학교일 건 분명하고, 몇 반일까?

엄마의 피아노 학원은 열자마자 호황을 이뤘다. 어디서 소문을 듣고 온 건지 사거리 너머 12단지와 7단지에서도 이쪽에 아이들을 보내기 시작했다. 소문이 날개를 달고 광명 전역에 퍼지기라도 한 듯했다. 정말 의외였다. 엄마의 사업 수완이 이렇게나 좋을 줄이야.

[은수야, 지금 어디야? 나 너희 피아노 학원 앞인데…….]

유진 누나는 자존심이 센 사람이었다. 위의 언니와 열 살이 넘는 터울의 늦둥이답게 그녀는 온갖 사랑을 다 받으며 조금 이기적인 아이로 자랐다. 그만큼 매사 자신감이 넘치는 여자였다. 시원시원한 성격에 애교도 많은 데다가 제 물건, 제 가족은 끔찍이 여기는 면도 있었다.

그런 그녀가 먼저 나를 찾아왔다는 것은 그 하늘 같은 자존심을 내려놨다는 의미였고, 나는 그 방문이 부담스럽게만 느껴졌다.

"잘 지냈어?"

노란 건물 앞에 서 있는 그녀는 기억 속 모습보다 성숙했다. 여고생 느낌이 물씬 나는 긴 생머리도, 엷게 바른 립글로스도, 단아한 구두도 뭔가 낯설었다.

"나 하나도 안 보고 싶었나 보네."

갸름한 얼굴이 입술을 삐쭉이며 웃었다. 상아색 니트를 입은 팔이 긴장한 듯 허리 뒤로 뒷짐 진 채 서성였다. 불편한 눈빛이 서로를 향하며 허공에서 교차했다.

속이 더부룩하니 위장이 쓰렸다.

마치 지금 우리 사이처럼.

3층인 학원으로 올라가니 초등부 담당인 선생이 응접실

에서 휴식을 취하고 있었다. 그녀는 어머님들이 좋아하는 스타일의 카디건에 치마를 입은 채 또 학원 전화기를 붙잡고 앉아 코맹맹이 목소리로 남자 친구와 '여보, 여보!' 하며 통화 중이었다.

"어? 은수 왔구나! 원장님 지금 수업 중이신데."

"엄마 뵈러 온 거 아니에요. 말씀 안 전하셔도 돼요."

그녀는 내 뒤로 따라 들어오는 유진 누나를 유심히 쳐다보더니 곁눈질로 내 얼굴을 흘끔거렸다.

관찰하듯 빤히 쳐다보는 시선이 불편해질 무렵, 신발장이 있는 입구 쪽에서 쇠방울 소리가 딸랑거리며 울려 퍼졌다. 선생은 냉큼 전화기를 내려놓고 달려 나갔다.

"어머, 어서 와요."

"아, 안녕하세요."

새 학생이 온 모양이었다. 처음 왔냐고 물으며 친절하게 응대하는 선생의 뒷모습은 딱 봐도 고단수였다. 엄마가 그녀의 전화 수다를 눈감아 주는 이유를 알 것 같았다.

유진 누나는 어색한 자세로 주변을 둘러보고 있었다. 여기저기서 뚱땅거리는 피아노 소리가 시끄러운지 콧잔등이 잔뜩 구겨진 채였다.

"요즘 피아노 학원은 이렇구나……."

유진 누나는 나와 같이 피아노를 시작했지만 세진 누나

만큼 음악적 재능이 탁월하지는 않았다. 대신 미모 하나는 언니보다 월등히 뛰어났다. 고등학교에 올라가자마자 얼짱이니 뭐니 하면서 인터넷에 팬 카페까지 생길 정도였으니 말이다.

"여기까지는 어쩐 일이야?"

"몰라서 묻니?"

톡 쏘아붙이는 그녀의 눈빛에서 서운함이 묻어났다. 어떻게 그럴 수 있냐는 원망스러운 눈초리. 나는 싱겁게 웃었다.

"연락했잖아. 응답이 없던 건 누나였고."

"아, 전화 한 번, 문자 한 번?"

그 정도면 충분했던 거 아닌가? 설마 몇 날 며칠 밤새며 전화하고, 문자하고, 집 앞에 찾아가고, 그렇게 징징거리며 보채고 매달리길 바랐던 건 아니겠지.

반달처럼 휘던 내 눈초리가 서서히 차갑게 식어 갔다.

그러는 누나는 그 당시 내 마음, 내 속이 어땠는지 들여다보기나 했을까? 박살 난 집에서 매일 밤 조마조마한 마음으로 혼자 웅크리고 있던 내 모습을 알고나 있었을까?

엄마와 나는 피해자였다. 유진 누나도 피해자였다. 저들밖에 모르는 이기적인 인간들로 인해 가슴이 갈가리 찢겨 나간 주변 사람들. 그래서 더 이해하고 서로를 보듬어 주는 사이가 될 거라 생각했다.

아니었다.

이혼 소문이 돌 때부터 '하은수 너는 엄마와 살 거냐 아빠와 살 거냐'만 궁금했던 학교 아이들처럼 그녀의 관심사 역시 '너는 계속 피아노를 칠 거냐 말 거냐'뿐이었다. 계속 하동준의 아들로 살 거냐 말 거냐? 지휘자 하동준은 너를 계속 아들로 인정할 거냐 말 거냐?

모두의 관심사와 다를 바 없던, 나를 미치고 돌아 버리게 만들던 질문들.

"곧 엄마 레슨 끝날 시간이셔. 마주치면 좀 그렇잖아."

"가라고?"

그녀는 기가 막힌지 입술을 깨물었다. 나는 말없이 돌아서서 양옆으로 느슨하게 묶여 있는 커튼 사이로 걸어 나갔다. 그 순간, 팔각정처럼 사방이 뚫려 있는 응접실 한가운데 놓인 테이블이 눈에 들어왔고, 동그란 원탁 앞에 낯익은 얼굴이 앉아 있는 게 보였다.

다람쥐처럼 테이블에 턱을 괴고서 달달한 코코아를 홀짝거리는 여자애.

"김여울?"

녀석의 눈이 토끼처럼 동그랗게 커진 채 나를 향했다. 퍼뜩 정신이 든 나는 얼른 통로의 커튼 줄을 홱 잡아당겼다.

뒤따라 나오던 유진 누나의 발걸음이 흠칫하며 멈추는 소리가 들렸다.

자존심 센 누나는 커튼을 확 젖히고 나올지도 모른다. 일단 발걸음을 옮겼다. 어리둥절한 표정으로 쳐다보는 여울이의 시선을 피해 도망치듯 피아노 학원을 나섰다.

"하은수!"

금세 뒤따라 나온 여울이가 쫄래쫄래 쫓아오며 불렀다. 안 그래도 머릿속이 복잡해 죽겠는데 왜 얘까지 여기에 있는 건지. 호기심 어린 눈으로 쳐다보는 녀석에게 그냥 무시하고 가라는 시선을 던졌다. 내 심중을 읽었는지 나를 빤히 보던 그녀는 머쓱해하며 먼저 걸어가기 시작했다.

다시 터벅터벅 걸었다.

그러자 앞서가던 여울이의 등이 홱 돌아서며 망설이듯 나를 바라본다. 대체 뭘 어떻게 오해한 건지 세상 불쌍한 눈으로 쳐다보고 있었다.

그런 거 아니야, 이상한 상상하지 말고 그냥 가.

그런 눈빛을 쏘아 보냈지만, 녀석은 안쓰럽다는 표정으로 한숨을 쉬며 이미 이쪽을 향해 걸어오는 중이었다.

"따라와."

그러고는 내 손목을 덥석 잡더니 아파트들 옆으로 난 오솔길로 무지막지하게 끌고 가기 시작했다.

"뭐야, 어디 가는데?"

지이잉. 바지 주머니 속에 넣어 둔 핸드폰이 계속 진동하며 울리고 있었다. 유진 누나일 거다. 받을까 말까 고민하는 마음속 갈등을 따라, 내 시선은 툭 튀어나온 주머니에서 발로 왔다 갔다 움직였다.

사박사박.

나뭇잎 밟는 소리가 시선을 잡아끌었다. 별 모양 캔버스 운동화를 신은 작은 발이 부지런히 걷고 있었다. 빨간 망토에게 잡혀가는 늑대가 된 기분이었다. 살랑거리는 단발머리 사이로 보이는 가느다란 목. 출석 번호 3번답게 정말 작은 체구였다. 탁 뿌리치면 바닥에 넘어질지도 모를 그런 여자애.

터널처럼 우거진 나뭇잎 사이로 잘게 부서진 햇살이 화살처럼 스며들었다. 아파트와 도로 사이 붉은 담 옆으로 이런 길이 있는 줄은 몰랐다. 그리고 그 끝에 이런 보물 창고가 존재한다는 사실도 전혀 예상하지 못했다.

"특별히 너한테만 공개하는 거야."

이를 드러내고 환히 웃는 여울이의 표정이 눈부셨다. 동양 버전의 빨간 머리 앤이 따로 없었다. 주근깨 가득한 뺨이 뿌듯해하는 기색으로 발그레 젖었다. 누군가에게 공식적으로 소개하는 건 처음인 게 분명했다.

왜 내게 이런 호의를 베푸는 걸까?

전학 간 첫날부터 지금까지 하루도 빠짐없이 괴롭힌 것 같은데. 그러고 보니 점심시간마다 반찬 통과 조끼를 그렇게 던져 대도 그녀는 조그마한 입술로 구시렁거리며 잔소리만 늘어놓을 뿐, 한 번도 싫다며 정색하고 뿌리친 적이 없었다.

물론 알고는 있었다, 정이 많은 녀석이란 것을. 호기심 많고, 웃음도 많고, 주근깨도 많고, 알고 보니 원피스 뺨치는 보물도 많고.

"오, 이거 크러시기어잖아. 건담도 있네?"

낯익은 로봇을 보자마자 반가움에 환호성이 터져 나왔다. 구슬치기하던 날 여울이가 품 안에 꼭 안고 있던 거다. 불안한 눈을 깜빡이며 날 쳐다보는 녀석의 안색이 하얗게 질려 가고 있었다. 행여나 내가 훔쳐가기라도 할까 봐 겁내는 모습이었다.

"나 주라."

"안 돼! 내가 그걸 어떻게 따 모았는데."

말이 채 끝나기도 전에 녀석은 버럭 소리치며 거절했다. 알지, 네가 이걸 어떻게 따 모았는지 세상 누구보다 내가 제일 잘 알지.

"제발."

"안 된다고."

"너 건담 좋아하지도 않잖아."

"좋아하거든?"

"야, 무슨 여자애가……."

"여자애는 로봇 가지고 놀면 안 되냐? 난 세일러문도 좋아하고 건담도 좋아해, 그러니까 그거 얌전히 내려놓을래?"

간절한 눈빛을 숨긴 채 화난 척 으름장을 놓는 녀석의 모습이 초등학생 애들 앞에서 센 척하던 날의 모습과 대조되어서 더 재밌다. 어떻게든 내 시선과 관심을 다른 곳으로 돌려 보려고 애쓰는 것도 웃기다.

"야, 여기 축구공 있다. 이거 너 가져. 너 축구라면 환장하잖아."

"터진 축구공이잖아. 난 이거 갖고 싶어. 축구보다 건담에 더 환장해."

사실 이런 코흘리개 장난감들 따위 전혀 흥미 없었다. 정확히 말하면 건담을 필사적으로 지키는 녀석의 모습에 흥미가 있었다. 저게 뭐라고 저렇게까지 애착을 갖는 건지. 이 아지트에 모은 고물들의 존재 자체가 미스터리였다. 이게 다 뭐라고 홀로 구슬치기 연습까지 하면서 지키려는 것일까?

나를 쳐다보는 여울이의 눈빛이 갈등에 젖은 채 물렁하

게 변했다. 또 불쌍하게 쳐다보는 걸 보니 마음이 약해진 게 분명했다. 멀쩡한 사람을 거지 쳐다보듯 하는 것은 제발 그만해 줬으면 좋겠는데.

"소원 하나 들어주면……. 그럼 그거 줄게."

"무슨 소원?"

재는 내가 진짜 자기 건담 갖고 싶어서 이러는 줄 아나? 내 시선이 쭉 관찰하던 대상이 뭔지 잘 좇기만 했어도 그런 착각은 하지 않았을 텐데.

"너 피아노 칠 줄 알지?"

대답하기도 전에 그녀는 또 내 팔을 덥석 잡고 어디론가 질질 끌고 가기 시작했다. 나는 영문도 모른 채 더 깊은 먼지 구덩이 사이로 끌려갔다. 일명 김여울의 아지트 구석에는 유령의 집에서나 볼 법한 낡은 피아노 한 대가 버려져 있었다.

"솔."

소리 나지 않는 건반을 입 모아 소리 내는 녀석의 뺨이 가득 상기된 채 웃었다. 뭐가 그리 행복한 건지 건반 소리 하나에 웃음을 까르르 터뜨린다.

문득 어린 시절, 처음 피아노 건반을 눌러 봤을 때가 떠올랐다. 까치발을 한 채 아버지의 피아노 건반을 몰래 누르며 혼자 볼우물을 패고 웃던 순간이.

"피아노 쳐 줘."

"뭐?"

"방과 후 여기서 매일."

재가 미쳤나? 배시시 웃으며 쳐 달라고 하는 표정이 너무 순수해서 할 말을 잃고 말았다.

"나 피아노 안 쳐."

내 한마디에 녀석의 행복했던 표정이 단박에 굳었다. 역시 내 생각이 맞았다. 얘는 대체 무슨 근거로 내가 당연히 피아노를 쳐 줄 거라고 생각한 걸까?

어떠한 경우에도 누구 앞에서도, 두 번 다시 피아노를 치는 일 따위는 없을 거라 여겼다. 아이들이 즐거워하며 피아노를 치는 모습을 봐도 더 이상 아무런 감흥이 들지 않았을 때, 이제 정말 피아노에는 아무런 미련도 남지 않았구나 하는 생각이 들었다.

그걸 깨달은 순간 조금은 씁쓸했다.

그런데 나는 왜 지금 그녀에게 이런 말도 안 되는 약속을 해 주고 있는 것일까? 저 녀석의 건담 따위 정말 갖고 싶은 것도 아니면서.

"일주일에 한 번, 그 이상은 안 돼."

무언가에 애착을 가지면 쉽게 포기할 수 없게 될지도 모른다는 두려움이 있었다. 그럼 결국 괴로운 건 자기 자신이 된다고. 구슬치기까지 하면서 사수한 건담을 이렇게 간단히 내줄 수 있는 거였어? 내가 네 건담을 달라고 했던 건 죽어도 못 뺏긴다는 그 눈초리가 재밌어서였는데.

녀석이 보물처럼 아낀다는 건담도 주고, 도시락 반찬까지 먹어 주기로 약속하면서 피아노를 쳐 달라고 하는 이유가 대체 뭔지 궁금했다.

"이거 너랑 나랑만 아는 비밀이다, 김여울."

행복해 죽겠다는 얼굴로 고개를 끄덕이는 여울이에게 어떤 표정을 지어야 할지 난감했다. 도망치듯 녀석의 아지트를 나온 나는 기묘한 감정에 휩싸인 채 하늘을 올려다보았다.

홀가분한 마음으로 하늘을 훨훨 날다가 총 맞고 추락하는 기분이었다. 김여울이 쏜 총알 맞고, 탕.

아마 그날부터였던 것 같다.

총 맞고 정신이 이상해진 내가 허술하게 감정을 내보이며 변하기 시작한 시점이……. 오솔길 끝에 위치한 빨간 망토의 집에 가는 게 아니었다. 과자의 집도 아닌, 지하 던전에 홀린 듯 들어가서 본전도 못 찾고 나온 늑대.

그 멍청한 짐승이 내가 될 거라고는 감히 상상도 하지 못했다.

9. 녹턴 2번

9. 녹턴 2번

"은수야, 너 여울이랑 사귀는 거야?"

"아니."

곽다정, 우리 반 반장이라는 여자애다. 아침마다 쓸데없는 주제로 말을 걸어오며 귀찮게 하는데 내용은 대개 '오늘은 날씨가 참 좋지 않냐? 체육 시간에 자기 옆줄에 서지 않을 거냐? 매점에 같이 가지 않을 거냐? 독서실은 어디로 다니냐?' 등의 쓸데없는 이야기들이었다.

"아, 난 또 둘이 자전거를 같이 타고 오길래……."

어제와 오늘의 주제는 연이어 김여울이다. 내가 여울이와 사귀든 자전거를 타든 본인과 도대체 무슨 상관인지는 모르겠지만, 나는 최대한 친절한 목소리로 답해 줬다.

“옆집 살거든.”

“그렇구나, 여울이는 그런 말을 안 해 줘서 몰랐어.”

“그래?”

같은 반 여자애들한테 같이 자전거 탄 거 오해받을까 봐 방방 뛰던 녀석이 그런 중요한 정보를 언급하지 않을 리가 없는데.

김여울은 오늘도 자기 짝꿍이랑 냉전을 벌이는 듯 시베리아 벌판 분위기를 휘감은 채 앉아 있었다. 등이 구부정한 걸 보니 열성적으로 수학 숙제를 하는 중이시다. 아침에 시계를 보며 초조함 속에서 풀어야 문제가 더 잘 풀린다는 기이한 논리를 오늘도 몸소 실천 중인 게 틀림없었다. 곽다정이 여울이 자리로 걸어가는 내 어깨를 톡톡 두들기며 세웠다.

“여울이한테 가서 말하려고?”

“뭐를?”

“아니, 괜히 내가 말 옮겼다고 화낼까 봐.”

“누가? 김여울이?”

불안한 목소리로 묻는 곽다정의 얼굴은 여울이가 와서 한 대 때리기라도 할까 봐 겁먹은 표정이었다.

“여울이가 좀 까칠하거든.”

가지런한 이를 내보이며 웃는 곽다정의 미소는 언제 봐

도 반듯하고 청순한 편이다. 반장으로서 선생님들의 무한한 신뢰를 받고 있고, 반 애들과도 두루두루 친한 아이. 그런데 입 밖으로 나오는 말들은 죄다 어딘지 모르게 비딱하니 뒤틀렸다. 특히 김여울에 관해서라면.

"참, 저번에 여울이한테 체육복 빌려줬지? 나도 오늘 빌려주면 안 돼?"

"안 되는데."

짜증이 난 나머지 딱 잘라 거절하고 말았다. 내 날카로운 반응에 곽다정의 입매가 얼어붙자 생긋 웃으며 말을 덧붙였다.

"축구하고 안 빨아서."

"아, 괜찮아. 그냥 잠깐 걸치고 돌려줄게. 내 자리가 복도 쪽이라 좀 춥거든."

남자애들 조끼나 체육복을 못 입어서 안달 난 건 김민경뿐인 줄 알았는데, 얘도 그런다. 저기 앉아 있는 누구는 점심시간에 조끼 좀 맡아 달라고 부탁해도 제 의자 등받이에 걸쳐 놓은 채 찾으러 올 때까지 내팽개치고 있던데. 심지어 이제는 맡아 주는 것조차 귀찮은지 저한테 맡긴 조끼를 떡하니 남한테 넘기기까지 한다. 엊그제 내 조끼가 김민경 몸에 걸쳐져 있을 때는 진짜 순간 화가 치밀어 올라서 소리를 지를 뻔했다.

나는 사실 누가 내 옷을 입거나 물건을 건드리는 걸 아주 싫어하는 편이었다. 개인주의적인 성향인지, 결벽증인 건지 아니면 둘 다인 건지는 모르겠지만, 특히 누가 먹던 음식은 당장 굶어 죽어도 절대 입에 넣지 않는다. 남자애들끼리 물통의 물을 같이 마신다거나 같은 빨대로 콜라를 마신다거나 하는 일은 내게 절대 있을 수 없는 일이다.

"사물함에 있어?"

곽다정은 자연스럽게 내게 묻고서는 내 사물함 쪽으로 향했다. 고맙다는 표시로 상냥한 눈웃음을 보내는 것도 잊지 않는다. 강적이네, 이러니 김여울이 못 당하지.

"박승환!"

"어?"

내 목소리에 녀석이 안경을 치켜세우며 주춤주춤 일어섰다. 그 옆에서 부리나케 수학 숙제를 하던 여울이가 고개를 들며 흘끔거리는 게 보였다.

"체육복 있어?"

"어, 있는데."

"빨았어?"

"응, 오늘 빨아서 가져왔어."

"잠깐 빌려주라."

"지금?"

"어, 반장이 필요하대."

반장이라는 말에 둔한 녀석이 가방에서 냉큼 꺼내 코뿔소처럼 달려왔다. 세제 냄새가 나는지 코를 킁킁거리더니 자신 있게 내민다. 반면 내 사물함 앞에 서 있던 곽다정은 얼굴이 새파랗게 굳어 있었다.

"내 건 너무 더러워서. 박승환 쟤가 엄청 깔끔하거든. 이거 입으면 될 것 같은데."

이쪽을 빤히 쳐다보던 여울이의 미간이 세로로 깊게 패며 좁아졌다. 혹시 내가 곽다정에게 체육복을 건넬까 봐 저러는 건가? 그런 생각에 그녀를 응시하던 나는 실소를 흘렸다. 그럼 그렇지, 저 녀석이 그런 걸 신경 쓸 리가 없다.

녀석은 나와 박승환을 향해 한심하다는 눈초리를 짓더니 다시 수학책에 코를 박고 분주하게 샤프를 움직이기 시작했다.

"고마워, 승환아."

곽다정은 마지못해 건네받으며 친절한 인사를 건넸다. 박승환의 뺨이 발그레 젖었다. 역시 가식의 여왕다웠다. 그녀의 프로 의식에 나는 감탄을 금치 못했다.

반장은 전학 오기 전에 다녔던 학교 애들과 성향이 아주 흡사했다. 모략에 능수능란한 리틀 정치인. 설마 화장실에서 여울이에게 걸레 물을 부은 게 이 녀석은 아니겠지?

전학 오기 전에는 그렇게도 안 가던 시간이 이곳에서는 하루하루가 순식간이었다. 금세 여름 방학이 다가왔고, 심심한 방학 생활마저 눈 깜짝할 새에 절반이 지나갔다.

하동준의 음악 교실.

조별 방학 숙제로 가게 된 음악회가 하필 이거라니, 짜증나 돌아버릴 지경이었다. 잘 먹고 잘 살고 있는 그 인간이야 내가 오든 말든 상관하지 않을 테지만, 이쪽은 그쪽 얼굴을 보는 것만으로도 부아가 치밀어 올랐다.

초인종을 누르자 안에서 후다닥 뛰어나오는 발소리가 들렸다. 산만한 걸음걸이만 들어도 누군지 훤했다. 김여울이다. 그 녀석의 남동생은 침착하고 조심스러운 성격이라 문을 열어 주기 전에는 꼭 현관문 위를 걸쇠로 고정시킨 채 '누구세요?' 하고 문틈으로 확인한다. 이렇게 벌컥 열어젖히고 눈을 동그랗게 뜨는 제 누나와는 달리.

"하은수?"

도둑이라도 들면 어쩌려고 이렇게 조심성이 없는지. 한숨을 섞어 속눈썹을 들어 올리던 나는 할 말을 잃은 채 눈앞에 서 있는 녀석을 쳐다보았다.

"김여울, 너 옷……."

눈이 토끼처럼 동그래진 채 내 얼굴을 빤히 보던 그녀는 삽시간에 비명을 지를 듯 경악했다. 체육복 바지에 민소매를 입고 나온 녀석의 입에서 수박바가 반으로 똑 부러진 채 바닥에 떨어졌다.

쾅!

닫힌 현관문 소리가 들리자마자 나는 돌아서서 벽을 짚은 채 호흡을 가다듬었다. 잇새를 악물고 천천히 눈을 감아 봤지만 방금 전 본 광경이 자연스럽게 머릿속에 다시 되감기듯 떠올랐다.

레이스로 된 어깨끈 아래 부러질 듯 얇은 쇄골. 늘어난 민소매가 보여 주던 봉긋한 가슴골.

달아오른 뺨이 물처럼 녹을 듯 뜨거웠다. 한여름의 열기보다 내 몸속에서 치솟는 열기에 더 아찔할 지경이었다.

김여울, 김여울, 김여울……. 아오, 진짜!

나는 즉시 바닥에 앉아 동해물과 백두산이 애국가를 부르기 시작했다. 열기야 제발 가라앉아라 애원하며, 동시에 저 녀석이 부디 빨리 나오지 않기를 기도하면서.

다행히 한참 뒤에 나온 여울이는 현관문을 닫자마자 성큼성큼 걸어서 엘리베이터로 향했다. 멋쩍어하는 듯했던 녀석의 표정은 순식간에 뚱한 얼굴로 바뀌어 있었다. 저 녀석 변덕이야 죽 끓듯 하지만 왜 저러는지 도무지 이해가 되지 않았다.

안 그래도 피곤해 죽겠는데, 방금 전 일로 남은 기력까지

다 소모한 기분이었다. 나는 녀석의 등에 머리를 기댄 채 자전거 뒷좌석에 올랐다.

김여울 냄새다.

비누 향이 섞인 보송보송한 이불 냄새, 산에 올라가면 나는 싱그러운 풀 내음 같은 향기, 베개에 묻혀 놓으면 잠이 절로 올 것 같은 그런 냄새.

기분 좋은 감촉과 향기에 입가가 말랑말랑 곡선으로 풀어졌다. 참 신기한 일이다. 잠이 오지 않아 괴로웠던 간밤의 일이 거짓말이었던 것처럼, 나른한 잠이 쏟아져 내리기 시작했다.

딸랑.

자전거 벨소리에 감았던 눈꺼풀을 게슴츠레 들어 올렸다. 거리의 풍경이 느릿느릿 지나가는 게 보였다. 이 동네 경치는 참 한적하고 평화롭다. 8단지는 고층 아파트와 저층 아파트 단지로 나뉘어져 있는데, 두 개의 단지가 교차하는 사거리 근처가 엄마의 피아노 학원이 있는 곳이다.

그리고 그 옆에는 별명이 스크루지 영감인, 심보가 고약한 아저씨가 하는 해태 슈퍼마켓이 있다. 여울이는 길 가다가 쓰레기 버릴 일이 생기면 꼭 거기로 가서 버린다. 제 나름의 보복이자 정의 구현의 일종이라면서. 고작 음료수 캔 하나, 과자 봉지 하나 가지고 정의 구현을 하는 녀석의 행실을 뭐라고 평가해야 할지, 그럴 때마다 저 녀석의 단순함에 피식 웃게 된다.

내 눈에는 스크루지 영감이 딱히 그렇게 나빠 보이지 않았다. 아이들한테 눈깔사탕을 안 준다고 해서, 돈 백 원 안 깎아 준다고 해서, 애들이 냉동고 문을 열어 둔 채 아이스크림을 고를 때마다 혼을 낸다고 해서, 저 아저씨가 결코 이기적인 건 아니다.

그냥 원칙대로 할 뿐이었다. 스크루지 영감은 애들을 좋아하지 않을 뿐이고, 다른 슈퍼의 아줌마, 아저씨들처럼 애들이 올 때마다 알사탕이니 뭐니 덤을 얹어 주지 않을 뿐이다. 오히려 사탕과 과자를 주면서 다음에 또 오라고 달콤한 유혹을 하는 쪽이 나는 더 싫었다. 물론 타인의 선량한 호의를 색안경 끼고 보는 내가 이상한 인간일 수도 있다.

요즘 들어 종종 그런 가정을 해 본다. 만약 내가 전학 오기 전 살던 동네에 여울이가 전학을 왔다면, 이 녀석은 우리 동네를 어떤 시선으로 바라봤을까?

반 아이들은 죄다 곽다정 같은 애들뿐이고, 동네 슈퍼마켓 아줌마 아저씨들은 죄다 저 스크루지 영감 같았을 텐데.

너는 그럼에도 이렇게 나와 자전거를 타고 매주 몰래 피아노 교습을 했을까? 네 눈에 나는 어떤 녀석으로 비쳤을까? 우리는 과연 이렇게 친한 친구 사이가 될 수 있었을까?

어쩌면 나는 참 운이 좋은 녀석일지도 모른다. 운 좋게 그녀의 옆집으로 이사를 왔고, 운 좋게 그녀와 같은 반이 되었고, 운 좋게 그녀가 그토록 배우고 싶어 하는 피아노를 칠 줄 알았다. 하지만 이 운발이 얼마나 더 갈지는 미지수였다.

자전거 뒷좌석에 앉아 게슴츠레한 눈으로 하품을 하던 내 눈동자가 멈칫 정지했다. 슈퍼 앞 빨간색 뽑기 기계 앞에 예닐곱 살쯤 되어 보이는 여자애가 엄마 손을 잡고 서 있었다. 그녀는 녹아 가는 아이스크림을 혀로 할짝거리며 신기한 눈으로 우리를 관찰했다.

느릿하게 지나가는 자전거에 나란히 탄 언니 오빠의 모습을 물끄러미 응시하던 소녀는 나와 눈이 마주치자 앞에서 끙끙대며 페달을 밟는 여울이 쪽을 흘끔거렸다.

이 오빠 안 자는데.

그렇게 일러바치는 듯한 눈빛으로. 나는 얼른 검지를 입술에 가져가며 '쉿' 하고 신호를 보냈다. 내 비밀스러운 눈웃음에 꼬마 숙녀는 눈을 동그랗게 뜨더니 배시시 웃었다.

아, 비밀?

눈치 하나만큼은 저보다 열 살 많은 언니보다 뛰어난 여자애였다.

"하은수 너 살쪘지? 왜 이렇게 무거워!"

나는 씨근덕대며 페달을 밟고 있는 여울이의 등에 다시 머리를 기댄 채 눈을 감았다. "잠이 오냐, 이 나쁜 자식아!" 잇새로 바득바득 저주하며 소리치는 그녀의 목소리에 이상한 행복감이 번졌다.

어쩌면 나는 정말 미친 변태일지도 모른다. 녀석의 입 밖으로 튀어나오는 온갖 쌍욕이 달콤한 자장가로 들려오는 걸 보니. 이 카타르시스는 분명 정상이 아니다.

어쨌든 지금 내가 확신할 수 있는 것은 나를 태운 이 느릿한 자전거의 속도가 아주 마음에 든다는 사실이었다. 놀이공원에 가도 제일 빠른 롤러코스터만 골라 타는 편인데, 신기하리만큼 그녀의 자전거 속도가 봄바람인 양 나를 기분 좋게 만들었다. 그렇게 거북이처럼 뒤뚱뒤뚱 가는 여울이의 등에서 나는 다시 취한 듯 꾸벅꾸벅 졸기 시작했다.

간밤에 온몸을 죄이던 악몽 따위는 없었다. 한적한 오후의 달콤한 낮잠이 스치듯 나의 입가를 어루만질 뿐.

이 온화한 시간이 영원했으면 좋겠다.

너의 목소리, 너의 냄새, 너의 온기, 이 모든 것들이.

찌르르, 찌르르, 돌아가는 자전거 페달 소리가 오르골 소리처럼 귓가에 맴돌며 이 순간의 풍경을 저장하고 있었다. 나는 천천히 돌아가는 자전거 선율에 맞춰 편안하게 숨을 들이마셨다.

내 꿈속에서는 계속해서 여울이가 나왔다. 수박바를 물고 나를 쳐다보던 그녀는 현관문을 쾅 닫는 대신 배시시 웃으며 내게 한 걸음 다가왔다. 그녀를 향해 허리를 숙인 나는 그 애가 먹던 수박바를 한 입 베어 물었다.

뭔가 말도 안 되는 꿈이었다. 꿈인 걸 알면서도 그 달콤함에 덮칠 듯 달려들던 나는 정녕 제정신이 아닌 게 틀림없었다.

여름 방학 한가운데 토요일, 예술의 전당은 온통 〈하동준의 음악 교실〉 일색이었다.

콘서트홀에 들어오자 익숙한 얼굴들도 보였다. 누구네 집 아들, 누구네 집 딸, 아버지와 어머니를 따라다녔던 곳들에서 간혹 마주쳤던 의미 없는 이름들.

동시에 핸드폰 진동이 울리기 시작했다. 유진 누나였다. 나는 잠시 고민하다가 핸드폰을 주머니 속에 다시 넣었다.

"티켓 내놓으라고! 내가 너한테 가방 맡기고 들어갔잖아!"

"네 티켓을 내가 어떻게 알아! 미친년이 지가 잃어버리고선 지랄이야!"

"내놓으라고!"

여자 화장실 쪽에서 나는 소리였다. 씨름판이라도 생긴

듯 둥글게 모인 사람들 속에는 우리 조 애들도 섞여 있었다. 여자애들이 서로 머리채를 잡고 몸싸움을 하고 있었다.

신선하기도 하고 충격적이기도 했다. 머리털이 한 줌은 뽑힌 김민경은 서럽게 울고 있었고, 여울이는 분이 안 풀렸는지 김민경을 죽일 듯 노려보고 있었다.

"미친년, 저거 완전 미친년이야!"

김민경이 눈물범벅인 얼굴로 소리 지르며 악다구니를 썼다. 여울이가 '저걸 그냥 확!' 하면서 손을 들자 김민경은 화들짝 놀라며 얼른 곽다정 뒤로 숨었다. 말릴 생각은커녕 구경만 하던 남자애들은 상황이 일단락되자 뒤에서 해설판을 벌이기 시작했다.

"김여울 그렇게 안 봤는데 대박이지 않냐? 김민경 완전 KO패."

"하은수, 너 쟤랑 친하지? 쟤 원래 저렇게 쌈닭이야?"

나와 눈이 마주친 여울이가 홱 돌아서는 게 보였다. 머리를 매만지는 녀석의 팔에는 피가 맺혀 있었다.

"독사는 저런 거 안 잡고 뭐 하냐?"

"뭘?"

"김민경 손톱, 거의 흉기 수준이네."

내 말에 당황한 정원이가 나를 쳐다보며 뭔 소리하는 거냐는 표정을 지었다.

"피 나잖아, 김여울."

평소에 나는 복날 닭 잡듯 잘도 줘 패면서, 김민경 같은 애한테 왜 바보같이 맞고 다니는 건데?

"재들 왜 싸운 거래?"

"김여울 입장권이 없어졌다는데? 김민경보고 자기 입장권 숨긴 거 내놓으라고 난리 친 거 같아. 김민경은 자기가 안 했다고 저 난리고."

이야기를 대충 들어보니 화장실에 간 여울이가 김민경에게 가방을 맡기고 들어간 모양이다. 입장권은 가방 안에 넣어 놨는데 그게 그사이 없어졌다는 듯했다.

매표소에 다녀온 곽다정이 여자애들 사이에서 상황을 정리하며 나섰다.

"전 좌석 매진이래."

그녀가 안타깝다는 표정으로 말을 꺼내자 여울이의 표정이 우울하게 가라앉았다.

분주하게 오고 가며 어딘가에 전화를 걸던 이윤아는 안타까운 얼굴로 여울이의 어깨를 토닥였다. 애쓰는 듯해 보였지만 결론은 제 엄마가 곧 도착할 테니 밖에서 얌전히 기다리고 있으란 거였다.

"입장하래."

자기는 괜찮다며 먼저 들어가라고 하는 여울이의 눈이

빨갛게 충혈되어 있었다. 나는 홀 안에 들어서면서 계속 문밖을 흘끔거렸다. 홀로 남은 녀석의 어깨는 잔뜩 움츠려진 채 가녀리게 떨고 있었다. 터져 나오는 울음을 참는 듯 아랫입술을 지그시 깨문 채로.

그 모습이 계속 뇌리에 남아 가슴을 묵직하게 만들었다.

여자애들은 앞줄, 남자애들은 뒷줄에 앉아 각자 팸플릿을 펼쳤다. 곽다정은 우리 조도 아니면서 이윤아 옆에 떡하니 앉아 있었다. 거긴 여울이 자리였다. 그 자리를 꿰차고 앉아 있는 곽다정을 보니 머릿속이 차갑게 식어 갔다.

앉자마자 쉬는 시간이 언제냐고 두리번거리며 묻던 정원이는 앞줄에 앉은 여자애들을 흘끔거리더니 슬그머니 귓속말을 했다.

"은수야."

"왜?"

"이윤아 쟤 지네 엄마 안 부른 거 같던데."

"그게 무슨 소리야?"

"아까 김민경하고 말하는 거 들었는데 좀 이상해. 이윤아랑 김여울 서로 친한 거 아니었어?"

대체 무슨 말이냐고 되묻는 내 눈빛에 정원이는 인상을 쓰며 제가 엿들은 걸 속닥속닥 털어놨다.

"그러니까 이윤아가 김여울한테 자기 엄마 번호를 준 게 아니라고…….”

– 윤아야, 너 진짜 엄마 불렀어?

– 아니, 안 불렀는데?

– 김여울한테 너희 엄마 전화번호 넘겨줬잖아.

– 그거 우리 오빠 핸드폰 번호야. 오빠한테는 모르는 번호로 전화 오면 절대 받지 말라고 미리 문자 넣어 놨지.

– 푸하, 진짜? 너 완전 못됐다.

내 눈초리가 싸늘하게 얼어붙자 정원이는 눈치를 보며 큼큼 헛기침을 했다. 나는 숨소리를 차분하게 가라앉히며 앞을 노려보았다.

정 가운데에 앉은 곽다정을 중심으로 왼쪽은 이윤아, 오른쪽은 김민경이 앉아 있었다. 즉, 내 앞에 있는 저 머리통이 이윤아란 뜻이다.

나는 다리를 꼰 다음 다시 푸는 척을 하며 '퍽!' 소리가 날 정도로 앞에 앉아 있는 뒤통수를 향해 발차기를 날렸다.

"악! 뭐야!"

소리를 지르며 뒤를 돌아보던 이윤아는 나와 눈이 마주치자 바로 눈을 동그랗게 뜨며 얌전하게 자리에 앉았다. 나는 태연하게 사과를 건넸다.

"미안. 발 닿을 줄 몰랐어."

"아, 아니야! 괜찮아."

손사래를 치며 웃는 그녀의 얼굴이 가증스러워서 입술이 비딱하게 올라갔다.

"그런데 있잖아."

"응?"

"너희 어머니는 언제 오셔? 김여울 밖에서 혼자 기다리는 거 같던데."

"아! 도착하면 바로 여울이한테 가신댔어."

"정말 그러셨어? 김여울한테 바로 가신다고?"

"응. 아마 여울이도 2부에는 들어올 수 있을 거야. 걱정하지 마."

어이가 없어서 웃음이 흘러나왔다. 내 미소를 어떻게 해석한 건지 이윤아는 방실거리며 수줍은 표정을 지었다.

여울이는 평소 입만 열면, 오늘은 윤아랑 뭐 했는지, 내일은 윤아랑 뭐 할 건지, 자기 친구니까 윤아가 말 걸면 무시하지 말라는 둥 온갖 오지랖 기질로 잔소리하기 바쁜데, 저 계집애는 그런 제 친구를 바보 취급하는 걸로도 모자라서 배신하고, 뒤에서 따돌리고…….

"야, 하은수!"

옆에 앉아 있던 정원이가 내 손을 덥석 잡았다. 내가 쳐다보자 정원이는 눈치를 살피며 목소리를 낮춘 채 속삭였다.

"참아, 김여울은 아무것도 모르는 눈치던데."

"뭘 참아?"

"너 손."

정원이가 막아 세운 내 손은 주먹을 쥔 채 손등에 핏대를 시퍼렇게 세우고 있었다. 정원이는 진정하라는 듯 내 주먹을 잡은 채 등을 토닥였다.

"은수야, 괜찮아?"

이윤아가 걱정스러운 표정으로 물었다. 나는 억지웃음을 지으며 신경질적으로 대답했다.

"앞에 봐."

"응?"

"연주 시작했으니까 앞에 보라고."

안 그러면 그 역겨운 얼굴 한 대 쳐 버릴 것 같으니까.

내 살벌한 목소리에 당황한 이윤아는 냉큼 돌아앉으며 몸을 움츠렸다. 옆에 앉은 곽다정이 왜 그러냐고 묻자 아무것도 아니라며 고개를 도리도리 젓는 그녀의 모습에 황당한 건 이쪽이었다. 어디서 피해자인 척 입술을 깨물어? 밖에서 혼자 기다리고 있을 김여울 생각은 정말 하나도 나지 않는 모양이었다.

곧장 핸드폰 슬라이드를 열고 문자함으로 들어갔다.

[김여울, 뭐 해?]

그냥 집에 가라고 할까? 아니다, 그렇게 말한다고 순순히 들을 녀석이 아니지. 아예 지금 나가서 직접 데리고 나가야 하나?

[아줌마 오셨어?]

[음악회 지루하다, 완전 별로야.]

이 바보는 어디서 뭘 하는데 답이 없어. 혹시 눈치채고 어디 가서 울고 있나?

[설마 사람들 다 보는 데서 자는 건 아니겠지?]

[너 어디야?]

이 와중에 앞자리에서 꾸벅꾸벅 졸던 김민경은 하품을 하더니 쉬는 시간까지 못 참고 화장실에 가겠다며 일어섰다.

[너 김민경하고 같이 있어?]

사람이 이렇게까지 속을 애태우면 답장 좀 해라. 아니면 전화를 받든가. 밖에 나간 김민경하고 마주쳐서 2차전이라도 하고 있는 거 아니야? 김여울 성깔상 충분히 가능한 시나리오였다.

"하은수, 아직 안 끝났는데 어디 가?"

"화장실. 어차피 1부 거의 다 끝났잖아."

카펫 계단을 밟으며 나가는 길에 돌아오는 김민경의 모습이 보였다. 어디 가냐며 따라붙는 김민경의 팔을 대충 뿌리치고선 걸어 나왔다.

콘서트홀 밖은 썰렁했다. 해가 떨어져서 어두컴컴한 걸 보니 밖에 있을 것 같지는 않은데 녀석의 모습이 도통 보이지를 않았다.

"여학생이요?"

"네, 아까 저희랑 같이 있던 앤데요. 머리 길이가 이 정도 오고, 키는 좀 작고 말랐어요. 베이지색 반바지에 체크무늬 남방을 입고 있는데 혹시 보셨나 해서……."

매표소에 서 있던 여자 직원은 난감한 듯 동료들과 눈빛을 주고받았다. 다른 직원도 고개를 젓는 걸 보니 보지 못한 모양이었다.

"못 본 것 같은데……."

"전화도 안 받고 걱정이 되어서요. 친구 혼자 음악회도 못 들어오고 밖에서 기다리고 있거든요."

"우리도 같이 찾아볼게요. 어디서 기다린다는 말은 없었어요?"

"네, 없었어요."

설마 해도 떨어졌는데 밖에 서 있는 건 아니겠지? 아니면 화장실 안에 있나? 모르는 사람 막 따라가고 그런 거 아니야? 그냥 연주회 들어가지 말걸, 김여울이랑 밖에서 같이 시간이나 때우는 건데 괜히 애들 따라 입장해 가지고…….

웅성거리며 나온 사람들 사이를 비집으며 뛰어다니기를 10분째, 목으로 땀방울이 주르륵 흘러내렸다. 1부가 끝난 모양이었다. 그때 2층 관람석으로 가는 계단 위에 익숙한 인영이 보였다.

"김여울!"

저 바보가 저기 앉아 있었다. 차가운 계단 위에 얇은 팸플릿을 깔고 앉아 몸을 잔뜩 웅크린 채로. 이어폰을 끼고 나를 내려다보던 눈이 동그랗게 커졌다. 오고 가는 사람들 사이로 우리 둘의 눈빛이 잠시 교차했다.

"너 여기서 뭐 해?"

"그냥 앉아 있는데."

"저쪽에 의자 많잖아."

"저긴 너무 넓고 아줌마들이 자꾸 말을 걸어서……."

"그럼 말을 하고 가든가!"

깜짝 놀라 어깨를 들썩인 그녀가 겁먹은 듯 나를 쳐다보았다. 화를 내려던 건 아니었는데, 그저 너무 걱정이 되었을 뿐인데, 왜 이렇게 목소리가 거칠게 나가는지 알 수 없었다.

"미, 미안."

바보같이 차가운 바닥에 혼자 앉아서 이어폰으로 음악을 듣고 있는 녀석의 모습에 화가 나서 가슴이 터져 버릴 것만 같았다.

"문자는 왜 답장 안 하는데? 전화는 왜 안 받아?"

"어? 아, 진동이었나 봐. 가방에 넣어 놔 가지고……."

그래도 건물 다 뒤져서 찾아 놓으니 정신이 좀 드는 기분이었다. 목이 타고, 숨도 차고, 땀나서 더운 게 이제야 느껴졌다. 안도감이란 게 이렇게도 사람 진을 쭉 빠지게 하는 거구나.

가지고 나온 생수를 마시며 분을 삭이자 호흡도 가라앉았다. 계단을 깡충깡충 뛰어내려 온 여울이가 내 눈치를 살피더니 옆구리를 쿡 찔렀다. 뭐가 좋다고 배시시 웃는지 날카로운 눈빛을 던졌지만 그녀는 또 아무것도 모르는 얼굴로 말갛게 웃었다.

"하은수, 너 오늘 이상해."

"뭐가?"

"그냥……. 그냥 이상해."

녀석이 손에 쥐고 있는 핸드폰 액정 위에는 웬 남자 녀석 얼굴이 떠 있었다. 툭하면 좋다고 난리 치던 플라이 투 더 스카이의 누구 같은데, 짜증이 나서 슬라이드를 툭 쳐서 올렸다.

"잠을 못 자서 그래."

"아까 내 등에 기대서 잘만 잤잖아. 아파트 복도에서도 자빠져 잤으면서."

저렇게 아무것도 모르는 눈동자로 물으니 핀잔을 줄 생

각조차 들지 않았다. 그냥 또 나만 변태 미친놈이 될 테니.

"왜? 뭔데?"

"됐어, 집에나 가자."

"가긴 어딜 가, 아줌마 기다려야지."

핸드폰을 들여다보는 여울이를 보니 한숨이 깊게 새어 나왔다. 사실대로 말하면…… 울겠지? 김민경한테 그랬듯 이윤아의 머리채를 잡을 것 같진 않고, 그냥 엉엉 울면서 집에 갈 것 같은 예감이 든다.

"못 오신대."

녀석의 눈동자가 잠시 커지더니 얼어붙었다. 그녀는 잘게 흔들리던 동공에 힘을 주더니 고개를 단호하게 저으며 중얼거렸다.

"윤아가 문자로 그랬어, 2부 전엔 오신다고."

"어차피 너 좋아하는 피아노 솔로는 다 끝났어, 그냥 가자."

"피아노 솔로만 들으려고 온 거 아니거든?"

"쇼팽 들으려고 온 거잖아."

"아니거든!"

여울이의 눈동자가 빨개진 채 촉촉해지자 내 속은 타들어 갔다. 완전 울려고 준비 중인 태세 같은데, 사람 미치게 한다.

"쇼팽 아니어도……."

어깨를 들썩이며 입술을 깨물었다가 놨다가 울먹거리는 눈에 힘을 주던 녀석은 결국 참았던 울음을 와르르 쏟고 말았다.

"내 음악 수행 평가……. 그건 어떡해!"

알고 있었다. 이 녀석이 얼마나 오늘 음악회를 기대했었는지. 무거운 나를 뒤에 태우고도 페달 밟는 소리가 신바람 날 정도였으니. 오는 길 내내 자기도 이제는 클래식에 대해 좀 안다며 우쭐해하던 모습이 꽤 귀여웠다.

나는 주머니 속에 잡히는 입장권을 손안에서 살그머니 구겨 쥐었다.

"다른 음악회도 있는데."

"무슨 음악회?"

"쇼팽 들을 수 있는 곳."

"어디서? 근데 나 돈 없는데……."

"그건 무료야."

나는 손에 쥔 팸플릿에 슬그머니 입장권을 끼워 넣고는 멀리 보이는 은색 쓰레기통을 향해 던져 넣었다.

"갈래?"

픽 웃으며 묻는 내게 여울이는 멍한 표정을 지었다. 떨떠름한 얼굴로 금세 다시 기대와 설렘을 채워 넣는 눈동자를 보며 입가에 웃음이 번졌다.

쇼팽이라, 제대로 친 지는 좀 되어서 까먹었지만 괜찮겠지? 이 바보는 어차피 들어도 잘 모를 테니까.

마을버스에서 내린 그녀는 자전거를 찌릉찌릉 끌고 오면서 다시 투덜거리기 시작했다. 차라리 안심이었다. 유진누나 이야기만 나오면 심술을 부리는 녀석이라, 버스 안에서 내내 쥐 죽은 듯 조용히 입을 꾹 다물고 있던 게 죽을 맛이었다.

"하은수."

"왜?"

"넌 내 편이지?"

무슨 말이냐고 묻는 내 눈동자에 그녀는 입술을 댓 발 내밀며 투덜거렸다.

"김민경하고 싸웠을 때 나 응원했냐고."

"걔 남자였으면 벌써 나한테 몇 대 맞았어."

"진짜?"

반색하며 되묻는 녀석의 표정에 잠시 말문이 막혔다. 연주회에서 여울이만 따돌린 채 키득거리던 여자애들의 모습이 떠오르자 목에 핏대가 섰다.

"너 전에도 이렇게 싸운 적 있어?"

"김민경 재하고는 늘 티격태격하지 뭐."

"다음번에는 머리채 잡기 전에 먼저 나한테 와서 일러."

"이르면 뭐 어떡할 건데?"

"내 학생 건드리지 말라고 할 건데?"

"우리 반 애들은 네가 내 피아노 선생님인 거 모르는데."

"그럼 내 체육복 입고 딱 말해, 김여울은 하은수 보호하에 있다고."

"그럼 그날로 나는 화형이다. 전교생 여자애들 다 나와서 나 죽인다고."

그녀는 눈을 흘기며 매섭게 쏘아붙였다. 그러면서 기분은 좋은지 보시시 웃었다.

"하은수 보호하에 있다라……. 네가 나 보호해 주는 거야?"

"김여울은 관리가 필요한 맹수라서."

"뭐?"

인상을 쓰며 버럭 소리치는 녀석에게 나는 피식 웃으며 말했다.

"엘리베이터 왔다, 빨리 타기나 해."

집 앞에 도착하고 나서야 그녀는 같이 가자고 한 쇼팽 콘서트에 대해 생각났는지 나를 힐난하듯 쳐다보았다. 집에 오는 내내 새까맣게 잊고 있던 주제에 불현듯 떠오른 모양이었다. 토라진 채 서운한 눈빛을 짓고 있는 녀석이 어이없다 못해 귀여워서 웃음이 났다.

"들어와."

현관문을 열며 턱짓을 하자, 여울이의 동공이 터질 듯 팽창한 채 나를 멍하니 쳐다보았다. 기겁한 표정을 보니 속으로 무슨 생각을 하고 있는지 훤히 들여다보였다.

"아줌마는?"

"안 계셔. 학원 때문에."

"그럼 아무도 안 계셔?"

"부모님께 전화 드려. 우리 집에서 나랑 잠깐 방학 숙제하고 간다고."

당황한 여울이의 낯빛은 몇 주 전 가방에서 '15세 미만은 보지 마세요' 경고가 붙은 순정 만화를 발견했던 때와 흡사했다. 저러다가 아예 놀란 토끼가 되어서 복도 너머로 깡충 뛰어내리지는 않을지 걱정이었다.

"음악회, 안 볼 거야?"

내 말에 얼굴이 하얗게 질려 가던 그녀의 안색이 "응?" 하고 멀쩡한 기색으로 돌아오기 시작했다. "아, 음악회……." 떨떠름한 표정으로 뺨을 긁던 여울이는 머쓱하게 웃으며 신발을 벗었다. 집 안으로 살금살금 들어오는 녀석의 뒷모습을 보며 나는 답답한 눈빛을 지었다.

그래, 제발 그렇게 항상 조심해라. 아무리 수박바 물고 예방 주사를 놔 줘도 수컷 늑대들은 언제 불쑥불쑥 돌변할지 모르니까.

"거기 앉아."

조심스럽게 따라 들어온 그녀는 소파에 앉아 설렘이 가득 묻은 얼굴로 이쪽을 쳐다보았다. 두리번거리는 자그마한 실루엣이 달빛을 머금고 내 시선을 사로잡은 채 말갛게 웃었다.

이런 긴장감은 처음이었다.

아버지 앞에서 피아노를 칠 때 느끼던 두려움, 불안감, 공포와는 다른 두근거림이다. 가슴이 기분 좋게 뛰면서 온몸이 붕 떠오르는 듯했다. 건반을 내려다보고 있어도 나를 뚫어져라 바라보는 여울이의 시선이 느껴졌다.

나는 피아노 의자에 앉아 보면대를 향해 조용히 호흡을 가다듬었다. 건반 위에 올린 손등 위로 내 숨소리가 소금 가루처럼 하얗게 쏟아져 내린다.

잔뜩 기대하는 얼굴로 눈을 반짝이면서 응원하듯 쳐다보는 저 녀석의 눈빛에 평소 긴장이라고는 모르고 살던 나조차도 손가락 끝이 바르르 떨렸다.

실망시키고 싶지 않았다. 여울이만큼은 그 사람처럼 등 돌린 채 걸어 나가게 하고 싶지 않았다. 내 연주로 환하게 웃게 만들고 싶었다.

나를 이렇게 쳐다보는 너에게 아름다운 밤을 들려주고

싶다.

이토록 간절한 마음을 담아 연주한 적이 있었나? 공식처럼 따르던 기술이나 박자를 모두 무시한 채, 그저 지금 이 순간의 감정을 상대의 가슴에 스며들게 하고 싶다는 기분 하나로 연주한 적이 있던가?

"이거…… 뭐야?"

"녹턴 2번."

"눈물 날 뻔했어."

"왜?"

"모르겠어. 그냥 굉장히 슬프고 아름답고……. 마치 네가 그런 마음으로 친 것 같아."

여울이의 눈동자는 언제나 호수처럼 맑게 내 마음을 꿰뚫어 본다. 나조차도 인식하지 못했던 건반 위 나의 마음을 표지판처럼 아주 정확하게 짚어 주듯이.

"왜 그래?"

"그냥……. 긴장해서 제대로 못 쳤어. 실수도 많이 했고."

"완전 잘 치던데? 실수한 줄도 몰랐어. 너네 집 피아노 되게 좋은 건가 봐. CD로 듣는 것보다 훨씬 맑고 웅장하고, 소리가 가슴으로 바로 스며드는 것처럼……. 아무튼 짱이야. 그리고 너 연주하면서 가끔 몸 이렇게 숙이는 거 알아? 진짜 피아니스트 같더라."

잔뜩 흥분한 그녀의 눈동자에서 계속 목소리가 들려오는 것 같았다.

너 정말 대단하다고.

내게 있어서 최고는 너라고.

"정말 멋있었어."

발그레한 뺨으로, 지금 이 순간 나와 내 연주에 폭 빠진 표정으로, 그렇게 솔직하게 말하면 나는 정말 뭔가 이상해질 것 같은데.

"예술의 전당보다도 좋았어."

뭔가 감추고 있는 것도 아닌데 느닷없이 부끄럽고 당혹스러운 기분이었다. 가슴속 바닥 깊은 곳에서 열기가 용솟음하듯 솟구쳤다.

피아노를 치는 게 이렇게도 기분 좋은 일이었구나.

또 쳐 보라며 눈웃음을 짓는 여울이의 얼굴이 온몸을 말랑말랑 녹여 버리는 것 같았다. 이상해지다 못해 무장 해제되는 기분이다. 타오를 듯 뜨거워지는 얼굴을 홱 돌려 감췄다.

내가 드디어 미쳐 버렸나? 왜 이러지?

순간, 눈앞의 녀석이 너무 예뻐 보여서 나도 모르게 입을 맞추고 싶다는 생각을 했다. 나를 보며 웃는 여울이의 얼굴 뒤에서 달빛보다 더 환한 빛이 후광처럼 비치는 걸 보니, 진짜 머리가 어떻게 된 게 틀림없었다.

그럼에도 자꾸 눈길이 갔다.

너에게,

나를 바라보는 너의 눈동자에,

웃고 있는 네 입술에.

"가까이 와서 봐도 돼."

"진짜?"

가슴이 마구 뛰었다. 오랜만에 친 피아노 음색은 내 생애 그 어떤 순간보다도 감동적이었고, 순수한 기쁨으로 가득했다.

강요하지 않아도 춤을 추는 집시들처럼, 흥에 겨워 절로 바이올린을 연주하는 길거리의 악사처럼, 지금 나도 건반 위에 키스를 하듯 손을 움직이고 있었다.

누군가를 행복하게 만든다는 것.

지금 내가 느끼는 희열이 이 녀석에게도 전해지기를 바랐다. 온몸의 세포가 깨어나듯 환희에 찬 이 감정이 뭔지 나조차도 아직 정의 내릴 수는 없지만, 지금 이 순간 나와 함께하고 있는 단 한 명의 관객에게 말해 주고 싶었다.

달빛이 스민 눈동자로 나를 보며 입술을 달싹여 내 이름을 속삭이는 너.

정말 사랑스럽고 예쁘다고.

10. 열여섯의 너에게

10. 열여섯의 너에게

열여섯의 여름.

당시의 우리는 하루살이처럼 찰나의 감정에 죽고 사는 어린 짐승들이었다. 순간의 쾌락과 보상에 현혹되며, 미래의 파도를 내다보기보다는 현재의 물살에서 허우적대는 가련한 올챙이들.

나 역시 크게 다르지 않았다. 종종 어른들로부터 어른스럽다는 이야기를 듣고는 했지만 결국에는 열여섯에 불과한 소년이었다.

당시는 나도 내 자신을 잘 몰랐던 것 같다. 바깥 풍경에 홀린 소년은 창문을 열 줄만 알았지 닫아야 한다는 건 몰랐다. 밖에서 자신이 뭘 쥐고 왔는지, 때때로 어두운 방 안의 불을 밝히고 잘 살펴봐야 한다는 것을 알지 못했다.

훗날 많은 시간이 흐른 뒤 스스로에게 그런 질문을 해 보았다. 만약 그때가 방학이 아니었더라면, 평소처럼 다음날 학교에 가고 등굣길에 여울이를 만났더라면 뭔가 달라졌을까? 만일 그랬더라면 밤새 뒤척이며 고민했던 그날 밤의 감정을 조금 더 일찍 인정했을지도 모른다.

하지만 서로의 집에 틀어박힌 채 각자 다른 시간을 보내면서, 그때 느꼈던 내 두근거림은 서서히 흐릿하게 희석되어 가고 말았다.

결국 나는 그날 여울이에게 느꼈던 특별한 설렘을 한여름 밤을 수놓았던 찰나의 불꽃놀이와 같은 것으로 치부하기에 이르렀다. 그날 밤 여울이가 그렇게 보였던 것은 순간의 착각이었고, 고조되었던 감정이 일으킨 일시적인 반짝임뿐이었노라고, 그렇게 단정 짓고는 도망치듯 금세 잊어버렸다.

그 시절 내게는 그러한 감정의 변화를 치열하게 고민해야 할 이유가 없었다. 어쨌든 개학만 하면 여울이는 다시 매일 보게 될 사이였고, 함께 시간을 보내게 되리란 것에도 의심할 여지가 없었기 때문이다.

당연시하던 일상이 깨질 수 있다는 것은 부모님의 이혼을 통해 경험해 봤음에도 불구하고, 나는 또 바보같이 눈앞에서 울리는 경종을 무시한 채 눈을 감았다. 그 사이 나도 모르게 다가온 성장통은 점차 빠르게 진행되고 있었다.

기다리던 개학식 날이었다. 옆집의 나의 맹수 소녀는 예상을 빗나가지 않고 개학 첫날부터 큰 웃음을 선사했다. 어디서 신기한 푸들 머리를 해 왔는데 녀석과 기가 막히게 잘 어울렸다.

"너 양배추 인형 알아?"

"죽을래?"

"교문에서 독사한테 두발 걸릴 텐데."

"묶을 거야."

본인은 창피하다며 가발 같은 머리를 부여잡고 고통스러워했지만 내 눈에는 그 모습조차 일상의 코미디였다.

"한 번만 만져 보자."

"하지 마!"

자전거 페달을 밟으며 달리기 시작하자 뒤에 앉은 여울이가 웃지 말라며 고함을 쳤다. 나는 킥킥거리며 등에 고개를 처박고 내 허리를 끌어안은 여울이의 손을 곁눈질로 응시했다.

장난을 치듯 손가락으로 손등을 살짝 건드려 봤지만 녀석은 시무룩한 나머지 내 손장난도 눈치채지 못했다. 온몸이 솜사탕 위를 구르듯 간질거리는 느낌이었다. 왼뺨에 스치는 녀석의 머리카락 때문인가? 덕분에 아침부터 욱신거리던 복통이 잠시나마 잊히는 기분이었다.

진짜 얘 없으면 무슨 재미로 살지?

수업 중 대각선 방향으로 보이는 여울이의 자리를 졸린 눈으로 응시했다. 녀석은 수업 중에도 샤프를 잡은 채 연신 꼼지락거리며 엉덩이를 들썩거리며 혼자 웃고 있었다. 하품을 하다가 녀석의 뒤통수를 관찰하던 내 입꼬리도 덩달아 실룩거렸다.

잠시 후 샤프를 내려놓은 그녀는 연습장을 북 찢어서 길게 쪽지 모양으로 접기 시작했다. 아주 익숙한 쪽지 모양이었다. 그리고 저 연습장은 나하고 필담을 주고받을 때 쓰는 종이다.

오늘은 수요일이 아닌데? 하긴 방학 중에 계속 레슨 쉬었으니까…….

쟤는 피아노 수업이 그렇게 좋나 보다. 하기야, 피아노 치는 걸 한번 듣겠다고 보물 1호도 냉큼 내놓던 녀석이었으니 말 다했다. 그때 여울이의 아지트에 간 게 내가 아니라 다른 녀석이었더라도 그렇게 피아노를 쳐 달라고 부탁했을까? 굳이 내가 아니어도 상관없었을지도 모른다.

미간에 힘을 주던 나는 턱을 괴며 답을 부정했다. 그날 여울이가 나를 아지트에 데려간 것은 내가 불쌍해 보였기 때문이다. 피아노 학원에서 내가 유진 누나에게 차인 줄로 오해한 게 틀림없었다. 그렇지 않고서야 자기 보물 창고에 아무나 덥석 데려가진 않았을 테니까.

그렇다면 역시 나는 운이 좋은 건가?

단지 운이 좋아서였다고 치부하기에는 자존심이 상했지만 인정할 수밖에 없었다. 이번 겨울에는 아지트에 난로라도 구해 놔야겠다. 이번에도 피아노 수업을 몇 달간 쉬면 녀석이 어디서 새 선생이라도 구해 올지 모를 일이었다. 김여울의 급한 성질이라면 충분히 가능성 있는 시나리오였다.

아까부터 쓰리던 아랫배가 다시 아파 왔다. 책상에 코를 박은 채 납작 엎드렸다. 이쪽을 흘끔거리는 여울이의 시선이 느껴졌다. 그녀의 손에는 네모 접기를 한 쪽지가 쥐여져 있었다. 머리에 묶어 준 딸기 방울을 만지작거리며 눈치를 보는 녀석의 행동에 실실 웃음이 나왔다. 나는 배를 움켜잡은 채 천천히 눈을 감았다.

그나저나 김여울이 고등학교를 어디로 간다고 했더라, 그 베이지색 조끼가 너무 좋다던 학교가 어디였지, 북고였던가…….

정신이 몽롱해서 그런가? 몸에 감각이 전혀 없었다. 잠이 들었나? 지금이 낮인지 밤인지 분간도 되지 않았다. 또 여기는 대체 어디인 건지…….

"은수야, 일어났어?"

시계추처럼 무거운 머리를 좌우로 움직이다가 곁눈질로 침대 옆을 응시했다. 어두운 병실의 살짝 열린 문틈으로 들어온 빛이 핼쑥한 엄마의 얼굴을 비추고 있었다.

"괜찮아? 아픈 데는 없고?"

그제야 기억났다. 구급차에 실려 병원에 왔고, 급성 맹장염이라는 진단을 받았다. 극렬했던 고통 끝에 마취로 잠이 들었고, 수술은 긴 밤을 단숨에 집어삼킨 꿈처럼 순식간이었다.

"아프면 아프다고 말을 했어야지! 양호실을 가든가, 왜 수업 끝날 때까지 그걸 참고 있었어? 엄마는 아침에 그것도 모르고……."

"그냥 위염인 줄 알았어."

"너 실려 갔다고 들었을 때 엄마는 진짜 간 떨어지는 줄만 알았어. 아빠한테도 연락은 했는데 해외라고 못 오신대."

"그 사람은 기대도 안 했어, 김여울은?"

"여울이? 여울이도 아마 병원에 있을 거야. 너랑 같이 실려 왔어."

"실려 왔다고?"

엄마는 간이침대 위에 올려놓은 핸드백에서 핸드폰을 꺼내며 한숨을 내쉬었다. 여울이 걱정은 말라는 표정이었다.

"그냥 가벼운 뇌진탕이래. 한참 전에 깨어나서 경찰이랑 이야기도 하고 그랬다더라."

"경찰은 왜?"

"너희들 아파트 지하에 갇혔었다면서? 여울이는 누가 머리를 때려서 쓰러진 거라고 하던데."

마취 기운 때문에 몽롱하던 정신이 확 들었다. 나는 핸드폰으로 문자를 하고 있는 엄마를 향해 몸을 벌떡 일으키며 소리쳤다.

"때렸다고? 김여울을? 누가? 아야……."

"그러게 왜 움직이고 그래! 여기 등 기대고 누워, 얼른."

복부에 가해진 통증이 등을 새우처럼 구부정하게 말도록 만들었다. 진짜 아팠다. 심지어 말하다가 살짝 기침만 나와도 아랫배가 찢어지는 것 같았다.

"그래서 김여울을 누가 때렸는데?"

"그건 모르지. 엄마는 너 깨어날 때까지 여기에만 있었어. 여울이 아주머니한테 문자 와 있네. 여울이 퇴원했나 보다. 별 이상 없고 괜찮대."

듣자 하니 여울이를 공격한 범인이 누군지는 아직 밝혀지지 않은 듯했다. 피해자인 여울이도 상대방의 얼굴은 보지 못했다고 하고, 나중에 달려온 경비 아저씨도 쓰러져 있던 여울이 외에는 누구도 목격하지 못했다고 진술한 모양이다.

하지만 나는 범인이 누군지 알 것 같았다. 그냥 직감이었다. 아마 여울이 역시 같은 생각을 했을 것이다.

엄마에게 이야기를 듣고서 바로 김여울에게 문자를 보냈다. 하지만 날이 밝은 뒤에도 답장은 오지 않았다.

3일째가 되자 슬슬 인내심에 한계가 왔다. 엄마를 닦달해서 여울이 아주머니에게 연락을 하게 만들었다. 그렇게 간접적으로 그 애 소식을 물었지만 그냥 잘 지낸다는 이야기 외에 별다른 소득은 없었다.

그날 아지트에서 쓰러졌던 나를 붙잡고 엉엉 울면서 곧 따라 죽을 사람처럼 대성통곡을 하던 그녀는 내가 본 귀신이었나? 깨어나자마자 하은수는 괜찮냐고 물었다는 녀석이 정작 병문안은 오지 않는다는 게 이상했다. 물론 전화는커녕 문자 한 통도 없다. 오히려 연락은 내 쪽에서 맨날 하고 있었다. 그럴 때마다 녀석의 핸드폰은 전원이 꺼져 있다는 소리만 들려왔다.

혹시 어디 아픈 게 아닐까? 뭐 토라진 게 있어도 병문안을 오지 않을 녀석은 아닌데. 세상에서 제일 싫다는 김민경한테 제 가방도 덥석 맡기는 바보다. 그런 녀석이 막 수술한 나를 보러 오지 않을 이유가 없었다. 핸드폰이 3일째 꺼져 있는 것도 수상했다. 도연이 녀석한테 무슨 일 있냐고 묻고 싶어도 그 녀석은 핸드폰이 없으니…….

반면 유진 누나는 매일 내 병실로 출근 도장을 찍고 있었다. 행여나 여울이가 병원에 왔다가 누나를 보고서 돌아가지는 않을지 걱정이 될 만큼 아침부터 밤까지 병실을 지켰다.

몸을 일으켜서 5분 전에 본 핸드폰 액정을 재차 확인했다. 액정 위에는 역시나 아무것도 떠 있지 않았다. 슬라이드를 올려서 굳이 문자함을 또 열었다. 새 메시지 0통이다. 통화 목록에도 가 봤지만 부재중 전화도 없다. 이쯤 되니 혹시 여울이 핸드폰이 아니라 내 핸드폰이 고장 난 게 아닌가 싶다. 그런 의심이 들기 무섭게 문자 하나가 날아왔다.

[하은수, 살아 있냐? 애들하고 병문안 갈 건데 뭐 먹고 싶은 거 없어?]

정원이다. 짜증이 날 만큼 내 핸드폰은 정상이었다. 그런데 이 미친놈은 엊그제 맹장 수술한 환자한테 먹고 싶은 게 없냐고 문자질을 하는 게 정상인가?

[그냥 오지 마라.]

[이미 가고 있는 중이시다.]

이어서 날아온 정원이 문자를 무시한 채 주소록으로 이동했다. 김여울 친구 누구더라, 걔한테 문자를 해 볼까? 이름을 검색하다가 반 여자애들 전화번호는 김여울밖에 저

장이 안 되어 있다는 사실을 깨달았다.

아, 돌아 버리겠네.

핸드폰을 침대 위에 던진 채 노려보던 나는 아까부터 내 오른쪽 얼굴을 빤히 쳐다보고 있는 시선의 주인공을 향해 눈초리를 던졌다. 유진 누나였다. 한 시간 전에 온 그녀는 줄곧 할 말이 있는 듯한 기색으로 내 눈치를 살피고 있었다.

"뭐 할 말 있어?"

"어제 아주머니 뵙고 왔어."

"엄마는 왜?"

"우리 다시 사귀는 거 허락해 주셨으면 해서."

"뭐?"

건성으로 대꾸하던 나는 정색을 하며 그녀를 바라보았다. 누나의 표정을 보아하니 농담을 하는 것 같지는 않았다.

"미쳤어? 엄마한테 그런 말을 왜 해?"

"그냥……. 언니를 대신해 사과를 드리고도 싶었고……."

긴 생머리를 귀 뒤로 넘긴 채 앉아 있는 그녀는 초연한듯해 보였지만 긴장한 기색이었다. 꼭 학주에게 혼나는 학생처럼 시무룩한 표정이다. 나는 그 얼굴이 연기라는 걸 안다. 그 이면에는 당돌한 눈빛과 입가의 옅은 미소가 타고난 자신감을 숨기지 못해 안달 나 있는 상태였다.

엄마한테 찾아가서 그런 말을 한 건 미안해도 본인이 못

할 말을 한 건 아니라는 생각이겠지. 누나는 항상 그런 식이었다. 자기가 좋으면 남도 좋을 거라 생각한다.

"엄마가 허락하면 우리가 다시 사귈 거라고 생각해?"

"아니었어?"

"나는 누나랑 다시 사귄다고 한 적 없어."

"은수야, 너 화난 거 알아. 아는데……."

"나 화 안 났어. 1년도 더 지난 일을 가지고 뭘 아직까지 화를 내? 그때도 지금도 화난 적 없어. 세진 누나 때문에 누나가 나한테 헤어지자고 했다는 거 아니까 그냥 다 이해되더라. 해명할 필요도 없고 다시 시작할 필요도 없어. 우리는 그때 끝난 거야. 사귄다는 게 뭔지도 잘 몰랐지만 끝날 때는 이게 끝이라는 걸 알겠더라고. 나는 누나 얼굴을 보면 자꾸 우리 아버지 생각이 나서 힘들어. 그러니까 그만 찾아와, 우리 엄마한테도 가지 말고."

"워매……. 저것들이 시방 머리에 피도 안 마른 주제에 꼴깝들을 떠네."

옆 침대에서 고스톱을 치던 할머니가 혀를 차며 한소리를 던졌다. 쥐방울만한 것들이 지금 사랑싸움이라도 하는 거냐는 표정이었다. 같이 치던 며느리 아주머니는 우리를 흘끗 보더니 화투를 집었다. 그러고는 녹색 담요에 화투짝을 매섭게 날리며 "엄니 차례유!"라고 소리쳤다.

머쓱해진 나와 누나는 입을 다문 채 잠시 허공을 응시했다.

그때 병실 문이 끼익 열리며 조심스러운 발걸음이 등장했다. 빼빼 마른 몸에 톰보이 스타일의 소녀는 허리를 굽힌 채 침대에 붙은 환자 이름표를 하나씩 확인하며 안쪽으로 들어왔다.

"어, 하은수."

내게 손을 흔들며 인사한 그녀는 뿔테 안경을 치켜세우며 머쓱하게 웃었다. 여울이의 점심시간 멤버이자 또 하나의 베스트 프렌드인 박소영이었다.

뜻밖의 손님을 맞은 나는 두루미처럼 목을 쭉 빼고 그녀의 어깨 너머를 쳐다보았다.

"여울이는 안 왔어. 나 혼자야."

"아, 그래?"

아무렇지 않은 척 다시 침대에 등을 기댔지만 내 표정은 먹구름이 끼듯 어두워졌다. 고작 밥 한두 번 같이 먹은 애도 문병을 오는데, 얘는 다리가 부러졌나?

"여울이는 아마 못 올 거야."

우울한 목소리로 중얼거리는 박소영의 그늘진 눈 밑이 빨갛게 부어 있는 게 보였다. 꼭 며칠 울고 오기라도 한 것처럼. 뭔가 심상치 않은 분위기를 감지한 나는 허리를 일으키며 물었다.

"무슨 일 있었어?"

여울이한테 무슨 일이 있냐는 내 말뜻을 그녀는 알아차린 듯 바로 대꾸했다.

"여울이가 사흘째 결석 중이야."

"왜?"

"학교에서 일이 좀 있었거든."

학교라는 말에 목이 바짝 타들어 갔다. 얘 표정을 보니 좋지 않은 예감이 들었다. 박소영은 이윤아처럼 오두방정을 떨거나 쓸데없이 무게를 잡는 애가 아니었다. 무엇보다도 나를 이렇게 따로 찾아올 만큼 넉살이 좋거나 친한 척하는 스타일은 더욱 아니다. 뭔가 할 말이 있어서 온 거다.

"김민경이 애들 다 보는 앞에서 여울이 머리채를 잡고 가위로 머리를 잘랐어."

"뭐?"

"여울이가 하지 말라고 울면서 애원했는데도 애 무릎을 꿇리고 박새미랑 낄낄거리면서……."

머릿속이 하얘졌다. 귀가 멍멍해서 그다음은 뭐라고 했는지 잘 들리지도 않았다. 정신을 차리고 보니 침대를 박차고 걸어가는 내 팔을 유진 누나와 박소영이 잡은 채 말리고 있었다.

"은수야, 어디 가!"

"가서 죽여 버릴 거야!"

"죽이긴 누구를 죽여! 진정하고 앉아!"

– 반 애들 모두가 지켜보면서 모른 척했어. 그래서 더 상처받은 거 같아. 다들 여울이를 외면했거든. 울면서 도와 달라는 거 못 본 척하고, 안 들리는 척했어.

박소영은 자신도 겁이 나서 아무 행동도 할 수 없었다며 흐느꼈다. 이형욱이 눈만 마주치면 '너도 끌려 나와서 맞을래?'란 식으로 노려봤다면서.

– 그때 분위기가 정말 무서웠어. 평소처럼 김민경이랑 티격태격하는 수준이 아니고 진짜 김민경 걔가 막 미쳐 가지고…….

"김민경이랑 이형욱, 걔네 지금 어디 있어?"

"입원 중인 애가 어딜 가겠다는 거야? 너 진짜 왜 그래!"

내 팔을 잡은 유진 누나가 소리를 빽 질렀다. 나는 박소영만 무섭게 노려보았다. 내 집요한 눈초리에 그녀가 조용히 입을 열었다.

"네가 이러면 여울이만 더 힘들어져."

"그게 무슨 소리야?"

"개학식 날 이형욱이 우리 반 왔을 때 네가 뭐라고 했는지 기억나? 짝꿍이니 뭐니 하면서 여울이 찾아오지 말라고 했잖아. 그때 일로 김민경뿐만 아니라 다른 여자애들까지 난리도 아니었어. 여울이한테 은수랑 사귀는 거냐고 꼬치꼬치 캐묻고, 당연히 여울이는 아니라고 하고……. 그런데 그게 애들 질투심에 기름을 부은 꼴이 된 거야. 안 사귀는데 은수는 왜 너한테만 잘해 주냐고. 안 사귀는데 왜 아침마다 같이 등교하냐고, 안 사귀는데 왜 너한테만 교복 조끼를 맡기고, 체육복을 주고, 같이 밥을 먹냐고. 안 사귀는데 왜 예술의 전당에서 둘이 손은 잡고 다녔냐고."

박소영의 노한 얼굴에서 우리 반 여자애들의 모습이 보였다. 김민경이 보였고, 곽다정이 보였고, 이윤아가 보였다.

나는 그들을 포함해 우리 반 여자애들 누구한테도 딱히 잘해 준 적이 없다. 나를 좋아해 달라고 한 적도 없으며, 특별 대우를 원한 적도 없다.

우리 반에서 남녀 통틀어 나와 가장 친한 녀석은 김여울이고, 내가 곁에 두고 싶은 녀석도 김여울뿐이다. 그래서 특별하게 대했다.

여울이에게 있어 나도 가장 특별한 존재인지는 모르겠지만 적어도 내게 있어 그 녀석은 그런 존재였다. 그런데 박소영의 이야기를 들으니 내가 여울이를 특별하게 대한 것 자체가 잘못된 일이었다는 뉘앙스로 들린다. 나는 그게 이해가 되지 않는다. 이해하고 싶지도 않다. 내 이해 범주를 넘어선 이야기였다.

박소영은 내 표정을 읽듯 바라보더니 다시 입을 열었다.

"혹시 하은수 너……."

내 눈동자를 가만히 들여다보던 그녀가 미간을 좁혔다. 불편하면서 복잡한 기분이 들었다. 머릿속에는 그날 여울이에게 녹턴을 쳐 줬던 밤의 풍경이 스쳐 지나가고 있었다.

나를 보며 사르르 웃던 눈웃음과 입가에 떠오른 말간 미소. 내 이름을 또박또박 부르며 최고라고 속삭이던 입술과 숨결까지도.

"그러니까……."

불쑥 울려 퍼진 목소리에 고개를 들었다. 옆에서 우리 이야기를 가만히 듣고 있던 유진 누나였다. 나와 달리 그녀는 이 상황을 한 방에 이해했다는 눈치였다.

"은수랑 그 여자애가 친해서 따돌림을 받고 있다는 얘기지? 그런 거라면 간단하잖아."

"뭐가 간단한데요?"

박소영은 질문을 하며 나를 향해 이 언니는 대체 누구냐는 눈초리를 보냈다. 나는 대답 대신 하얀 컵을 들어 찬물을 들이켰다.

"핵심은 그 여울이란 애가 은수에게 특별한 존재가 아니라는 것만 드러내면 되잖아. 말로 해서 도저히 믿지를 않는다면 아예 눈으로 보여 주면 되지."

"보여 주다니요?"

"은수에게는 다른 특별한 존재가 있다고. 그럼 여울이란 애는 자연스럽게 관심 밖의 대상이 될걸?"

"걔 나한테 특별한 거 맞는데."

돌연 분위기가 싸해졌다. 유진 누나가 말문이 막힌 채 나를 쳐다보았다. 나는 재차 못을 박았다.

"걔 나한테 특별한 거 맞다고. 그런데 무슨 다른 특별한 존재야?"

"뭐가 특별한데? 너 걔랑 사귀어?"

"그건 아닌데……. 아무튼 다른 애들보다 훨씬 더 친하고 특별해."

"누가 너네 친한 거 모른대? 문제는 여자애들이 그걸 오해하고 있다는 거잖아."

"그래서 뭘 어쩌라고? 절교라도 할까?"

"지금 그걸 말이라고 해? 넌 진짜 뭐가 문제인지 모르겠냐?"

박소영은 울분에 찬 눈동자로 나를 노려보며 소리쳤다.

"넌 모르지? 평소에 김민경이랑 박새미가 여울이만 보면 얼마나 못되게 굴었는지! 네가 본 건 그 절반 아니, 십 분의 일도 안 돼. 걔네 쉬는 시간마다 여울이한테 와서 시비 걸고 그랬어. 여울이 수학 노트 다 찢어 놓고, 걔 신발주머니를 1반 쓰레기통에 넣어 놓고 온 적도 있었고, 책상에 매직으로 욕 써 놓고, 체육 시간에는 체육복 숨겨 놓고, 너 모르게 온갖 유치한 방법으로 괴롭힌 적이 한두 번이 아니라고!"

몰랐다. 아니, 알고 있었다. 여울이가 그 녀석들한테 괴롭힘을 당하고 있었다는 거, 알고 있었다. 신경 쓰지 않았을 뿐이다. 녀석이 내게 별일 아니라고 했으니까. '체육복이나 빌려줘, 하은수.' 하고 웃었으니까.

"이윤아도 걔네랑 한패였더라."

박소영은 눈가에 고인 눈물을 손등으로 훔치며 이를 바득 갈았다.

"솔직히 걔네 둘이 나보다 더 친했거든? 여울이랑 이윤아는 1학년 때부터 같은 반이었고 나는 2학년 때 같은 반 돼서 친해진 거였으니까. 그런데 이윤아 걔도 너를 좋아했대. 너 전학 온 첫날부터 멋있다고 애들한테 얘기하고 다녔대. 여울이한테는 너랑 아는 사이 같으니까 일부러 말 안 한 거고. 그때부터였어, 이윤아가 곽다정 패거리랑 김민경네랑 어울리기 시작한 게……."

"걸레 물."

내 낮은 목소리에 박소영이 잠시 말을 멈췄다.

"그것도 이윤아야?"

"모르지, 뭐."

내 체육복을 품에 꼭 안은 채 조용히 복도로 나가던 여울이의 뒷모습이 떠올랐다. 예술의 전당 계단에서 혼자 고개를 파묻고 앉아 있던 녀석의 작은 웅크림도 눈앞에 아른거렸다. 콘서트홀 구석 기둥 뒤에서 서럽게 펑펑 울던 목소리도 메아리치듯 귓가에서 맴돌았다.

"우리 3학년이잖아. 곧 있으면 학교 졸업할 거고 졸업하면 각자 다른 고등학교에 가게 돼. 고등학교만 다르면 여울이도 더 이상 걔네랑 볼 일 없잖아. 그때까지만, 그때까지만 하은수 네가 이 언니 말대로……."

"싫어."

나는 더 듣지도 않고 딱 잘라 말했다. 내 말에 가만히 서 있던 유진 누나가 나를 바라보았다. 조금 놀란 듯 나를 쳐다보는 그녀와 달리 박소영은 내 얼굴에 주먹이라도 한 대 날릴 기세였다. 그것 하나 못 해 주냐는 그녀의 눈초리는 폭발하기 일보 직전이었다.

"너 진짜 못됐다! 그날 여울이가 얼마나 울었는지 알아? 나 3년간 걔 그렇게 우는 거 처음 봤어. 3년 개근은 따 놓은 당상이었던 애가 이렇게 말없이 결석하는 것도 처음이고, 내 전화랑 문자 다 무시하고 잠수 탄 것도 처음이라고! 쟤는 저렇게 힘들어하는데 너는 이게 뭐가 어렵다고 그래? 솔직히 이거 다 하은수 너 때문이잖아! 네가 뭐가 그렇게 잘났는데? 네가 뭔데 여울이가 이렇게 당해야 되냐고! 이 왕자병 말기 나르시시스트 새끼야!"

울면서 욕설을 내뱉던 그녀는 결국 주먹을 휘둘렀다. 그러자 유진 누나가 놀라서 그녀의 손목을 잡고 진정시켰다.

병실 안이 고요했다. 건너편 침대에서 고스톱을 치던 할머니와 아주머니는 휘둥그레한 눈으로 이쪽을 쳐다보고 있었다. 과자를 쩝쩝 입 안으로 넣으며 흥미롭다는 듯 구경하는 관중들의 눈길에 우리는 잠시 입을 다물고 흥분을 가라앉혔다.

나는 창밖을 바라보며 생각에 잠겼다. 박소영 말대로 이기적인 나는 아직도 내가 뭘 잘못한 건지 이해가 되지 않았다.

"그럼 김여울한테는 뭐라고 말할 건데?"

"말하긴 뭘 말해?"

"오늘 이거 사실대로 말해 줘야 할 거 아니야."

"그걸 여울이한테 왜 말해! 네가 자기 때문에 애들한테 거짓말을 하는 걸 알면 걔 성격상 자존심 엄청 상할 게 분명한데. 제 입으로 애들한테 가서 저거 뻥이라고 까발릴 가능성 백 프로야."

"그럼 말하지 말라고?"

"나중에 졸업할 때쯤 말해 주면 되잖아."

"하……."

헛웃음이 흘러나왔다.

"오늘 우리 반 애들 다 같이 너 보러 온다더라. 남자애들하고 곽다정네 애들하고 같이 올 거야. 마침 잘됐네."

졸업하고 말하면 그 녀석이 그때 가서 '아, 그랬구나' 하고 이해해 줄까? 웃기는 소리다. 이윤아 걔가 뭐라고, 그냥 내가 옆에 있어 주면 되잖아. 내가 이윤아 몫까지 같이 놀아 주면 되잖아. 점심시간에 밥도 같이 먹어 주고, 쉬는 시간마다 떠들어 주고, 체육 시간에도 짝지어서 해 주고, 다 해 주면 되잖아.

"애들 온 것 같다."

복도에서 왁자지껄한 목소리가 들려오고 있었다. 박소영은 유진 누나의 어깨를 치며 눈짓을 보냈다. 그러자 유진 누나는 내 팔에 팔짱을 끼며 미소를 지었다. 둘이 아주 죽이 척척 맞았다.

"야 하은수, 우리 왔다!"

"안녕하세요?"

"어, 이분은 누구……."

나는 공허한 눈으로 침대에 기댄 채 핸드폰을 들었다.

정말 싫다.

이 거짓부렁 계획 따위 정말 싫고 마음에 들지 않는다. 그래도 그 녀석 친구가 이렇게 해야 한다니까, 안 하면 그 녀석이 앞으로도 더 울 거라니까…….

모르겠다, 나는 이해 못 할 상황이니 해결 방안도 이해가 안 되는 게 당연한 걸까?

다음 날 아침, 엄마와 의사 선생님의 권유에도 불구하고 고집을 부려 퇴원했다. 사실 아직도 걸을 때마다 힘들었지만 애써 다 나은 척을 하며 나왔다. 알면서도 속아 준 엄마는 내 억지에 하는 수 없이 나를 차에 태우고 학교로 향했다.

"엄마는 집에 가서 옷 갈아입고 올게. 선생님들하고 있어."

"알았어."

바로 우리 반 교실로 발걸음을 향했다. 앞문을 드르륵 열자 휘둥그레 커진 눈들이 이쪽을 응시했다. 문을 닫자마자 4분단 맨 앞줄에 앉아 있는 박승환이 보였다. 녀석은 나와 눈이 마주치자 안경을 치켜세우며 자리에서 엉거주춤 일어섰다.

"은수야, 퇴원했구나!"

"김여울은?"

나는 녀석의 옆자리 책상을 손으로 짚으며 물었다. 박승환은 난데없이 여울이 책상을 양팔로 가리며 억지웃음을 지었다.

"여울이는 아직 몸이 안 좋은가 봐. 연락 안 해 봤어?"

박승환의 어깨를 옆으로 밀어젖혔다. 그러자 녀석이 손으로 가리고 있던 여울이 책상이 눈에 보였다. 검은색 매직으로 커다랗게 그려져 있는 똥 모양의 낙서와 그 옆에 칼자국으로 새긴 입에 담기도 어려운 욕설들.

"이, 이거 내가 안 그래도 지워 놓으려고 했는데, 매직이라 잘 안 지워지네. 누가 이런 거야, 대체!"

박승환은 필통에서 지우개를 꺼내 책상의 낙서를 열심히 문지르기 시작했다. 나는 아무 말 없이 교탁 쪽을 바라보았다. 그러자 나와 눈이 마주친 김민경은 귀신이라도 본 듯 펄쩍 뛰며 교탁 뒤로 숨었다. 교실 내 모든 아이들이 숨을 죽인 채 내 얼굴을 바라보고 있었다. 정확히 말하면 내가 어떤 행동을 할지 조바심을 내며 지켜보고 있었다.

쓴웃음이 흘러나왔다.

왜 아니겠는가? 그들 모두 공범자인데.

나는 교탁 뒤로 걸어가서 숨어 있던 김민경의 손목을 낚아챘다.

"나와."

"시, 싫어! 왜 이래, 이거 놔!"

잡힌 손목을 빼 달라며 몸부림치는 김민경의 눈에 눈물이 고였다. 지레 겁을 먹은 모습이었다.

"손목 싫어? 그럼 너도 머리채 잡아 줄까?"

내 싸늘한 목소리에 울먹거리던 그녀의 눈동자가 바들거리며 커졌다. 주춤거리는 그녀를 이끌고 복도로 걸어가자 우리를 쳐다보던 교실 안 아이들은 크게 동요하며 술렁거리기 시작했다.

스탠드 옆 수돗가로 온 나는 목줄처럼 잡아끌고 온 그녀의 손목을 놓았다. 녀석은 별로 세게 잡지도 않았는데 징징거리며 엄살을 피워 대고 있었다.

"아프잖아."

어이가 없어서 빤히 쳐다보는 내게 김민경은 입을 삐죽거리며 말을 내뱉었다.

"너 여자 친구 있었다며? 여자 친구도 있으면서 김여울하고는 대체 뭐야?"

"김여울하고 뭐?"

"너네 맨날 학교 올 때 같이 오고, 집에 갈 때도 같이 가고, 김여울이 네 체육복 입고 다니고, 점심시간에 조끼 맡아 주고, 그게 사귀는 사이 아니면 뭐냐?"

"너는 남자 친구도 있으면서 왜 맨날 내 조끼 달라고 하는데?"

"나는 이형욱 별로 안 좋아하거든?"

"나도 너 안 좋아해."

내가 짜증 섞인 목소리로 대꾸하자 김민경이 흠칫 굳었다.

"전에 네가 내 조끼 입었던 날 기억하냐? 나 그날 집에 가자마자 바로 빨래했던 거 알아? 네 화장품 냄새 진짜 지독하더라. 난 결벽증 같은 게 있어서 누가 내 몸이나 물건에 손대거나 입 대는 거 정말 싫어해. 네가 내 우유에 이름 써 놓으면 그거 다른 애 주거나 버렸고, 체육 시간마다 옆에 와서 자꾸 팔짱 껴 대는 것도 몇 번이나 소리치려다가 간신히 참은 거야. 김여울이랑은 상관없어. 나는 너 같은 애 원래 싫다는 말로도 모자랄 만큼 혐오하니까."

"나를 혐오한다고?"

충격을 받은 듯 녀석의 동공이 하얗게 팽창하기 시작했다. 어떻게 그런 말을 할 수 있냐는 듯한 눈빛이었다. 얘는 진짜 어디가 모자라거나 지능이 떨어지는 게 틀림없다. 차갑게 웃는 나를 보며 김민경은 뒤로 한 걸음 물러서서 미간을 구겼다.

"하은수 너 원래 이런 애였어? 너…… 너 진짜 싸가지 없고 못됐다. 너 완전……."

"방금 말한 거 못 들었어? 나 누가 내 몸, 내 물건, 내 거 건드리는 거 싫어한다고. 네가 내 몸, 내 물건, 그리고 김여울 건드렸잖아. 앞으로 교실에서 나하고 눈도 마주치지 마. 어디 가서 친한 척 은수야, 은수야 거리지도 말고. 다른 사람한테 나 안다고 이야기하고 다니지도 마. 너랑 엮이는 것 자체가 역겹고 짜증나니까."

진작 이렇게 했어야 했다. 박소영 말이 맞다. 내가 분명하게 굴지 않아서 이런 사태가 일어난 거다. 내가 내 울타리를 지키지 못했다.

"야, 나는 너 정말 좋아해서 그런 거……."

"내가 언제 너한테 나 좋아해 달라고 했어? 너도 알고 있었잖아, 내가 너 안 좋아한다는 거, 관심이라고는 하나 없다는 거. 사람이 싫다고 하면 멈출 줄도 알아야 하는 거 아니야?"

"야, 나는 그냥……."

"내가 널 싫어하는 게 김여울 때문이라고 생각했겠지. 네 특기잖아, 멋대로 본인 행동 정당화하는 거. 엉뚱한 핑계 대지 마. 너의 '좋아한다'는 모두에게 있어 폭력이었을 뿐이야. 나는 그런 네가 정말 싫고, 또 싫고, 끔찍하다. 이 정도면 내 '싫다'를 좀 받아 줄 수 없겠냐?"

나는 사람에게 경멸이란 감정이 얼마나 큰 상처가 될 수 있는지 알고 있다. 사랑받고 싶고, 인정받고 싶은 대상으로부터 받는 멸시와 조롱이 얼마나 큰 트라우마가 될 수 있는지도 알고 있다.

김민경을 바라보는 내 눈동자에 얼마나 짙은 경멸이 어려 있을지 나는 모른다. 나를 보고 덜덜 떨면서 울먹이는 녀석의 표정을 보며 어렴풋이 짐작할 뿐이다. 누군가가 싫다는 것을 이렇게 온몸으로 표현해 본 적도 없었다. 아버지에게도 드러내 보지 못했던 내 마음속 깊은 분노를, 난 생처음 같은 반 여자애한테 터진 둑처럼 와르르 쏟아 내고 있었다.

"그리고 김여울 주위에는 웬만하면 얼씬도 하지 마. 걔랑 옷깃만 스쳐도 이번에는 내가 네 머리채 잡고 뭔 짓을 할지 모르니까."

돌아서는 내 등 뒤로 김민경은 울면서 패악을 부리듯 소리쳤다.

"너 김여울 남자 친구 아니라며! 따로 여자 친구도 있다며! 네 여친은 네가 이러고 다니는 거 알고 있어?"

나는 돌아서서 건성으로 대꾸했다.

"너야말로 네 남친은 네가 이렇게 싫다는 사람한테 구질구질 매달리는 거 알고 있냐?"

"내가 언제 너한테 구질구질 매달렸다고……. 네 여친한테 다 말할 거야! 다 말할 거라고! 야, 하은수! 내 말 안 들려? 네가 뭔데 나한테 역겹다고……. 흐흑, 네가 뭔데에에!"

뒤에서 머리라도 쥐어뜯는지 소리를 빽 지르는 김민경의 악다구니에 속이 다 시원했다. 혼자 저기서 미쳐 날뛰든지, 지랄 발광을 하든지 말든지 전혀 관심 없었다. 상처투성이가 된 그 녀석만 생각하면 지금의 나는 못 할 것이 없었다.

교무실로 가서 학주와 담임 선생님을 만났다. 생활 지도부 실에는 엊그제 병원을 찾아오셨던 경찰 아저씨도 계셨다. 아저씨는 내가 부탁드린 대로 주변 놀이터에서 동네 꼬마아이들과 이야기를 나누고 오셨다고 했다. 예상대로 아지트 근처를 배회하다가 도망을 친 이형욱과 김민경 일당을 목격한 아이들이 있었다.

"은수야, 여울이랑은 얘기 좀 해 봤니? 계속 학교에 나오지 않아서 걱정되네."

"제가 여울이네 집에 가 볼게요, 그리고 선생님……."

"응?"

이번 사태로 교내에서 제일 안절부절못하고 있는 사람 중 하나가 우리 담임이었다. 나랑 여울이가 아지트에 갇히고 병원에 실려 갈 때까지만 해도 대수롭지 않게 여기는 듯하더니, 심지어 여울이가 조퇴를 하겠다며 집에 보내 달라고 할 때도 무슨 일인지 자세히 알아보지도 않고 보낸 사람이, 지금은 여울이네 어머님께 매일같이 전화를 드리며 지극정성이라고 한다.

"여울이 책상 좀 바꿔 주세요. 누가 책상에 낙서를 해 놨더라고요."

"아, 그래, 그건 걱정 말고 여울이 만나면 학교 나오라고 잘 설득해 봐. 네가 여울이랑 많이 친하잖니."

엄마가 학교에 오자 학생 주임과 담임 선생님은 두 손을 공손히 포갠 채 쪼르르 마중을 나갔다. 나는 이만 집에 가겠다며 슬그머니 자리를 내뺐다. 담임은 끝까지 내게 의미심장한 눈빛을 보내며 두 손을 허공에 기도하듯 모아 부탁한다는 자세를 취했다.

나는 고개를 까닥인 뒤 교무실 문을 닫았다. 여울이가 돌아올 자리에 없어야 할 인간들이 너무 많다. 차라리 독사처럼 평소에 애들을 쥐 잡듯 잡는 게 나았다. 적어도 독사가 담임이었다면 속 시원하게 응징이라도 해 줬을 것이다. 제대로 우리 편에 서 주지도 못할 거면서 안타까운 척만 하는 담임의 모습은 내 눈에 그저 악어의 눈물로밖에 보이지 않았다.

"여울이 보러 왔니? 애 아직 자는데."

아주머니는 현관문을 열자마자 반갑게 웃으며 맞이해 주

셨다. 엄마 심부름으로 현관 앞까지는 몇 번 와 본 적 있지만 집 안에 들어와 보는 건 처음이었다.

하얀 신발장의 중간 칸에는 녀석이 제일 좋아하는 까만색 컨버스 운동화가 가지런히 놓여 있었다. 아지트에 올 때마다 자주 신던 하얀색 아이다스 슬리퍼도 보였다. 저거 신고 자전거 타다가 몇 번이나 벗겨져서 주워 오라며 타박하던 게 떠올랐다. 똥개 훈련처럼 몇 번이나 주워 오다 보니 녀석의 발 사이즈까지 훤히 알게 되었다. 문득 우리가 얼마나 서로의 삶에 기웃거리며 살고 있는지 실감 났다.

거실로 들어오자마자 어느 쪽이 김여울 방인지는 금방 알 수 있었다. 도대체 방문에 플라이 투 더 스카이 멤버 캐릭터 스티커는 왜 붙여 놓은 걸까? 덕분에 문 앞에서 가분수 캐릭터와 생각지도 못한 눈싸움을 주고받았다. 핸드폰 액정 화면으로 모자라서 방문에까지 붙여 놓을 정도면 심각한 수준 아닌가?

닫혀 있던 문을 끼익 열자, 문틈 사이로 어두운 방 안이 보였다. 여울이는 침대 위에 옆으로 누운 채 곤히 잠들어 있었다. 침대 옆에 놓인 스탠드 아랫부분을 손으로 만지자 주황색 조명이 잠든 녀석의 얼굴을 따뜻하게 비췄다.

– 김민경이 애들 다 보는 앞에서 여울이 머리채를 잡고

가위로 머리를 잘랐어.

며칠 전 딸기 방울로 묶어 줬던 곱슬머리가 썩둑 짧아져 있었다. 목선이 고스란히 보이는 숏커트에 울컥 목이 메었다. 지친 얼굴로 잠든 녀석의 눈두덩이 불그스름하니 퉁퉁 부어 있는 게 보였다.

왜 혼자 울어, 전화라도 하지…….

방바닥에 쪼그리고 앉아 그녀의 얼굴을 그냥 말없이 바라만 보았다. 주머니 속 주먹 쥔 손이 몇 번이고 꼼지락거리며 나오려 했지만 선뜻 녀석을 만질 수가 없었다. 그러다가 깨우기라도 하면 내 얼굴을 보자마자 화를 낼 것 같았다. 꼴 보기도 싫다고 나가라고 소리칠 것만 같았다.

베개 속에 살짝 집어넣은 손이 보였다. 나는 무릎을 세운 채 앉아 조심스럽게 그녀의 손등을 잡았다. 베개 자국이 난 손등 위에 뭔가 날카로운 것에 베인 듯한 상처가 붉게 남아 있었다.

– 하은수, 아파? 많이 아파?

쓰러진 나를 안고 울다가 돌연 피아노 위로 올라가던 녀석의 뒷모습이 떠올랐다. 강아지처럼 쇠창살을 뜯고 창문 사이로 끙끙대며 기어 나가던 녀석은 정작 제 손등에서 피가 나는 줄도 모른 채 고래고래 소리를 질렀나 보다.

– 내가 금방 아저씨 불러올게!

– 금방 올게! 조금만 참아, 하은수!

정신이 혼미해져 가는 와중에도 두 뺨에 남아 있던 여울이의 따뜻한 눈물이 나를 안심시켰다. 여울이라면 어떻게든 빠져나가 나를 구하러 와 줄 거라고 믿었다. 여울이라면 두 발바닥이 닳아서 없어지는 한이 있더라도 반드시 누군가를 데려와 줄 거라고. 그래서인지 그 지하에 혼자 남겨졌음에도 전혀 두렵지가 않았다.

"은수야……. 괜찮니?"

앞치마를 벗으며 다가온 아주머니가 열린 문 사이로 나를 걱정스럽게 바라보고 있었다. 침대 옆에 웅크리고 앉아 있던 나는 망연히 아주머니를 올려다보았다.

"여울이, 많이 아픈 거예요?"

"에구, 아니야. 괜히 학교 가기 싫어서 저러는 거니까 걱정 안 해도 돼."

웃으며 나를 안심시키던 아주머니는 앞치마를 내려놓으며 다가와 무릎을 꿇었다.

"은수야, 혹시 우리 여울이 학교에서 왕따 같은 거 당하니?"

"네?"

"여울이가 통 말을 안 해 주네."

나는 말문이 막힌 채 서 있었다. 그런 내 반응에 아주머니는 알았다는 듯 아무 말도 하지 않은 채 미소 지었다. 충혈된 눈이 힘겹게 웃고 계셨다. 뭐라고 말씀을 드려야 할지 몰라 넋을 놓고 있던 나는 일어서서 천천히 고개를 숙였다.

"죄송합니다."

"응? 뭐가?"

"죄송합니다, 아줌마."

나는 왜 하필 여울이네 옆집으로 이사를 왔을까? 왜 하필 녀석과 같은 반이 되고, 피아노를 가르쳐 준다고 했을까? 박소영 말대로 모든 일의 시발점은 나였다. 나만 옆집에 이사를 오지 않았더라면, 같은 반이 되지 않았더라면, 도시락 반찬을 먹어 달라고 말을 걸지 않았더라면, 피아노 수업만 하지 않았더라면, 그랬더라면…….

"네가 왜 죄송해? 이리 와, 은수야. 아줌마한테 와, 안아 줄게."

나는 아주머니 어깨에 기댄 채 질끈 입술을 깨물었다. 그 순간 아주머니의 어깨 너머로 보이는 뭔가가 눈에 띄었다.

깨끗하게 정돈된 책상 위에 해바라기 꽃 한 다발이 느슨하게 풀어진 채 놓여 있었다.

내 눈동자도 멍하니 커졌다.

어둠 속에 보이는 꽃다발 포장지가 굉장히 낯이 익었다. 어제 병문안을 왔던 애들이 사 온 것과 똑같은 포장지였다. 정원이 말로는 성애 병원 버스 정류장 앞에 있는 꽃집에서 사 온 거라고 했다.

"은수야, 네가 여울이 좀 잘 보살펴 줘. 걔 성깔이 보통이니?"

"……."

"아줌마가 부탁할게. 어머, 은수야 왜 그래? 갑자기 왜 울어?"

"아줌마, 죄송합니다, 정말 죄송합니다……."

아주머니 어깨에 이마를 댄 채 울먹거리는 내 턱 끝에서 눈물이 후드득 떨어졌다. 놀란 아주머니는 내 어깨를 안고선 등을 토닥토닥 다독이기 시작했다.

"아줌마가 은수한테 고맙네, 은수가 우리 여울이를 정말 많이 아끼는구나……."

하염없이 눈물이 터져 나왔다. 더 이상 뭐라고 말해야 할지 알 수 없었다. 팔로 얼굴을 가린 채 울먹이는 내게 아주머니는 그저 웃으며 "괜찮다, 은수야. 다 괜찮아질 거야…….”라고 위로했다.

여울이는 괜찮을 거라고, 오히려 너무 고맙다고.

나는 이 집안의 온기가 너무 좋다. 아주머니를 쏙 빼닮은 여울이가 잠을 자고 밥을 먹는 이 공간이 참 아늑하다.

나는 줄곧 외롭고 삭막했다. 채워지지 않는 휑한 가슴 한쪽을 부여잡은 채 비틀거리며 지냈다. 언젠가 어른이 되면 이 채워지지 않는 공허함에 질식해 죽을 거라고 생각했다. 사실 나는 나약하고 겁 많은 소년이었다. 누군가와 닿는 것을 극도로 꺼리며 고슴도치처럼 혼자 웅크린 채 외로움에 덜덜 떨었다.

그게 불과 몇 달 전, 옆집의 건담 소녀를 만나기 이전의 내 모습이었다.

어제 박소영이 내게 화를 낸 이유를 이제야 알 것 같았다. 왜 이런 바보 같은 짓거리를 해야 하냐는 내 질문에 황당해하던 그녀의 눈빛을 비로소 공감할 수 있었다.

오늘에서야 깨달았다. 여울이가 아프면 나도 몹시 아프다는 것을. 저 녀석이 울면 그 눈물이 더 큰 웅덩이가 되어 나를 집어삼킨다는 것을.

거실에 전화벨 소리가 울려 퍼졌다. 왠지 우리 엄마일 것 같았다. 아주머니가 전화를 받으러 나가자, 나는 침대 옆의 스탠드 조명을 어둡게 낮췄다.

"바보, 왜 왔다가 그냥 갔어."

새근새근 잠들어 있는 여울이에게 허탈한 목소리로 말했다. 혹시 꿈속에서 아주머니와 내 대화를 듣고 있는 건 아닐지. 여전히 이기적인 내 한쪽 마음은 차라리 그랬으면 좋겠다는 생각을 했다.

나는 녀석의 손등을 어루만지며 몇 분간 조용히 생각에 잠겼다. 시든 채 고개를 숙인 해바라기가 어둠 속에서 고요히 내 발등을 응시하고 있었다.

"김여울……. 너 나 안 미워할 거지?"

딱 4개월만 참으면 된다. 여울이는 세상에서 제일 단순한 바보니까, 주먹질 몇 번 받아 주고 실컷 욕을 먹어 주면 다 이해해 줄 거다. 거짓말 같은 거 세상에서 제일 싫어하는 녀석이지만, 하은수는 용서해 줄 거다.

나는 녀석의 하나뿐인 피아노 선생님이니까……. 그래 줄 거지?

"하은수, 해바라기 좋아해?"

"그냥……. 싫지는 않은데."

"피아노는?"

"싫지는 않지."

"축구는?"

"그것도 싫지는 않아."

우리는 고작 열여섯 소년 소녀였고, 매 순간 일어나는 감정의 파도 속에서 허우적대는 어린 짐승에 불과했다. 숨이 막혀 죽을 것 같던 물살도 지나고 보면 별거 아니라는 어른들의 이야기는 귓등에도 와닿지 않던 무렵이었다.

"하은수, 그럼 나는?"

살짝 웃으며 부끄러워하는 여울이의 모습이 하얗게 눈부셨다. 두 눈을 꾹 감은 채 딸기 우유처럼 발그레 젖은 그녀의 뺨, 초조한 듯 잘근잘근 깨물며 내 대답을 기다리는 도톰한 입술. 내가 환장하게 좋은 게 무엇인지 찾게 해 준 소녀.

나의 소년기는 옆집 소녀와의 일들로 가득했다. 막 피어오르기 시작한 풋사랑은 이미 터질 듯 뛰는 심장 한쪽에 단단히 뿌리를 내린 상태였지만, 내가 그 감정의 뿌리를 완전히 인정하는 데까지는 몇 년의 시간을 더 필요로 했다.

그리고 그때 나의 솜털 같던 풋사랑은 어느새 내 속을 간절하게 애태우며 자란 채, 내 남은 성장기를 지독한 열병 속에 가둬 버리고 말았다.

– 2권으로 이어집니다.

소녀는 순수하지 않다 1

초판 인쇄 2019년 4월 11일
초판 발행 2019년 4월 19일

지은이 박슬기
펴낸이 신현호
편집부장 예숙영
편집 박상희
편집디자인 한방울
영업 · 관리 김민원 조인희
물류 이순우 최준혁 박찬수

펴낸곳 ㈜디앤씨미디어
출판등록 2002년 5월 1일 제117-90-51792호
주소 서울시 구로구 디지털로 26길 111 JnK디지털타워 503호
대표전화 (02)333-2513 팩스 (02)333-2514
전자우편 dncbooks@dncmedia.co.kr
디앤씨북스 블로그 http://blog.naver.com/dncbooks

ISBN 979-11-264-4687-2 (04810)
ISBN 979-11-264-4686-5 (SET)